# Excel
## 資料分析工作術
### 提升業績、改善獲利，就靠這幾招

Data Analysis for Business
With Microsoft Excel

透過實例介紹
能短時間建立
各種數字的
**Know-How！**

# 前言

　　若要以一句話描述現代的上班族，那就是「沒有時間」。原本有時間可以仔細地找出問題的原因以及擬定具體的對策，卻很怕太花時間而被對手捷足先登。

　　若說哪項強力的武器可以幫助上班族早一步找出問題的原因，早日達成設定的目標，那當然非網路搜尋莫屬。正確地了解問題與目標，輸入確實的關鍵字，就能輕鬆地找到相關的資訊與資料，找到解決問題的線索，有時甚至可直接找到答案。因此我們可以說，早期發現問題、迅速設定課題以及高階的搜尋能力是現代上班族必備的能力。

　　不過，不一定每次都能找到關鍵的答案。若老是依賴針對性的答案，該答案可能只適合於當下的問題。明明問題的本質相同，但只要稍微改變一下著眼點，該答案就有可能不再適用。

　　想擺脫對網路搜尋的依賴，學會徹底分析資料的能力，可是卻沒有時間？為了幫助大家突破這番困境，本書主要以下列的項目組成：

①分析實例－具體提出上班族實際遇到的問題與課題
②提出解決方案－解說分析的手法以及需要了解的內容
③操作－針對分析實例進行的 Excel 操作與結果的解讀
④解說－補充②與③，更詳盡的解說與類似的分析範例

　　沒有時間的時候，請閱讀①與②的部分，即便手邊沒有 Excel 也請繼續閱讀。雖然①介紹的是具體的實例，但或許會讓您覺得「這跟我好像沒關係」，所以也同時介紹類似的分析範例，藉此提升該單元的實用性。

　　此外，最近很流行「只要知道這個就萬事 OK」的書，但是把好不容易抽出來的時間浪費在學習 Excel 的基礎實在太可惜。本書認為，不知道就無法使用與知道卻無法使用是兩回事，所以希望能幫助大家提升 Excel 的技巧。

　　如果在閱讀本書的過程中，能在職場的資料分析上助大家一臂之力，那絕對是筆者的榮幸。

　　最後要由衷地感謝給予本書執筆機會的 SB Creative 的平山總編輯以及其他製作相關人員。

日花弘子

# 閱讀本書的準備

本書需要使用「分析工具箱」與「規劃求解增益集」。預設是無法使用的，所以請透過下列的操作新增「分析工具箱」與「規劃求解增益集」。只要完成設定，「分析工具箱」與「規劃求解增益集」就會常駐於工具列，不需要每次啟動 Excel 都要重新設定一次。

請先啟動 Excel。Excel 2013/2016 則在點選「空白活頁簿」之後開始操作。

Excel2007
▶ 步驟 ❶：先點選「Office 按鈕」，再從選單點選「Excel 的選項」。

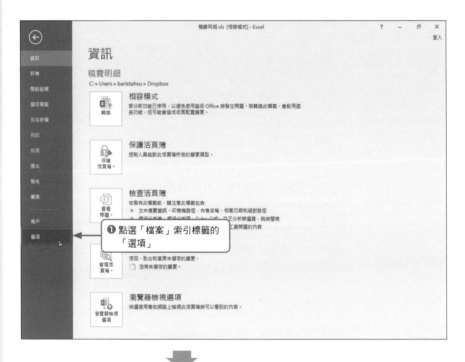

❶ 點選「檔案」索引標籤的「選項」

❷ 點選「增益集」

❸ 點選「▼」再選擇「Excel 增益集」，然後點選「執行」。

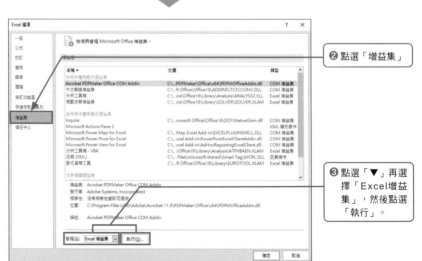

Excel2007
▶在步驟❹點選「確定」鈕之後,若顯示訊息請點選「是」。此時將自動進行安裝。要追加「分析工具箱」與「規劃求解增益集」需重複執行兩次安裝的步驟。

本書範例檔案,可至以下連結下載:
http://books.gotop.com.tw/download/ACI029300

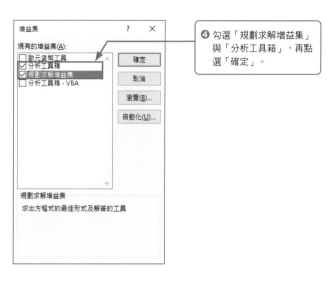

❹ 勾選「規劃求解增益集」與「分析工具箱」,再點選「確定」。

❺ 「資料」索引標籤將顯示「規劃求解增益集」與「分析工具箱」。

# CONTENTS

**CHAPTER 01**

## 資料分析的建議

**01** 得到資料分析這項武器 ..................................................002
- ▶ 資料分析的範圍有多廣 ..................................................002
- ▶ 進行資料分析的三項理由 ..................................................003
- ▶ 資料分析創造的三項衍生物 ..................................................004

發 展 ▶ ▶ ▶
- ▶ 讓資料分析更順利的框架 ..................................................005

**02** 本書的資料分析方法 ..................................................008
- ▶ PDAC循環與本書的對應 ..................................................008

**CHAPTER 02**

## 業務資料的收集與加工

**01** 有效率地收集資料 ..................................................010

導 入 ▶ ▶ ▶
- ▶ 從容易收集的資料開始收集 ..................................................010
- ▶ 別毫無目的地收集資料 ..................................................011
- ▶ 資料要自行製作？ ..................................................013

實 踐 ▶ ▶ ▶
- ▶ 量化天氣資料 ..................................................015

發 展 ▶ ▶ ▶
- ▶ 排除冗長的資料 ..................................................017
- ▶ 為了區分定性資料所使用的 1 與 0 ..................................................018
  - Column　資料的種類 ..................................................018

**02** 常用於資料分析的 Excel 功能 ..................................................019

導 入 ▶ ▶ ▶
- ▶ PPDAC 循環與 Excel 的關係 ..................................................019

實　踐 ▶ ▶ ▶

▶ 常用於資料分析的 Excel 四大功能與扮演的角色 .................................................020

發　展 ▶ ▶ ▶

▶ 資料分析功能 .................................................022
▶ 資料驗證功能 .................................................023

## 03　整理資料的格式 ...............................................024

導　入 ▶ ▶ ▶

▶ 整理收集到的資料 .................................................024

實　踐 ▶ ▶ ▶

▶ 清理資料 .................................................025

實　踐 ▶ ▶ ▶

▶ 調查業績日期與業績的關係 .................................................027

實　踐 ▶ ▶ ▶

▶ 製作門市月份統計表 .................................................030

發　展 ▶ ▶ ▶

▶ 清理資料的函數 .................................................036

## 04　以圖表圖解資料 ...............................................039

導　入 ▶ ▶ ▶

▶ 於資料分析使用的圖表 .................................................039

實　踐 ▶ ▶ ▶

▶ 依照目的製作圖表 .................................................040
▶ 編輯圖表 .................................................041

實　踐 ▶ ▶ ▶

▶ 變更圖表的顯示順序 .................................................046

發　展 ▶ ▶ ▶

▶ 圖表的種類與用途 .................................................047

## CHAPTER 03
# 與銷售有關的資料分析

## 01　以中長期的眼光分析業績趨勢 ...............................................052

導　入 ▶ ▶ ▶

▶ 能去除業績的變動因素，並以圖解方式呈現的是 Z 圖表 .................................................052

**實踐 ▶ ▶ ▶**

▶ 準備的業務資料......................................................................054
▶ Excel 的操作①：建立 Z 圖表所需的資料................................054
▶ Excel 的操作②：製作 Z 圖表..................................................056
▶ 判讀結果.................................................................................058

**發展 ▶ ▶ ▶**

▶ 消除業績變動的原理................................................................059
▶ Z 圖表的進階解讀...................................................................059
▶ 類似的分析範例......................................................................060

## 02　比較銷售計劃與實績 ..............061

**導入 ▶ ▶ ▶**

▶ 透過 Z 圖表比較計劃與實際業績.............................................061

**實踐 ▶ ▶ ▶**

▶ 預先準備的業務資料................................................................062
▶ Excel 的操作①：製作 Z 圖表所需的資料................................062
▶ Excel 的操作②：製作銷售計劃與實際業績的 Z 圖表...............064
▶ Excel 的操作③：確認從年度開始的業績走勢..........................067
▶ 判讀結果.................................................................................068

**發展 ▶ ▶ ▶**

▶ 重新檢視銷售計劃...................................................................068
▶ 類似的分析範例......................................................................070
　　Column　讓商品生命週期變得具體可見..................................070

## 03　讓商品管理更有彈性 ..............071

**導入 ▶ ▶ ▶**

▶ 進行將重要度分成 ABC 三級的 ABC 分析................................071
▶ ABC 評估的分類方式..............................................................072
▶ 利用柏拉圖讓管理的項目變得更具體可見................................072

**實踐 ▶ ▶ ▶**

▶ 準備的業務資料......................................................................073
▶ Excel 的操作①：計算 ABC 評估所需的值................................073
▶ Excel 的操作②：ABC 分級以及替業績分級.............................075
▶ Excel 的操作③：製作柏拉圖..................................................076
▶ 判讀結果.................................................................................079

**發展 ▶ ▶ ▶**

▶ 柏拉圖的模式.........................................................................080
▶ 類似的分析範例......................................................................081
　　Column　長尾效應.................................................................081

**04　從銷售金額與毛利評價商品** ......................................082

導　入 ▶ ▶ ▶

▶ 兩個切入點的交叉式 ABC 分析 ......................................082
▶ 決策表的解讀方法 ......................................083

實　踐 ▶ ▶ ▶

▶ 需準備的業績資料 ......................................083
▶ Excel 的操作①：輸入組成比例累計與 ABC 評價的公式 ......................................084
▶ Excel 的操作②：排序銷售額與毛利，再進行 ABC 評價 ......................................085
▶ 判讀結果 ......................................087

發　展 ▶ ▶ ▶

▶ 類似的分析範例 ......................................088
▶ 建立決策表 ......................................089
▶ 建立決策表的步驟 ......................................089


**05　找出能有效產生利潤的商品** ......................................093

導　入 ▶ ▶ ▶

▶ 利用交叉比率找出銷售效率為佳的商品 ......................................093
▶ 讓交叉比率與毛利同時具體化 ......................................094
▶ 找出利潤貢獻度高的商品 ......................................095

實　踐 ▶ ▶ ▶

▶ 要準備的業績資料 ......................................095
▶ Excel 的操作①：計算交叉比率與利潤貢獻度 ......................................095
▶ Excel 的操作②：替交叉比率與利潤貢獻度排出順位 ......................................097
▶ 判讀結果 ......................................099

發　展 ▶ ▶ ▶

▶ 類似的分析範例 ......................................099
▶ 交叉比率的單位 ......................................100
▶ 製作交叉比率與毛利的泡泡圖 ......................................100

　　　Column　　交叉比率與 GMROI ......................................104


**06　找出折扣效果較顯著的商品** ......................................105

導　入 ▶ ▶ ▶

▶ 利用需要價格的彈性量化對價格的敏感度 ......................................105
▶ 需要價格彈性 ......................................106

實　踐 ▶ ▶ ▶

▶ 準備的業務資料 ......................................108
▶ Excel 的操作①：計算需要價格彈性 ......................................108
▶ Excel 的操作②：繪製需要曲線 ......................................109
▶ 判讀結果 ......................................112

發 展 ▶ ▶ ▶
▶ 需要價格彈性的模式...............................................................114
▶ 假設需要曲線為指數模型時的需要價格彈性............................115
▶ 類似的分析範例...................................................................116

　　Column　需要價格彈性越高越好!?.......................................117
　　Column　各種彈性.............................................................117

## 07　找出毛利最高的售價 ........................118

導 入 ▶ ▶ ▶
▶ 利用規劃求解功能算出需要曲線上毛利最高的數量與價格的組合.............118

實 踐 ▶ ▶ ▶
▶ 準備的業務資料...................................................................120
▶ Excel 的操作①：計算需要曲線的趨勢公式.............................120
▶ Excel 的操作②：在銷售數量設定趨勢公式.............................124
▶ Excel 的操作③：設定規劃求解功能......................................125
▶ Excel 的操作④：執行規劃求解功能......................................133
▶ 判讀結果...........................................................................135

發 展 ▶ ▶ ▶
▶ 需要價格彈性與售價的關係...................................................136
▶ 類似的分析範例...................................................................137

## CHAPTER 04
# 與企劃有關的資料分析

## 01　根據銷售實際成績預測下一季的銷售額 ........140

導 入 ▶ ▶ ▶
▶ 根據趨勢線的趨勢方程式計算................................................140

實 踐 ▶ ▶ ▶
▶ 準備的業務資料...................................................................142
▶ Excel 的操作①：繪製年度銷售額走勢圖表.............................142
▶ Excel 的操作②：新增趨勢線................................................143
▶ Excel 的操作③：預測明年的銷售額......................................145
▶ 判讀結果...........................................................................145

發 展 ▶ ▶ ▶
▶ 利用 Z 圖表預測業績............................................................146
▶ 類似的分析範例...................................................................146

**02　根據銷售額變動幅度訂立每月的銷售計劃** ........................147

導 入 ▶ ▶ ▶
▶ 利用月份平均法將年度業績分配至每個月 ..........................147

實 踐 ▶ ▶ ▶
▶ 準備的業績資料 ...................................................149
▶ Excel 的操作①：計算季節指數與分配率 ..........................149
▶ Excel 的操作②：將次年度的業績目標分配至每個月份 ..............152
▶ Excel 的操作③：計算實際成績值與下年度預算的調整資料 ..........152
▶ 判讀結果 .........................................................153

發 展 ▶ ▶ ▶
▶ 利用趨勢線計算每月預算 ...........................................154
▶ 透過 Z 圖表計算每月預算 ..........................................155
▶ 類似的分析範例 ...................................................156

**03　預測新門市的銷售額** ...............................................157

導 入 ▶ ▶ ▶
▶ 利用迴歸分析求出車站乘客數與銷售額之間的關係式 ................158
▶ 判斷迴歸方程式的適切性 ...........................................160

實 踐 ▶ ▶ ▶
▶ 準備的業績資料 ...................................................160
▶ Excel 的操作①：利用散佈圖調查相關係 ..........................161
▶ Excel 的操作②：在散佈圖繪製趨勢線 ............................161
▶ Excel 的操作③：算出新門市的銷售額 ............................163
▶ 判讀結果 .........................................................165

發 展 ▶ ▶ ▶
▶ 利用函數判斷迴歸曲線的適切性，算出業績預測值 ..................166
▶ 根據殘差判斷迴歸方程式的適切性 .................................167
▶ 類似的分析範例 ...................................................170

**04　根據多種資料預測新門市的銷售額** ...................................171

導 入 ▶ ▶ ▶
▶ 利用多元迴歸分析求出影響業績的原因與銷售額的關係式 ............171
▶ 利用分析工具算出迴歸方程式 .....................................172
▶ 分辨可使用的原因與不可使用的原因 ...............................173

實 踐 ▶ ▶ ▶
▶ 準備的業績資料 ...................................................174
▶ Excel 的操作①：準備的業務資料 ................................174
▶ 判讀結果①：原因之間的相關係數 .................................175
▶ Excel 的操作②：進行多元迴歸分析 ..............................176

CHAPTER 01

CHAPTER 02

CHAPTER 03

CHAPTER 04

▶ 判讀結果②：決定能解釋銷售額的原因 .................................................. 177
▶ Excel 的操作③：預測新門市的業績 .................................................. 180
▶ 判讀結果③：統整 .................................................. 180

發 展 ▶ ▶ ▶

▶ 確認殘差圖表 .................................................. 181
▶ 找出偏差值 .................................................. 182

　　Column　　常態分佈與偏差值 .................................................. 183

　　Column　　要因資料數較少的情況 .................................................. 184

## 05　調查影響業績原因的影響力 .................................................. 185

導 入 ▶ ▶ ▶

▶ 量化定性資料再進行迴歸分析 .................................................. 186

實 踐 ▶ ▶ ▶

▶ 準備的業績資料 .................................................. 187
▶ Excel 的操作①：確認偏差值 .................................................. 187
▶ Excel 的操作②：量化定性資料，排除冗長資料 .................................................. 189
▶ Excel 的操作③：確認多元共線性 .................................................. 191
▶ Excel 的操作④：調整元素的影響力 .................................................. 192
▶ 判讀結果 .................................................. 194

發 展 ▶ ▶ ▶

▶ 將網路資料匯入工作表 .................................................. 196

## 06　透過天氣與星期預測銷售量 .................................................. 201

導 入 ▶ ▶ ▶

▶ 利用量化定性資料的迴歸方程式算出預測值 .................................................. 201
▶ 透過殘差說明迴歸方程式的適切性 .................................................. 202

實 踐 ▶ ▶ ▶

▶ 準備的業績資料 .................................................. 203
▶ Excel 的操作①：計算偏差值的個數，判斷迴歸方程式的適切性 .................................................. 203
▶ Excel 的操作②：計算銷售數量的預測值 .................................................. 206
▶ 判讀結果 .................................................. 209

發 展 ▶ ▶ ▶

▶ 以函數計算迴歸方程式的係數 .................................................. 211

# CHAPTER 05
# 有關顧客的資料分析

**01** **快速替顧客排名** ....................................................214

導 入 ▶ ▶ ▶

▶ 進行將顧客分成十等分的十分法分析 ........................................ 214

實 踐 ▶ ▶ ▶

▶ 準備的業績資料 ........................................................ 216
▶ Excel 的操作①：統計各群組的購買金額 ..................................... 216
▶ Excel 的操作②：繪製柏拉圖 ............................................ 219
▶ 判讀結果 ............................................................ 220

發 展 ▶ ▶ ▶

▶ 顯示顧客所屬的群組名稱 ................................................ 221


**02** **找出優良顧客** ....................................................222

導 入 ▶ ▶ ▶

▶ 進行以購買日期、購買次數、購買金額排名的 RFM 分析 .......................... 222

實 踐 ▶ ▶ ▶

▶ 準備的業績資料 ........................................................ 223
▶ Excel 的操作①：求出 RFM 的評價 ......................................... 224
▶ Excel 的操作②：以樞紐分析表統計 ........................................ 225
▶ Excel 的操作③：篩選出優良顧客 .......................................... 227
▶ 判讀結果 ............................................................ 229

發 展 ▶ ▶ ▶

▶ 追加顧客資訊再統計 .................................................... 231
　　　Column　　LTV（顧客終身價值） ..................................... 238


**03** **利用問卷具體呈現需要改善的項目** ....................239

導 入 ▶ ▶ ▶

▶ 針對綜合評價與各評價項目的滿足度進行相關係數分析 .......................... 240
▶ 繪製 CS Portfolio 圖表 ................................................. 240

實 踐 ▶ ▶ ▶

▶ 準備的業績資料 ........................................................ 241
▶ Excel 的操作①：進行相關係數分析 ........................................ 242
▶ Excel 的操作②：準備繪製 CS Portfolio 圖表 ............................... 243
▶ Excel 的操作②：繪製 CS Portfolio ...................................... 247
▶ 判讀結果 ............................................................ 248

CHAPTER 01

CHAPTER 02

CHAPTER 03

CHAPTER 04

# CONTENTS

**發 展 ▶ ▶ ▶**

▶ 針對綜合評價與各評價進行多元迴歸分析 .................................................. 249
▶ 將影響綜合評價的程度繪製成圖表 .......................................................... 250
▶ 類似的分析範例 ................................................................................... 251

## 04 抓住消費者的心理 ................................................................ 253

**導 入 ▶ ▶ ▶**

▶ 進行讓消費者意識具體浮現的聯合分析法 .................................................. 254
▶ 建立「不偏頗、無相關」的商品方案 ....................................................... 254
▶ 實施問卷的方法 ................................................................................... 255

**實 踐 ▶ ▶ ▶**

▶ 準備的業績資料 ................................................................................... 256
▶ Excel 的操作①：統計問卷 .................................................................... 257
▶ Excel 的操作②：準備進行迴歸分析 ....................................................... 259
▶ Excel 的操作③：利用迴歸分析計算屬性的影響度 .................................... 263
▶ 判讀結果 ............................................................................................ 266

**發 展 ▶ ▶ ▶**

▶ 類似的分析範例 ................................................................................... 267
▶ 使用直交表建立商品方案 ...................................................................... 268
▶ 量化商品方案 ...................................................................................... 272
　　Column　水準名稱的轉記 ................................................................. 273
　　Column　公式的易讀性與效率性 ........................................................ 273

## 05 得到目標客群青睞的是哪邊？ .......................................... 274

**導 入 ▶ ▶ ▶**

▶ 以應答者的側寫資料進行迴歸分析 .......................................................... 274

**實 踐 ▶ ▶ ▶**

▶ 準備的業績資料 ................................................................................... 275
▶ Excel 的操作①：量化定性資料 ............................................................. 276
▶ Excel 的操作②：實施迴歸分析 ............................................................. 277
▶ Excel 的操作③：建立判別式，算出樣本分數 .......................................... 280
▶ Excel 的操作④：計算樣本分數的命中率 ................................................ 281
▶ Excel 的操作⑤：計算對判別的影響度 .................................................... 283
▶ 判讀結果 ............................................................................................ 284

**發 展 ▶ ▶ ▶**

▶ 預測回答不知道的人的選擇 ................................................................... 285
▶ 類似的分析範例 ................................................................................... 286

# 資料分析的建議

本章要從各種層面說明資料分析是如何與平常的業務產生關聯。第 1 章是「何謂資料分析」的解說，或許有些人會因為覺得無聊而跳過，但說得誇張一點，第 1 章的內容可重新檢視自己對工作的態度，所以有時間的話，還是請大家閱讀一下。

01　得到資料分析這項武器 ▶▶▶▶▶▶▶▶▶▶▶▶▶▶▶▶▶▶▶▶ P.002

02　本書的資料分析方法 ▶▶▶▶▶▶▶▶▶▶▶▶▶▶▶▶▶▶▶▶▶ P.008

# 01 得到資料分析這項武器

現在已是在電腦或平板電腦輸入關鍵字,就能輕鬆取得想知道的資訊或資料的時代,但是,取得的資料是否確實,又能從資料解讀出哪些訊息,就與上班族的資料分析力息息相關。接下來將以進行資料分析的理由與優點進行解說。

## ▶ 資料分析的範圍有多廣

本書將資料分析的範圍定義為從發現問題或設定課題到解決問題與達成課題這一連串的活動。不過,解決問題與達成課題後,有時會衍生出新的問題或課題,所以資料分析往往沒有開始也沒有結束,會一直不斷延伸下去。

說得精確一點,只是整理手邊的資料與得出結果還不算是分析,而且不知道這些資料何時會派上用場,只是先整理起來的資料也沒有任何價值可言,因為只要是資料分析,就一定會有所目的。

▶右圖是被稱為 PPDAC 循環的資料分析框架。→ P.5

● 資料分析的範圍

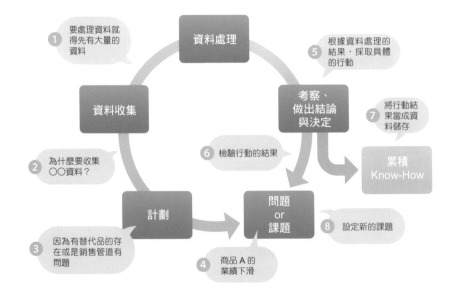

讓我們一邊看著「資料分析的範圍」圖，一邊以「資料整理」為出發點，重新整理一次概念。

首先是往左走。要處理資料得先收集原始資料❶，如果不知道收集資料的根據，就無法收集資料❷❸。之所以得思考收集資料的根據或是收集資料，是因為出現了待解決的問題或待達成的課題❹。

接著往右走。根據資料處理的結果考察，最後做出決定與採取具體的行動❺。取得與行動相關的資料，進一步驗證根據決定所做出的行動是否妥當❻，接著將這些驗證的過程當成 Know-How 累積❼，最後再找出新的問題與課題❽。

「資料處理」雖被當成起點，但不管是往左走還是往右走，最後都會到達「問題／課題」。換言之，資料分析的起點是「問題／課題」，終點也是「問題／課題」。不過，我們要的不是在同一個地方打轉，而是要透過 Know-How 的累積，讓我們的能力升級。

▶ **進行資料分析的三項理由**

資料分析的理由有下列三種：

● **①找出問題的原因或是達成**

一如圖「資料分析的範圍」所述，資料分析的起點與終點都是「問題」，沒有任何一種資料分析會少了問題與課題的。提出問題的「為什麼？」、解決方案的「該怎麼做？」、根據決定採取行動之後所得的結果為「結果如何？」，這些有關問題與課題的各種活動都與資料分析息息相關。

● **②為了說服對方**

「對方」有可能是上司、同事、交易對象或長期客戶。最為棘手的是上司的經驗與直覺。若只是以「我覺得是這樣」的態度提出問題的原因或解決方案，很可能會聽到上司說：「我的直覺不是這樣」而被一腳踢開。面對以主觀看事情的對方，就必須以資料分析的客觀性應戰。

● **③替自己的想法提出佐證**

雖然「資料分析的範圍」圖把找出問題的原因與提出解決方案放在「資料處理」的後面，不過，進入「計劃」的階段，考察停留在創意等級的原因與解決方案後，要替自己的想法提出佐證，就必須收集必要的資料與進行資料處理。或許您覺得順序不太對，但資料其實是無限多的，若不先縮小收集資料的範圍，收集資料這件事就會變得沒完沒了，也無法進入處理資料的階段。若是能先以資料分析證明「問題的原因是○○的話，解決方案應該是○○比較好」，就能為自己的想法提出有力的證據。

▶在計劃階段假設問題的原因與解決方案的行為稱為提出假設。
→ P.6

MEMO 問題與課題

雖然不用太過計較，不過問題與課題的確是有所不同。問題是現狀與理想狀況的落差，也就是「找出獲利下滑的原因」的這類問題。課題是要到達理想狀況而必須採取的行動。具體來說，「要提升獲利，必須降低成本」這類行為就是所謂的課題。

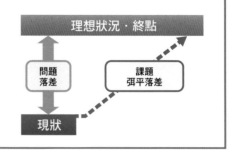

## ▶ 資料分析創造的三項衍生物

資料分析會創造一些衍生物。

### ● ①更了解工作，提升執行力

資料分析位於「問題／課題」的內側。「問題／課題」是找出問題與探討原因以及設定與達成課題，但這些事情都是由人力執行，所以「問題／課題」就是「工作（業務）」本身。將 P.2 的圖「資料分析的範圍」的順序放在心裡，一邊確認現在執行的是哪個部分（或是打算執行的是哪個部分）再進行分析，就能讓工作的內容與流程更為明確，也能提升工作的執行力。

### ● ②讓觀點更多元，也能從單筆資料導出多項資訊

在收集／處理資料的過程中，常需要整理／排序資料或是加工資料，有時可透過這些作業看出業績在時間軸裡的變化，或是了解商品之間的業績關係。此外，有時必須要從製造商、業務員、消費者、銷售者或是其他角度解釋資料。只要學會資料分析技術，觀察資料的視點自然就會變得多元，也就能從單筆資料得到多項資訊。

### ● ③累積經驗與磨練直覺

若是以為學會資料分析的技術就可以無視經驗與直覺當成冗物，那可就大錯特錯。在網路搜尋資料時，往往會顯示如洪水般的相關資料，此時若無法分辨哪些資料必要，就無法分析資料。而「分辨」所需的就是經驗與直覺。透過資料分析提升經驗值與累積 Know-How 之後，直覺也將變得更為敏銳。

▶有補充經驗與直覺的框架，讓我們不需依賴經驗與直覺，也能進行分辨。→ P.5

發展 ▶ ▶ ▶

## CHAPTER 01

▶ 讓資料分析更順利的框架

框架
▶ 指的是推動事物之際的體系。沿著框架推動，就能直線地朝目的前進。框架提示的關鍵字是思考的重點。

P.2 的「資料分析的範圍」圖稱為 PPDAC 循環，是於資料分析之際使用的框架之一。雖然不一定要使用這類框架，但比起毫無目的地進行資料分析，使用這類框架顯得比較有效率。於資料分析之際使用框架的優點如下：

· 不知道該從何處著手時，使用框架可讓分析的步驟更加明確
· 現在在做什麼，接著該做什麼？使用框架可掌握分析全貌與進度
· 於相同的框架裡活動，可方便掌握成員的狀況與分享資訊
· 框架的關鍵字可當成資料分析的切入點使用

▶ PPDAC 循環裡的「A」是 Analysis，也是「資料分析」的意思，本書將問題發生到解決這一連串的活動都定義為資料分析，所以寫成「資料處理」。

● 框架

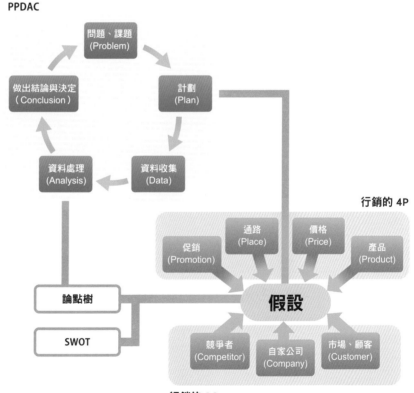

圖「框架」重新整理了 PPDAC 循環，也說明了在「計劃」階段的假設與建立假設之際可使用的框架範例。

● 假設

假設就是「分辨」有可能成為問題或課題的「答案」的行為。容我贅述一次，資料的數量有無限多，若不縮減收集資料的範例，是很難進行資料分析的。不過，毫無脈絡地認為「應該就是○○吧？」也只能說是一時的想法。若是成見過於強烈，假設的方向就容易走偏。使用框架有助於幫助思考，也能提升分辨資料時的精確度。

● 行銷的4P與3C

行銷的 4P 就是「產品」、「通路」、「價格」、「促銷」這四個英文單字的 P，而 3C 的「競爭者」、「自家公司」、「市場、顧客」也如出一轍。這幾個單字都能當成建立假設時的關鍵字（切入點）使用。舉例來說，面對業績下滑的問題時，可從「競爭者」的視點訂立「是否是因為其他公司的替代品業績提升所導致？」的假設。

● SWOT

SWOT 是將「優勢（S）」、「劣勢（W）」、「機會（O）」與「威脅（T）」當成關鍵字的框架，可如下分成四個面向。自家公司的優勢、弱點、商機與競爭對手或在國外活動所受到的威脅，各種 SWOT 都可當成切入點，用於掌握自家公司的現況，而且也能當成建立假設的關鍵字使用。舉例來說，要達成課題，可建立「自家公司若能使用獨創的○○的 Know-How，就能突破困境」的假設。

● SWOT

> **MEMO　內部環境與外部環境**
>
> 在圖「SWOT」之中，上半部的 S 與 W 屬於內部環境，下半部的 O 與 T 屬於外部環境。內部環境的優勢與劣勢可靠自家公司的努力改善，外部環境的機會與威脅則受到社會現象左右，無法自力改善。
>
> 不過，就算無法改善外部環境，也不能就此放任不管，還是應該透過過去的資料進行預測與分析，更精準地分析社會現象發生的可能性，才能應付外部環境後續的變化。
>
> 從內部環境與外部環境的層面解讀資料分析結果後，可得到計劃下一步行動的線索。

## ● 論點樹

論點樹是將驗證假設的資料以及資料處理方法構造化的框架。構造化是從提出「為什麼？（怎麼樣的？）」的「問題／課題」開始，再以「因為○○才引起問題」建立假設，接著為了驗證假設需要「○○資料」然後再進行「○○分析」。將這一連串行為化為樹狀構造就是所謂的構造化。

下列就是課題「讓毛利提升○％」的論點樹範例。

● 論點樹

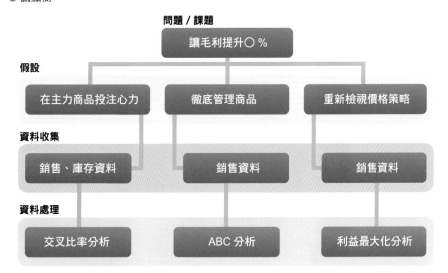

> **MEMO　不需要勉強建立假設**
>
> 本書雖然介紹了可用於資料分析的 PPDAC 循環，但是「計劃」階段的假設不一定非得執行不可。「問題／課題」不一定需要假設，有時也可以立刻開始收集資料與處理資料。

# 02 本書的資料分析方法

本書雖根據 PPDAC 循環解說，卻不會解說循環裡的每個元素。請大家將 PPDAC 循環的本質，也就是提出、實踐、回顧問題或課題的這部分放在心裡，然後繼續進行資料分析。

### ▶ PDAC 循環與本書的對應

PPDAC 循環裡的「資料收集」會在第 2 章的資料收集方法與整理方法提及，第 3 章之後則會當成「準備的業務資料」介紹。此外，於「資料處理」實踐的 Excel 操作之中頻繁使用的圖表則會於第 2 章介紹基本操作。

● PPDAC 循環與本書的資料分析

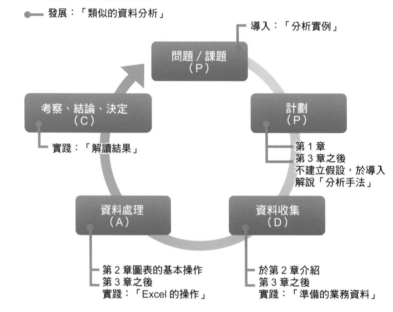

▶本書雖以 PPDAC 循環說明，但資料分析的框架不僅 PPDAC 一種，例如 Plan-Do-Check-Action 的 PDCA 循環或是 QC Story 的步驟都是框架之一，但共通之處都是問題／課題（目的）→實踐→回顧的流程。

第 3 章之後的各節將分成「導入」、「實踐」、「發展」這三大部分，「導入」的部分將介紹相當於 PPDAC 的「問題／課題」的「分析實例」、分析手法與分析的著眼點。「實踐」則主要說明 Excel 的操作，「發展」則是針對分析手法說明比「導入」更深入的內容。

# 業務資料的收集與加工

用於分析的資料基本是為了某個特定事物量身打造的。現有的資料不一定完全符合分析目的,所以必須取捨與加工。此外,在使用資料之前,必須先整理資料。本章將以資料的收集、加工方式與整理方式為主軸說明。此外,也將介紹圖表的基本操作,第 3 章之後的圖表編輯請參考本章的內容。

01　有效率地收集資料 ▶▶▶▶▶▶▶▶▶▶▶▶▶▶▶▶▶▶▶▶▶▶ P.010

02　常用於資料分析的 Excel 功能 ▶▶▶▶▶▶▶▶▶▶▶▶▶ P.019

03　整理資料的格式 ▶▶▶▶▶▶▶▶▶▶▶▶▶▶▶▶▶▶▶▶▶▶▶▶▶ P.024

04　以圖表圖解資料 ▶▶▶▶▶▶▶▶▶▶▶▶▶▶▶▶▶▶▶▶▶▶▶▶ P.039

# 01 有效率地收集資料

雖然你已經累積了不少資料，但這些不一定是能完全符合自己需求的資料。如果想取得完全符合自己目的的資料就只能重新收集。不過重新收集資料肯定會浪費過多的費用與時間，所以有效率地集合過去收集的資料，再依自己的目的加工資料才是標準的做法。接下來就為大家說明收集資料的重點與加工資料的方法。

## 導入 ▶ ▶ ▶

**實 例**　「想了解商品 A 的業績下滑的原因」

銷售達兩年的商品 A 一直是受觀光客青睞的商品，但這時候卻接到銷售量下滑的報告。該收集哪些資料才能找出業績下滑的原因呢？

### ▶ 從容易收集的資料開始收集

在列出○○資料與○○資料之前，先了解資料收集的方便性。

資料大致可分成一次資料與二次資料，收集資料時，可先從二次資料收集，必要時再收集一次資料。

### ●①一次資料

就是依照目的重新收集的資料。

優點在於能取得完全符合自己目的的資料。缺點在於需要花很多時間與成本。具體來說，可選擇符合目的的問卷資料。

### ●②二次資料

根據其他目的收集完成的資料。具體來說，就是於日常業務常態收集的銷售資料與顧客資料。由於是於公司內部收集的資料，所以又稱為內部資料。除自家公司的資料之外，二次資料還包含官方、地方政府的統計資料、業界的統計資料、調

▶相較之下，二次資料在費用方面比一次資料來得有利。官方或地方政府的統計資料只需要花費下載時的傳輸費用而已。此外，提供的檔案格式除了 PDF 之外，有很多也是 Excel 的格式，很方便用於資料分析。

查公司收集的資料。由於是從外部調來的資料，所以又稱為外部資料。

優點在於能立刻收集完成。隨著網路的普及，內部資料與外部資料都能輕易取得。

缺點在於不見得符合自己的需求。

### ▶ 別毫無目的地收集資料

許多自家公司都累積了龐大的二次資料（之後簡稱「資料」），不過，現在已是透過網路搜尋就能輕易存取外部資料的時代。換言之，只要想收集，隨時都可收集一堆資料，但也有可能因此不知道該從何處下手整理資料。

因此，先將範圍縮減至有可能造成業績下滑的資料，再從中找出可以驗證原因的資料。思考原因時，可使用金字塔圖表篩選收集的資料。

在金字塔的頂端放置分析目的，接著放置原因以及驗證原因的資料。此外，可將有可能成為答案的內容擬為假設。

● 金字塔圖表

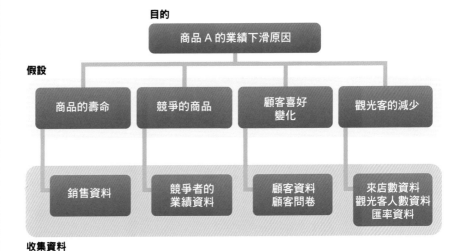

根據圖「金字塔圖表」篩選出必要資料之後，就該先收集能立刻收集的資料。以上圖而言，就是先收集銷售資料、顧客資料、來店數資料這些內部資料，接著再收集能從公開訊息取得的觀光客人數資料、匯率資料。即便未能收集所有資料，也能先就收集到的資料驗證假設。以實例而言，就是驗證「商品的壽命」與「觀光客的減少」。完成驗證後，就不需要浪費時間與費用收集競爭者的業績資料與顧客問卷，就能節省資料分析所需的時間與成本。

假設
▶假設就是「分辨」有可能成為問題或課題的「答案」的行為。
→ P.6

▶右圖的金字塔圖也被稱為論點樹。→ P.7

▶社群網站的普及與問卷軟體都讓收集問卷資料這件事變得更輕鬆，但該如何設計問卷內容，還是需要花費不少時間。

當然不一定會如上述那麼順利，但至少可以在驗證之後的假設加上「×」，有助於限縮假設的範圍。最後不得不收集一次資料時，也不會只是想到「需要製作問卷」，而是可以利用驗證之後的結果，證明收集問卷的必要性。

### ● 篩選資料

不花時間與金錢收集到的資料，原本就是為了其他目的而收集的，所以通常會摻雜著需要與不需要的項目。此外，資料之中有可能會摻雜幾項明顯「不對勁」與「有問題」的值。

篩選資料、取捨資料的重點有下列兩種：

### ● ①篩選的範圍要比最低程度需要的資料再放寬一點

不要只篩選出驗證所需的最低程度的資料，而是要稍微放寬篩選過程。資料的根據是假設，但假設充其量只是一種預測，所以在驗證的過程中，有可能會出現需要捨棄的資料。

例如，要驗證商品 A 的壽命時，不要只是篩選出商品 A 的銷售資料，而是要連同系列的商品銷售資料一併留下。若商品 A 有後續產品，透過後續產品的比較，就能進一步探討商品 A 的壽命。此外，即便只需要月份的資料，若能連同每週與每日的資料都留下，就有機會修正驗證。

### ● ②視情況刪除偏離值

偏離值就是與其他資料有明顯差異的資料。有可能是摻雜了錯誤的資料，也有可能是因為某些情況而造成這些資料的出現。例如，雖然發現業績明顯下滑的日期，但是仔細調查後才發現，原來當天周邊道路在整修，所以前往門市的主要通路被阻斷，這些情況都是有可能的。

要找出偏離值，繪製散佈圖是最有效率的。是否該利用散佈圖刪除偏離值，必須比對引起偏離值的理由與分析的目的再進行適當的判斷。

### ● 散佈圖

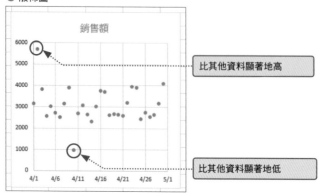

▶找出標記不一致的方法與解決方法請參考 P.24。

> MEMO　**註解標記方式的不一致**

所謂的標記方式不一致是指「A001」與「a001」這類英文字母大小寫同時存在的狀態。即便輸入者把這些資料視為一致，但 Excel 卻把它們當成不同的資料，所以，若是忽略這點，就無法完成資料分析。標記是否一致跟資料的輸入有關，所以利用輸入方式不一致的檔案以及手工輸入的資料分析時，就必須注意標記是否統一。

▶ **資料要自行製作？**

從收集的資料篩選出必要的項目之後，資料也不會成為自己專用的資料，因為收集的資料裡，通常不會有自己認為需要的項目。這真的就是所謂的「有一長必有一短」的道理。因此，必須將收集到的資料加工成新資料。具體來說，有下列四種方法：

● ①整理（統計）

以固定的週期與基準整理收集到的資料。舉例來說，以週期為單位收集到的業績資料可整理成單日資料、週次資料、月次資料或是年次資料，也能整理成男性與女性的資料或是各年齡層的資料。整理後的資料可掌握資料的走向。

▶可利用樞紐分析表統計。→ P.20、30

● 統計：各季業績

| | A | B |
|---|---|---|
| 1 | 季 | 業績(千) |
| 2 | Q1 | 512,368 |
| 3 | Q2 | 442,955 |
| 4 | Q3 | 602,283 |
| 5 | Q4 | 512,246 |
| 6 | 合計 | 2,069,852 |
| 7 | | |

● ②算出比例

能收集到的資料通常都是以數字的 0 為基準，藉此比較大小的值，之後計算所得的資料是無法採用的。最具代表性的計算所得的比例就是業績組成比例，其他還有單人業績（客單價）、單台設備的產值。算出比例的好處在於可利用人、東西、時間這類單位作為基準，算出類似「○○的平均值」的這種結果，比起只是比較數值的大小（絕對值），更能看出資料的大小關係。

絕對值
▶數值常用於表現東西的量、金額或是氣溫、聲音以及各種事物的性質與價值，而除去數值的正負，只單純代表大小的值就稱為絕對值。

● 比例：客單價

| | A | B | C | D |
|---|---|---|---|---|
| 1 | 季 | 業績（千） | 來客數 | 客單價（千） |
| 2 | Q1 | 512,368 | 158,620 | 3,230 |
| 3 | Q2 | 442,955 | 138,635 | 3,195 |
| 4 | Q3 | 602,283 | 181,235 | 3,323 |
| 5 | Q4 | 512,246 | 162,681 | 3,149 |
| 6 | 合計 | 2,069,852 | 641,171 | 3,228 |
| 7 | | | | |

▶比例是利用除法計算，右圖裡的比例是以業績／來客數計算，算出每位來客的業績（客單價）。

● ③分解

假設收集到的資料已經過統計，可搭配其他資料進行分解。舉例來說，業績資料與來店數資料結合，然後分解成性別與各年齡層的業績，或是分解成舊顧客與新顧客的資料。整理資料雖然可看出資料整體的走向，但分解資料可讓藏在整體資料之中的動向浮上檯面。

▶可利用樞紐分析表分解。→ P.30

● 分析：各季門市業績

| | A | B | C | D | E |
|---|---|---|---|---|---|
| 1 | 季 | A店 | B店 | C店 | 業績（千） |
| 2 | Q1 | 213,365 | 162,655 | 136,348 | 512,368 |
| 3 | Q2 | 192,256 | 112,622 | 138,077 | 442,955 |
| 4 | Q3 | 246,621 | 208,756 | 146,906 | 602,283 |
| 5 | Q4 | 202,215 | 175,684 | 134,347 | 512,246 |
| 6 | 合計 | 854,457 | 659,717 | 555,678 | 2,069,852 |
| 7 | | | | | |

● ④量化定性資料

定性資料就是質的資料或文字資料。代表性的定向資料就是問卷裡的好、普通、不好這類評價。評價這類有順序性的定性資料可將「好」設定為 3，「普通」設定為 2，「不好」設定為 1。其他也可以從問卷的感想欄位篩選出覺得有趣的關鍵字，計算同義的關鍵字的出現次數，就可以將其量化。

▶將天氣資料量化。→ P.15

● 量化：評價的量化

| | A | B | C | D | E | F | G |
|---|---|---|---|---|---|---|---|
| 1 | 回答No | 性別 | 評價 | 量化 | | | |
| 2 | 1 | 1 | 優良 | 3 | | 平均評價 | 2.2 |
| 3 | 2 | 0 | 優良 | 3 | | | |
| 4 | 3 | 0 | 普通 | 2 | | | |
| 5 | 4 | 0 | 惡劣 | 1 | | | |
| 6 | 5 | 1 | 普通 | 2 | | | |
| 7 | | | | | | | |

## 實踐 ▶ ▶ ▶

### 實例　針對天氣資料進行資料分析

門市 A 的店長 X 先生希望讓進貨變得更有效率，也想知道天氣對業績的影響。要知道業績與天氣的關係就必須取得業績與氣象資料。因此，他從總公司調來銷售資料，再透過網路搜尋到氣象資料，然後以日期將這兩項資料組合起來。接著還必須將天氣的「晴天」、「陰天」、「雨天」這類定性資料量化。該怎麼量化才是正確的方法呢？

● 目錄銷售資料

| | A | B | C | D | E |
|---|---|---|---|---|---|
| 1 | 日期 | 星期 | 業績(千元) | 來客數 | 天氣 |
| 2 | 8/25 | 二 | 2,845 | 1,255 | 陰天 |
| 3 | 8/26 | 三 | 2,644 | 1,008 | 雨天 |
| 4 | 8/27 | 四 | 3,544 | 1,566 | 陰天 |
| 5 | 8/28 | 五 | 2,741 | 1,422 | 陰天 |
| 6 | 8/29 | 六 | 4,922 | 1,402 | 雨天 |
| 7 | 8/30 | 日 | 4,822 | 1,388 | 雨天 |
| 8 | 8/31 | 月 | 3,425 | 1,922 | 陰天 |
| 9 | 9/1 | 二 | 2,454 | 922 | 雨天 |
| 10 | 9/2 | 三 | 3,455 | 1,836 | 陰天 |
| 11 | 9/3 | 四 | 3,122 | 1,704 | 陰天 |
| 12 | 9/4 | 五 | 2,645 | 1,455 | 陰天 |
| 13 | 9/5 | 六 | 5,526 | 2,267 | 陰天 |
| 14 | 9/6 | 日 | 6,023 | 2,355 | 陰天 |
| 15 | 9/7 | 月 | 2,924 | 1,056 | 雨天 |
| 16 | 9/8 | 二 | 2,166 | 838 | 雨天 |
| 17 | 9/9 | 三 | 2,845 | 1,088 | 雨天 |
| 18 | 9/10 | 四 | 2,448 | 926 | 雨天 |
| 19 | 9/11 | 五 | 2,544 | 1,577 | 晴天 |

### ▶ 量化天氣資料

一如問卷調查的評價，定性資料的量化以具有一定程度的間隔以及可比較大小的資料最為有效。另一方面，星期的「一」、「二」、「三」或是性別的「男性」、「女性」、天氣的「晴天」、「陰天」、「雨天」這類定性資料則不屬於可比較大小的資料。

即便加上數字也不具標籤意義的定性資料的量化方法如下。

● ①利用定性資料的元素名稱建立欄項目，再以 1 與 0 表現「是否是元素名稱」的真假

以實例而言，可為天氣資料建立「晴天」項目，如果天氣資料為「晴天」就顯示「1」，如果是「陰天」或「雨天」就顯示為「0」。

● ②利用定性資料的元素名稱建立的欄項目可從元素名稱之中刪除其中一個

天氣資料的元素雖分成「晴天」、「陰天」、「雨天」三項，但可將其中兩項建立成欄項目。

▶ 之所以要刪除一個元素名稱，是要避免資料變得冗長。→ P.17

上述①的 1 與 0 的區分可使用 IF 函數。

IF 函數 ➡ 依照條件將處理分成兩種

| 格 式 | = IF（邏輯式，真的情況，偽的情況） |
| --- | --- |
| 解 說 | 將比較公式建立的條件指定為邏輯式，然後在條件成立時執行 True 的情況的處理，不成立就執行 False 的情況的處理。 |

### 將天氣資訊分成 1 與 0

範例
2-01

▶儲存格參照的絕對參照與複合參照可利用「F4」鍵切換。

●在儲存格「F2」輸入的函數

| F2 | =IF( $E2=F $1,1,0) |
| --- | --- |

❶ 先以各項目的元素名稱建立欄項目

❷ 在儲存格「F2」輸入 IF函數

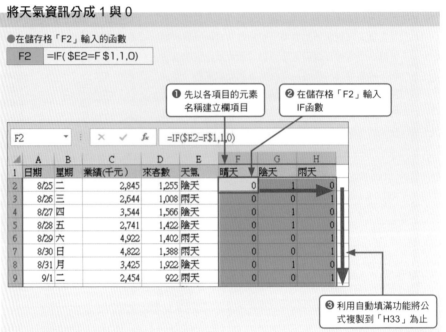

| F2 | | | × | ✓ | fx | =IF($E2=F$1,1,0) | |
| --- | --- | --- | --- | --- | --- | --- | --- |

| | A | B | C | D | E | F | G | H |
| --- | --- | --- | --- | --- | --- | --- | --- | --- |
| 1 | 日期 | 星期 | 業績(千元) | 來客數 | 天氣 | 晴天 | 陰天 | 雨天 |
| 2 | 8/25 | 二 | 2,845 | 1,255 | 陰天 | 0 | 1 | 0 |
| 3 | 8/26 | 三 | 2,644 | 1,008 | 雨天 | 0 | 0 | 1 |
| 4 | 8/27 | 四 | 3,544 | 1,566 | 陰天 | 0 | 1 | 0 |
| 5 | 8/28 | 五 | 2,741 | 1,422 | 陰天 | 0 | 1 | 0 |
| 6 | 8/29 | 六 | 4,922 | 1,402 | 雨天 | 0 | 0 | 1 |
| 7 | 8/30 | 日 | 4,822 | 1,388 | 雨天 | 0 | 0 | 1 |
| 8 | 8/31 | 月 | 3,425 | 1,922 | 陰天 | 0 | 1 | 0 |
| 9 | 9/1 | 二 | 2,454 | 922 | 雨天 | 0 | 0 | 1 |

❸ 利用自動填滿功能將公式複製到「H33」為止

### 排除一個天氣資訊的元素名稱

▶在步驟❶刪除或是移動到別的位置都可以。

| C (千元） | D 來客數 | E 天氣 | F 晴天 | G 陰天 | H 雨天 | I | J | K |
| --- | --- | --- | --- | --- | --- | --- | --- | --- |
| 2,845 | 1,255 | 陰天 | 0 | 1 | | ✂ 剪下(T) | | |
| 2,644 | 1,008 | 雨天 | 0 | 0 | | 複製(C) | | |
| 3,544 | 1,566 | 陰天 | 0 | 1 | | 貼上選項: | | |
| 2,741 | 1,422 | 陰天 | 0 | 1 | | | | |
| 4,922 | 1,402 | 雨天 | 0 | 0 | | 選擇性貼上(S)… | | |
| 4,822 | 1,388 | 雨天 | 0 | 0 | | 插入(I) | | |
| 3,425 | 1,922 | 陰天 | 0 | 1 | | 刪除(D) | | |
| 2,454 | 922 | 雨天 | 0 | 0 | | 清除內容(N) | | |
| 3,455 | 1,836 | 陰天 | 0 | 1 | | 儲存格格式(F)… | | |
| 3,122 | 1,704 | 陰天 | 0 | 1 | | 欄寬(C)… | | |
| 2,645 | 1,455 | 陰天 | 0 | 1 | | 隱藏(H) | | |
| 5,526 | 2,267 | 陰天 | 0 | 1 | | | | |

❶ 從三項定性資料之中刪除一欄。這次是在「雨天」的「H」欄按下滑鼠右鍵，再點選「刪除」。

| ▲ | A | B | C | D | E | F | G | H |
|---|---|---|---|---|---|---|---|---|
| 1 | 日期 | 星期 | 業績(千元) | 來客數 | 天氣 | 晴天 | 陰天 | |
| 2 | 8/25 | 二 | 2,845 | 1,255 | 陰天 | 0 | 1 | |
| 3 | 8/26 | 三 | 2,644 | 1,008 | 雨天 | 0 | 0 | |
| 4 | 8/27 | 四 | 3,544 | 1,566 | 陰天 | 0 | 1 | |
| 5 | 8/28 | 五 | 2,741 | 1,422 | 陰天 | 0 | 1 | |
| 6 | 8/29 | 六 | 4,922 | 1,402 | 雨天 | 0 | 0 | |
| 7 | 8/30 | 日 | 4,822 | 1,388 | 雨天 | 0 | 0 | |
| 8 | 8/31 | 月 | 3,425 | 1,922 | 陰天 | 0 | 1 | |
| 9 | 9/1 | 二 | 2,454 | 922 | 雨天 | 0 | 0 | |
| 10 | 9/2 | 三 | 3,455 | 1,836 | 陰天 | 0 | 1 | |
| 11 | 9/3 | 四 | 3,122 | 1,704 | 陰天 | 0 | 1 | |
| 12 | 9/4 | 五 | 2,645 | 1,455 | 陰天 | 0 | 1 | |

❷ 刪除「雨天」欄位，避免元素變得冗長了。

---

MEMO　**不想使用複合參照的情況**

絕對參照與複合參照是更有效率地將資料輸入儲存格之際的技巧之一。如果覺得複合參照很複雜，可在儲存格「F2」與「G2」輸入下列的公式，再利用自動填滿功能複製公式。

儲存格「F2」=IF (E2=" 晴天 ",1,0)
儲存格「G2」=IF (E2=" 陰天 ",1,0)

▶將字串指定給函數的參數時，必須在字串前後加上雙括號。

---

## 發展 ▶ ▶ ▶

### ▶ 排除冗長的資料

將成年與未成年分成「1」與「0」的時候，只要知道其中一邊，另一邊就一定是另外的資料，所以不需要同時列出「成年」與「未成年」這兩個欄項目，只需要列出「成年」此一項目就足夠。

● 冗長的資料：成年與否的情況

| 姓名 | 成年 | 未成年 |
|---|---|---|
| 許郁文 | 1 | 0 |
| 張瑋祒 | 0 | 1 |
| 張銘仁 | 0 | 1 |

| 姓名 | 成年 |
|---|---|
| 許郁文 | 1 |
| 張瑋祒 | 0 |
| 張銘仁 | 0 |

以別種角度來看，「成年」與「未成年」都是1，所以合計一定是「1」。

「成年」＋「未成年」＝ 1

天氣的資料也是同理可證。

「晴天」＋「陰天」＋「雨天」＝ 1

將三種定性資料的其中兩種分別標記為「1」與「0」之後，合計就一定會是「1」，而剩下的資料就會自動決定數值。

▶ 為了區分定性資料所使用的 1 與 0

製作定性資料時，會先以定性資料的元素名稱建立欄位，再將「是元素」（Yes）設定為「1」，以及「不是元素」（No）設定為「0」。不過，1 與 0 為什麼會是 Yes/No 的標籤呢？的確，1 與 0 雖然是標籤，但充其量只是為了方便計算所使用的標籤。

將 1 與 0 的欄資料加總起來就是合計資料的筆數。此外，1 不管乘以幾次都是 1，0 不管乘上什麼數字都是 0，所以欄資料只以 1 組成，還是包含 0，只要乘上欄資料就會知道。

加總 1 與 0 的欄資料的範例之一，就是加上「晴天」的欄資料，就能算出晴天的天數。此外，若將 1 與 0 的欄資料相乘，就能得到所有都是「Yes」還是至少有一項結果是「No」的答案。

## Column　資料的種類

資料的種類會隨著分類的方式而不同，這是因為觀察資料的視點不同，種類也會跟著改變。本書將資料的種類整理成下列的表格。

●資料的種類

| 觀點 | 資料種類 | 相關頁面／補充 |
|---|---|---|
| 資料收集的便利性 | 一次資料<br>二次資料 ┌ 內部資料<br>└ 外部資料 | →P.10 |
| 是否可計算 | 質的資料（文字資料）<br>量的資料（數值資料） | →P.14、15 |
| 是否與時間有關 | 時間軸資料<br>剖面資料 | 時間軸：成長記錄、氣溫資料<br>剖面資料：顧客資料、地址資料 |

▶時間軸資料常於分析資料的推移時使用，資料的排序非常重要。剖面資料是每一筆資料都是獨立資料，即便變更排列順序也不會破壞表格的意義。

# 02 常用於資料分析的 Excel 功能

依照資料分析的目的整理、調整資料的格式或是進行資料處理，Excel 都是不可或缺的工具。接下來要介紹常於資料分析使用的 Excel 的四大功能，以及根據 PPDAC 循環解說在分析過程之中，哪些時機點與 PPDAC 循環的哪個部位對應，又會使用哪些功能進行處理。

## 導入 ▶ ▶ ▶

▶ PPDAC 循環與 Excel 的關係

常於資料分析使用的四大功能是圖表、樞紐分析表、函數與分析工具。Excel 的功能與 PPDAC 循環的相對位置大致如下。主要是於「D（資料收集）」與「A（資料處理）」使用。

PPDAC 循環 → P.5
▶ 右圖以將出發點的「P」往左傾斜90度。

▶ 篩選資料→ P.12

▶ 自行製作資料?
→ P.13

● PPDAC 循環與 Excel 功能

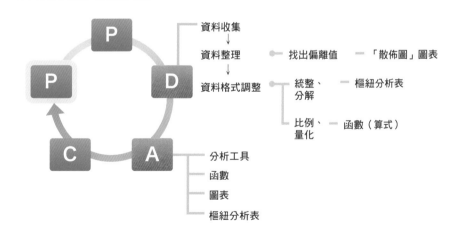

從上圖得知，Excel 可在進行資料分析時負責一部分的作業，而且就算懂得使用 Excel，也不代表可以立刻得出答案。

這裡所說的分析的答案是指了解在「P（問題／課題）」設定之問題的原因，或是找出達成課題的方案。

Excel 輸出的結果是找出答案的線索或是答案的根據。

實踐 ▶ ▶ ▶

▶當然有需要其他功能的情況，不過實在無法一一細數。這裡只介紹常用的功能。

### ▶ 常用於資料分析的 Excel 四大功能與扮演的角色

常於資料分析的過程中使用的 Excel 四大功能說明如下：

#### ●①圖表

圖表的功能在於圖解化資料。看著一堆數字未必能看出什麼端倪，但是做成圖表後，就能掌握資料的傾向與特徵，也能找出偏離值這類不對勁的地方。在眾多圖表之中，最常使用的就是散佈圖與散佈圖裡的趨勢線。趨勢線可將資料的傾向化為公式，再根據公式預測資料。

● 散佈圖與趨勢線

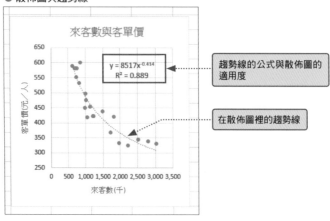

來客數與客單價

$y = 8517x^{-0.414}$
$R^2 = 0.889$

趨勢線的公式與散佈圖的適用度

在散佈圖裡的趨勢線

#### ●②樞紐分析表

最常取得的資料就是列表。樞紐分析表可在極短的時間之內根據列表格式的資料製作出直軸與橫軸都有項目名稱的統計表格。而且樞紐分析表不只是統整資料，還能對調項目的位置，顯示項目的明細再分解資料，具有從不同角度觀察資料的功能。

**列表**

▶依照第一列的欄標題輸入資料的縱長資料表。

● 列表

| | A | B | C | D | E | F | G | H |
|---|---|---|---|---|---|---|---|---|
| 1 | No | 門市 | 地點 | 地區 | 來客數 | 銷售額 | 客單價 | |
| 2 | 1 | A店 | 站內 | 台北市 | 3026 | 1001606 | 331 | |
| 3 | 2 | B店 | 站前 | 板橋市 | 1055 | 440990 | 418 | |
| 4 | 3 | C店 | 郊外 | 桃園市 | 856 | 514456 | 601 | |
| 5 | 4 | D店 | 站前 | 台北市 | 2218 | 510750 | 325 | |
| 6 | 5 | E店 | 站內 | 板橋市 | 3026 | 1001606 | 454 | |
| 7 | 6 | F店 | 站前 | 桃園市 | 1055 | 440990 | 331 | |
| 18 | 17 | Q店 | 站內 | 板橋市 | 856 | 514456 | 418 | |
| 19 | 18 | R店 | 站前 | 桃園市 | 2218 | 510750 | 601 | |
| 20 | 19 | W店 | 站內 | 台北市 | 2788 | 942344 | 325 | |
| 21 | 20 | X店 | 郊外 | 板橋市 | 623 | 366977 | 454 | |
| 22 | 21 | Y店 | 站前 | 桃園市 | 1208 | 509776 | 331 | |
| 23 | 22 | Z店 | 站前 | 台北市 | 1488 | 651744 | 418 | |

❶ 從列表之中篩選出車站內的業績

● 樞紐分析表

| | A | B | C | D |
|---|---|---|---|---|
| 1 | | | | |
| 2 | | | | |
| 3 | 列標籤 | 加總 - 銷售額 | 加總 - 來客數 | 加總 - 客單價 |
| 4 | 郊外 | 2424801 | 4047 | 225 |
| 5 | 站內 | 5463224 | 15748 | 245 |
| 6 | 站前 | 5479230 | 18006 | 455 |
| 7 | 總計 | 13367255 | 37801 | 926 |
| 8 | | | | |

❷ 統計出車站內的業績總和

## ●③函數

一聽到函數，可能會讓人想起討厭的國中數學，不過 Excel 函數是一種「只要投入材料，就會自動做出成品」的方便功能，只要在計算時指定必要的資料，就會立刻顯示結果，所以能為我們大幅節省資料處理的時間。資料分析常用的函數如下。

▶在儲存格顯示的值就是函數（公式）的結果。變更原始的資料就能重新計算，值也會跟著更新。

● 常於資料分析使用的函數

| 使用目的 | 使用的主要函數 |
|---|---|
| 整理資料 | ASC、JIS、TRIM |
| 了解資料的特徵 | AVERAGE、MEDIAN、MODE、STDEV |
| 了解資料的相關性 | CORREL |
| 預測資料 | FORECAST、TREND |
| 根據資料判斷投資 | NPV、IRR |

## ●④分析工具

分析工具與函數相同，都是指定需要的資料就能立刻顯示結果的方便功能。許多函數只能針對指定的資料輸出一個（種）結果，但是分析工具卻能一口氣顯示從資料判讀的指標。

● 分析工具「迴歸分析」的結果

▶輸出的結果會轉存為值。若是變更原始的資料，就必須重新執行一次分析工具。

▶各指標的意義與判讀方式將於第 4 章之後的迴歸分析說明。

| | A | B | C | D | E | F | G | H | I |
|---|---|---|---|---|---|---|---|---|---|
| 1 | 摘要輸出 | | | | | | | | |
| 2 | | | | | | | | | |
| 3 | 迴歸統計 | | | | | | | | |
| 4 | R 的倍數 | 0.839036 | | | | | | | |
| 5 | R 平方 | 0.703981 | | | | | | | |
| 6 | 調整的 R 平方 | 0.67707 | | | | | | | |
| 7 | 標準誤 | 15393.71 | | | | | | | |
| 8 | 觀察值個數 | 13 | | | | | | | |
| 9 | | | | | | | | | |
| 10 | ANOVA | | | | | | | | |
| 11 | | 自由度 | SS | MS | F | 顯著值 | | | |
| 12 | 迴歸 | 1 | 6.2E+09 | 6.2E+09 | 26.15975 | 0.000336 | | | |
| 13 | 殘差 | 11 | 2.61E+09 | 2.37E+08 | | | | | |
| 14 | 總和 | 12 | 8.81E+09 | | | | | | |
| 15 | | | | | | | | | |
| 16 | | 係數 | 標準誤 | t 統計 | P-值 | 下限 95% | 上限 95% | 下限 95.0% | 上限 95.0% |
| 17 | 截距 | 6828.796 | 10119.38 | 0.674824 | 0.513721 | -15443.8 | 29101.4 | -15443.8 | 29101.4 |
| 18 | 車站乘客數 | 0.397666 | 0.07775 | 5.11466 | 0.000336 | 0.226539 | 0.568792 | 0.226539 | 0.568792 |

# 發展 ▶ ▶ ▶

## ▶ 資料分析功能

Excel 的四大功能之中，也內建了可用於資料分析的功能。下列是規劃求解這種求出最佳解答組合的功能。

## ● 規劃求解

▶目標是盡可能多買商品，而條件是購買金額在一萬元之內，三種商品至少買五個，最多買十五個。此外，商品的個數必須是整數。

滿足多重的制約條件，求出接近目標的最佳值組合。舉例來說，當手邊的可用金額為一萬元，要從價格各異的三種商品之中，算出至少每種買五個，最多買十五個的商品個數組合時，就可利用規劃求解這項功能計算。

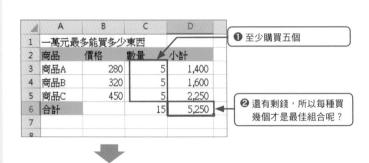

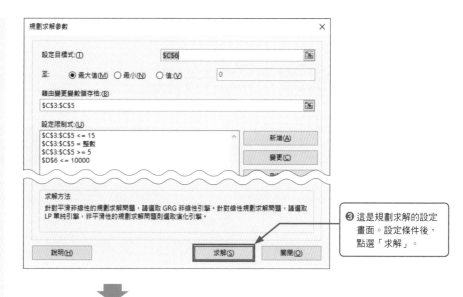

▶ 使用規劃求解的分析將於 P.118 介紹。

❸ 這是規劃求解的設定畫面。設定條件後，點選「求解」。

❹ 顯示滿足條件的最佳組合

| | A | B | C | D | E |
|---|---|---|---|---|---|
| 1 | 一萬元最多能買多少東西 | | | | |
| 2 | 商品 | 價格 | 數量 | 小計 | |
| 3 | 商品A | 280 | 15 | 4,200 | |
| 4 | 商品B | 320 | 11 | 3,520 | |
| 5 | 商品C | 450 | 5 | 2,250 | |
| 6 | 合計 | | 31 | 9,970 | |
| 7 | | | | | |

## ▶ 資料驗證功能

Excel 內建了避免標記不一致的「資料驗證」功能。可針對指定範圍指定必須輸入中文或是可輸入的字數這類條件。有興趣的讀者可自行參考其他的 Excel 書籍。

▶ 右圖的資料驗證畫面限制儲存格的文字長度為 8 個字。這種設定很方便用來輸入郵遞區號。

# 03 整理資料的格式

接下來以 PPDAC 循環的「D（資料收集）」為基礎概念，透過散佈圖與樞紐分析表整理收集到的資料。這次要先從標記不一致的問題著手處理。

## 導入 ▶ ▶ ▶

**實 例** 「想安心地使用收集到的資料」

隸屬於家電門市 PC 企劃部門的 B 先生為了調查有沒有需要提振業績的門市，收集了三個月份的業績資料。雖然想盡早統計各門市的業績，但是業績資料是由各門市手動輸入，所以擔心資料的輸入方式與資料本身有誤。因為若是相同的資料裡摻雜著半形字元、全形字元以及大小寫的英文字母與多餘的空白，就可能誤解輸入資料的人的想法，將資料當成另外的資料處理。

到底該怎麼做，才能在統整各門市業績之前，安心地使用這些資料呢？

● 三個月份的業績資料

| ▲ | A | B | C | D | E | F | G | H | I | J | K |
|---|---|---|---|---|---|---|---|---|---|---|---|
| 1 | No | 日期 | 星期 | 商品分類 | 門市 | 門市型態 | 銷售價格 | 數量 | 業績 | 註記 | |
| 2 | 1 | 2015/10/1 | 週四 | SSD | 萬華B | 購物中心 | 12,800 | 1 | 12,800 | | |
| 3 | 2 | 2015/10/1 | 週四 | 螢幕 | 中正 | 一般門市 | 28,000 | 1 | 28,000 | | |
| 4 | 3 | 2015/10/1 | 週四 | Ｄｅｓｋｔｏｐ | 萬華B | 購物中心 | 100,000 | 2 | 200,000 | | |
| 925 | 924 | 2015/12/30 | 週三 | 筆記型電腦 | 中正 | 一般門市 | 135,000 | 11 | 1,485,000 | | |
| 926 | 925 | 2015/12/30 | 週三 | 筆記型電腦 | 三重A | 一般門市 | 135,000 | 1 | 135,000 | | |
| 927 | 926 | 2015/12/30 | 週三 | 筆記型電腦 | 三重B | 購物中心 | 135,000 | 6 | 810,000 | | |
| 928 | 927 | 2015/12/30 | 週三 | 硬碟 | 中山 | 購物中心 | 11,800 | 2 | 23,600 | | |
| 929 | 928 | 2015/12/30 | 週三 | 硬碟 | 三重A | 一般門市 | 11,800 | 1 | 11,800 | | |
| 930 | 929 | 2015/12/30 | 週三 | 硬碟 | 萬華B | 購物中心 | 11,800 | 8 | 94,400 | | |
| 931 | 930 | 2015/12/30 | 週六 | 硬碟 | 中正 | 一般門市 | 11,800 | 6 | 70,800 | | |
| 932 | | | | | | | | | | | |

▶ 整理收集到的資料

整理資料與調整資料的格式大致是下列的流程：

①利用篩選功能確認標記的一致性
②利用散佈圖確認偏離值與決定偏離值的處理方法
③利用樞紐分析表整理、分解資料

### ④利用複製 & 貼上功能，將樞紐分析表轉存為值

#### ● 確認標記的一致性

建立標記一致性機制的內部資料基本上不需要①確認標記一致性的步驟。來自外部的資料雖然有很多種，但基本上需要確認標記的一致性。

▶資料資訊服務公司從專業機構調來外部資料時，基本上不需要確認標記的一致性。

此外，標記一致性的確認可利用資料驗證功能進行，所以可在想大致瀏覽資料是否輸入正確時使用。

#### ● 轉存為值

樞紐分析表可在幾分鐘之內完成資料的統計與分解，是非常方便的功能，但是樞紐分析表本身很不適用於資料處理，所以若是透過樞紐分析表得到需要的資料後，可利用複製與貼上的功能轉存為一般的表格與資料，再繼續進行資料處理。

## 實踐 ▶ ▶ ▶

▶ 清理資料

接著確認標記的一致性與修正。

動手做做看！

範例
2-02

### 設定篩選條件再確認資料

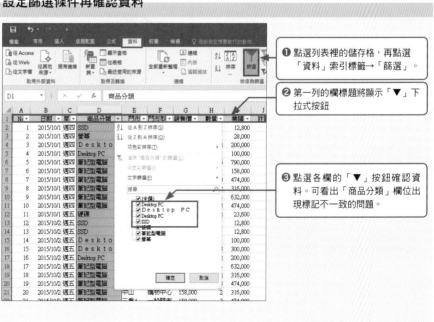

❶ 點選列表裡的儲存格，再點選「資料」索引標籤→「篩選」。

❷ 第一列的欄標題將顯示「▼」下拉式按鈕

▶點選「▼」之後顯示的資料稱為各欄的「資料」。不管資料有幾百行還是幾千行，都會顯示輸入了哪些「資料元素」。

❸ 點選各欄的「▼」按鈕確認資料。可看出「商品分類」欄位出現標記不一致的問題。

**篩選出標記不一致的資料，再修正為正確的資料**

▶點選「全選」可切換資料元素的選取狀態。這次要統整為「Desktop PC」這個名稱。

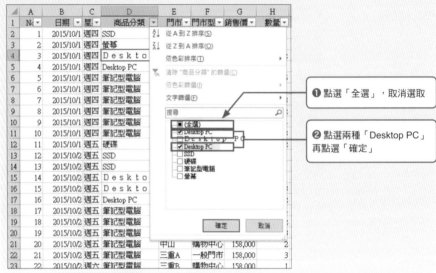

❶ 點選「全選」，取消選取

❷ 點選兩種「Desktop PC」再點選「確定」

❸ 篩選出半形的「Desktop PC」

❹ 拖曳選取「Desktop PC」（範例是三個儲存格），再輸入「Desktop PC」，然後按下[Ctrl]+[Enter]。

▶也可以使用函數解決標記不一致的方法。
→ P.36

❺ 全部變更為「Desktop PC」

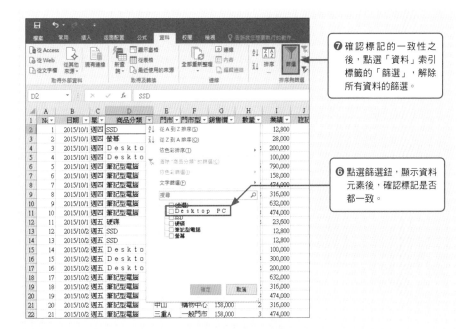

⑦ 確認標記的一致性之後，點選「資料」索引標籤的「篩選」，解除所有資料的篩選。

⑥ 點選篩選鈕，顯示資料元素後，確認標記是否都一致。

▶想要只解除其中一欄的篩選時，可點選「清除"欄標題"的篩選」選項。

 MEMO　**看起來都一樣的「Desktop PC」的差異**

看起來明明是一樣的「Desktop PC」，卻被 Excel 當成是不同資料的原因在於多了空白字元。

「Desktop PC」與「Desktop PC 」（尾巴多了一個空白字元）。或許大家會覺得，才這麼一點差異而已，但是空白字元也是一個完整的字元，所以習慣在輸入資料後按一下空白鍵的人，可得多注意這點。

**實踐 ▶ ▶ ▶**

**▶ 調查業績日期與業績的關係**

要確認有沒有「不對勁」或「奇怪」的資料，可繪製業績日期與業績關係的散佈圖。不過，目前收集到的資料包含各門市的資料與各商品分類的資料，若是直接就如此細分的資料繪製散佈圖，恐怕會一次顯示超過 900 個點，所以要先統整成單日業績再繪製成圖表。

要繪製成單日業績可使用 SUMIF 函數。

**SUMIF 函數 ➡ 加總符合條件的資料**

| 格　式 | = SUMIF（範圍，搜尋條件，合計範圍） |
| --- | --- |
| 解　說 | 於範圍內依照搜尋條件搜尋，若找到符合條件的列合計範圍資料就加總。 |

## 計算單日業績

● 在儲存格「M2」輸入函數

| M2 | =SUMIF( $B $2: $B $931, L2, $I $2: $I $931) |

❶ 在L欄輸入以單日為單位的日期
（這次輸入的是從10/1開始的三個
月量）。

❷ 在儲存格「M2」輸入SUMIF函數，再以
自動填滿功能將公式複製到儲存格
「M93」。

| | B | I | J | K | L | M | N | O | P | Q |
|---|---|---|---|---|---|---|---|---|---|---|
| 1 | 日期 | 業績 | 註記 | | 日期 | 業績 | | | | |
| 2 | 2015/10/1 | 12,800 | | | 2015/10/1 | =SUMIF($B:$2:$B$931,L2,$I$2:$I$931) | | | | |
| 3 | 2015/10/1 | 28,000 | | | 2015/10/2 | 2,995,600 | | | | |
| 4 | 2015/10/1 | 200,000 | | | 2015/10/3 | 3,832,600 | | | | |
| 929 | 2015/12/30 | 11,800 | | | | | | | | |
| 930 | 2015/12/30 | 94,400 | | | | | | | | |
| 931 | 2015/12/30 | 70,800 | | | | | | | | |
| 932 | | | | | | | | | | |

## 繪製日期與業績的散佈圖

❶ 選取儲存格範圍「L1:M93」

❷ 從「插入」索引標籤的「插入XY散佈圖或泡
泡圖」點選「散佈圖」

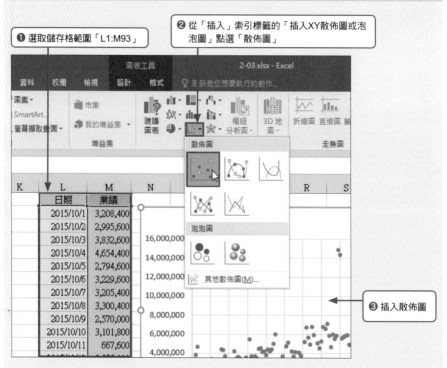

❸ 插入散佈圖

確認偏離值與原因

Excel2007/2010
▶無法顯示直軸的刻度

▶散佈圖最好將直軸與橫軸的刻度做成正方形再觀察。以目測決定形狀即可，所以可利用控制點調整形狀。

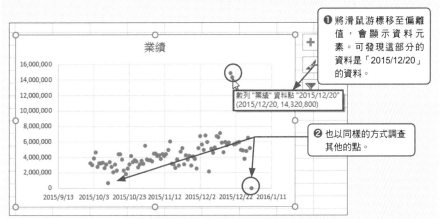

❶ 將滑鼠游標移至偏離值，會顯示資料元素。可發現這部分的資料是「2015/12/20」的資料。

❷ 也以同樣的方式調查其他的點。

▶步驟❸、❹是篩選出步驟❶的「日期」再進行調查的方法。如果收集而的資料有「註記」、「備註」、「注意事項」這類欄位，就有可能會輸入造成偏差值的原因，不妨先確認內容看看。

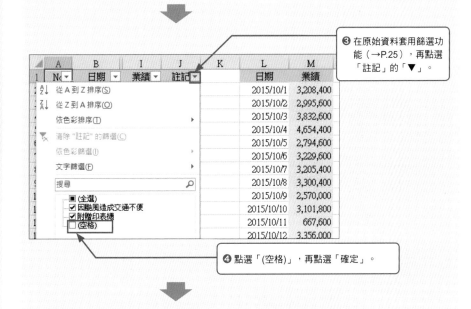

❸ 在原始資料套用篩選功能（→P.25），再點選「註記」的「▼」。

❹ 點選「(空格)」，再點選「確定」。

❺ 確認註記的日期，確認是否與偏離值的日期一致。

● **偏離值的處理方法**

繪製散佈圖之後的調查結果與偏離值的原因如下，全部的偏離值都有理由，不算
是輸入錯誤的資料。

・2015/10/11 ▶ 因颱風造成交通不便
・2015/12/19、2015/12/20 ▶ 因為有附贈印表機的優惠
・2015/12/31 ▶ 年底不營業（原本就沒有資料）

實例中的 B 先生之所以想要收集資料，是想找出有沒有需要提振業績的門市。每
間門市都會受到颱風、大拍賣、年底不營業這些因素影響，所以偏差值需要保留
下來。

無法排除的偏差值需不需要調查？或許大家會有這類疑問，不過光是知道有沒有
包含偏差值的資料這點就很重要了。如果實例的目的是預測今後的業績動向，或
許就能把特別的日子先排除。偏差值的處理方式完全得依照目的決定。

**實踐 ▶ ▶ ▶**

▶ **製作門市月份統計表**

列表的統計可使用樞紐分析表的功能。這次要依照門市整理業績資料，再將業績
資料分解成月份。樞紐分析表可以統整資料，也能分解資料。最後複製統計表，
再於新的工作表轉存為值。

**插入樞紐分析表**

範例
2-04

▶為了在步驟❶自動辨
識列表的範圍，請點選
列表裡的一個儲存格就
好。如果不小心拖曳選
取兩個以上的儲存格
（例如「A1:A2」），
就會無法正確辨識。

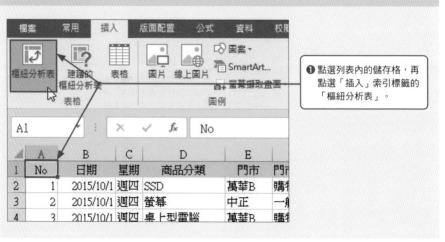

❶點選列表內的儲存格，再
點選「插入」索引標籤的
「樞紐分析表」。

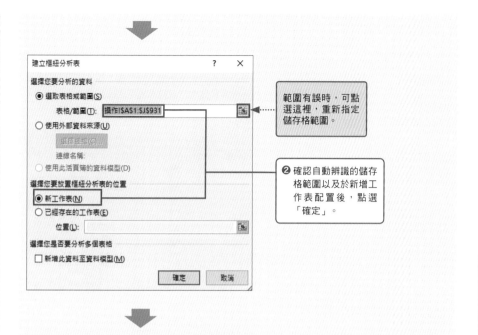

範圍有誤時，可點選這裡，重新指定儲存格範圍。

❷ 確認自動辨識的儲存格範圍以及於新增工作表配置後，點選「確定」。

▶ 插入樞紐分析表之後，會顯示「樞紐分析表工具」的「分析」與「設計」索引標籤。此外，Excel 2007/2010顯示的是代替「分析」索引標籤的「選項」索引標籤。

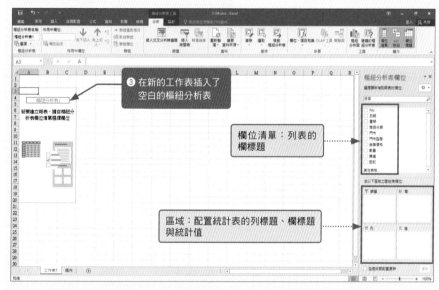

❸ 在新的工作表插入了空白的樞紐分析表

欄位清單：列表的欄標題

區域：配置統計表的列標題、欄標題與統計值

設定篩選
▶點選列表內的儲存格,再點選「資料」索引標籤的「篩選」。

MEMO 　樞紐分析表與列表的對應關係

統計表有列標題與欄標題,而統計表是以與列標題與欄標題一致的項目的統計值組成。樞紐分析表可從欄位清單將列表的欄標題拖曳到區域,藉此建立統計表。統計表的列標題與欄標題顯示的是列表的各欄資料元素。資料元素可先在列表套用篩選功能,再點選「▼」確認。

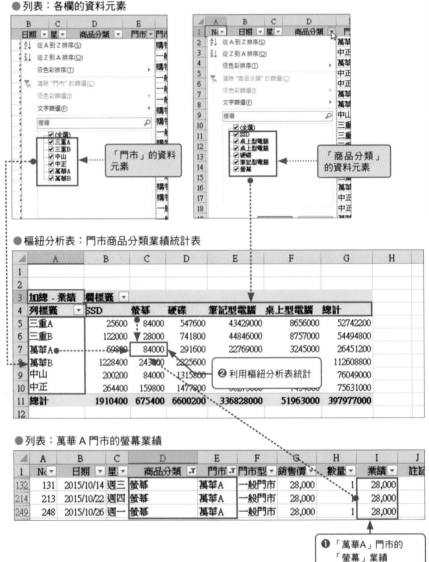

●列表:各欄的資料元素

「門市」的資料元素

「商品分類」的資料元素

●樞紐分析表:門市商品分類業績統計表

❷利用樞紐分析表統計

●列表:萬華 A 門市的螢幕業績

❶「萬華A」門市的「螢幕」業績

### 統計每間門市的業績

Excel2007/2010
▶區域的顯示名稱是不同的。請將「列」解讀成「列標籤」，「欄」解讀成「欄標籤」，「篩選」解讀成「報表篩選」再操作。

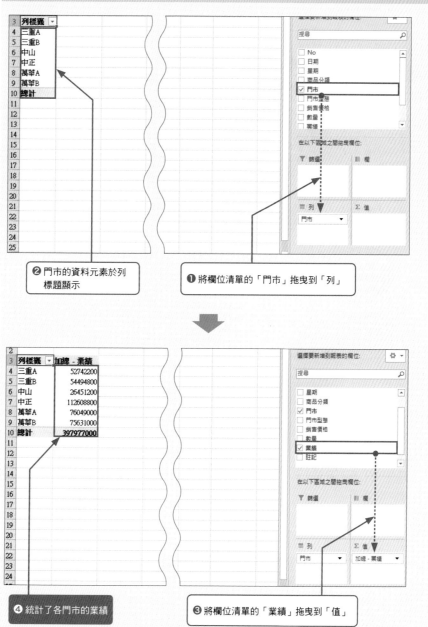

❷ 門市的資料元素於列標題顯示

❶ 將欄位清單的「門市」拖曳到「列」

❹ 統計了各門市的業績

❸ 將欄位清單的「業績」拖曳到「值」

CHAPTER 01

CHAPTER 02

CHAPTER 03

CHAPTER 04

CHAPTER 05

### 將各門市業績分解成月份資料　Excel2016

❷ 日期將以月份為單位顯示，各門市的業績也分解成月份資料

❶ 將欄位清單的「日期」拖曳到「欄」

### 將各門市業績分解成月份資料　Excel2013以前

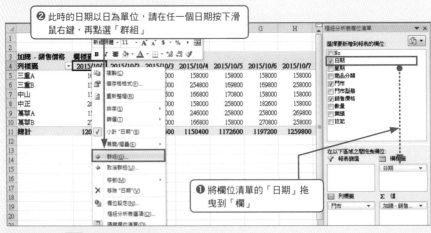

❷ 此時的日期以日為單位，請在任一個日期按下滑鼠右鍵，再點選「群組」

❶ 將欄位清單的「日期」拖曳到「欄」

► 如果一開始就沒選擇「天」，請先確認是否選取了「月」再直接按下「確定」。

❸ 點選「天」解除選取，只選取「月」再點選「確定」。

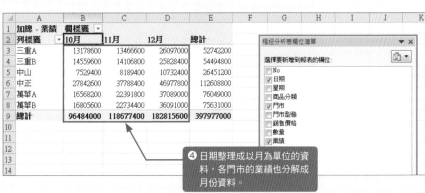

❹ 日期整理成以月為單位的資料，各門市的業績也分解成月份資料。

將樞紐分析表轉存為一般的表格

範例
2-05

▶樞紐分析表有不適合資料處理使用的地方。

· 無法刪除與插入列或欄
· 無法計算總和的組成比例
· 圖表會轉換成樞紐圖表，無法製作一般的圖表

❶ 拖曳選取樞紐分析表，再按下[Ctrl]+[C]複製。

❷ 在新的工作表（範例設定的是「值的轉存」工作表）的儲存格（範例選擇的是儲存格「A2」），按下[Ctrl]+[V]貼上。

❸ 點選「貼上選項」，點選「值」。

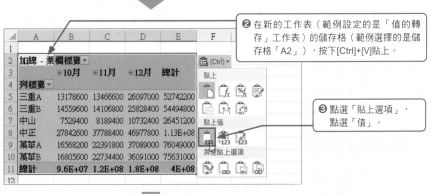

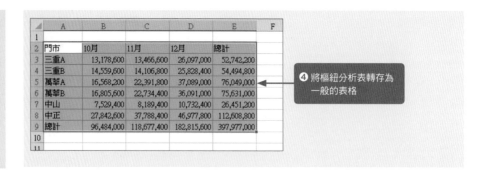

❹ 將樞紐分析表轉存為一般的表格

▶轉存為值之後，可調整欄寬、位數、框線與標題這類格式。此外，可刪除「總計」的值，重新輸入 SUM 函數。

CHAPTER 01
CHAPTER 02
CHAPTER 03
CHAPTER 04
CHAPTER 05

## 發展 ▶ ▶ ▶

### ▶ 清理資料的函數

函數可一口氣將資料調整為需要的格式，不需事先調查有無標記不一致的資料，但也要注意別輸入函數之後就置之不理。整理好的資料充其量是函數的結果，直到複製與貼上輸入的函數，將結果轉存為值之前，確實地進行操作是非常重要的。

### ● 全形與半形的統一

能將資料統整為全形字元的是 BIG5 函數，統整為半形字元的是 ASC 函數。下圖就是把商品 ID 統整為半形字元，並將銷售對象統整為全形字元。

BIG5 函數 ➡ 將半形字元轉換成全形字元
ASC 函數 ➡ 將全形字元轉換成半形字元

格 式　= BIG5（字串）
　　　　= ASC（字串）

解 說　將指定的字串轉換成全形或半形。ASC 函數的字串若含有中文字的話，仍以全形字元顯示。

### ● 全形字元與半形字元的統一

=ASC(B2)　　　=JIS(D2)

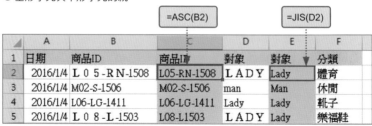

036

## ● 刪除多餘的空白

要刪除多餘的空白可使用 TRIM 函數。下圖刪除了項目裡的多餘空白。

TRIM 函數 ➡ 刪除單字裡一個空白字元以外的空白

| 格　式 | = TRIM（字串） |
|---|---|
| 解　說 | 刪除字串裡的多餘空白。保留單字裡第一個空白字元。舉例來說，姓與名之間的空白字元將會保留。 |

## ● 刪除多餘的空白

▶在文字之後輸入的空白很不容易發現，所以要用函數處理。

| | A | B | C | D | E | |
|---|---|---|---|---|---|---|
| 1 | 對象 | 分類 | 品項 | 品項 | 售價 | |
| 2 | 淑女 | 運動鞋 | 慢跑鞋 | 慢跑鞋 | | =TRIM(G2) |
| 3 | 男仕 | 休閒鞋 | 懶人鞋 | 懶人鞋 | 6800 | |
| 4 | 淑女 | 靴子 | 長靴 | 長靴 | 12000 | |
| 5 | 淑女 | 樂福鞋 | 真皮 | 真皮 | 8800 | |
| 6 | 淑女 | 運動鞋 | 散步鞋 | 散步鞋 | 11800 | |
| 7 | 兒童 | 學校用鞋 | 芭蕾舞鞋 | 芭蕾舞鞋 | 780 | |
| 8 | 男仕 | 戶外鞋 | 健行鞋 | 健行鞋 | 17200 | |
| 9 | 男仕 | 樂福鞋 | 真皮 | 真皮 | 11800 | |

## ● 統整為全形字元或半形字元後，再刪除多餘的空白

單字間的空白字元有可能是全形字元或是看起來像全形字元，但其實是兩個半形空白字元，而這種資料可先統整為全形字元或半形字元，再將多餘的字元刪除。下圖是利用 BIG5 函數將銷售負責人的姓名統整為全形字元，再利用 TRIM 函數刪除多餘的空白。

## ● 統一單字裡的空白字元

▶函數可如下統整為一行。
=TRIM(JIS(K2))

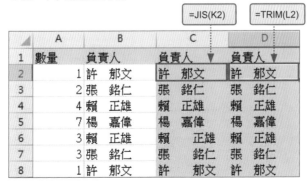

## ● 英文字母的統一

使用下列三個函數可將英文字母統整為大寫、小寫或是只有開頭大寫的資料。下圖是將商品 ID 全部統整為大寫。

UPPER 函數 ➡ 將英文字母轉換成大寫

LOWER 函數 ➡ 將英文字母轉換成小寫

PROPER 函數 ➡ 將英文字母的開頭轉換成大寫

| 格　式 | = UPPER（字串）／= LOWER（字串）／= PROPER（字串） |
| 解　說 | 將指定字串裡的英文字母統整為大寫／小寫／只有開頭是大寫的格式，同時維持原本的全形或半形的格式。必要時，可搭配 ASC 函數或 BIG5 函數使用。 |

● 統整英文字母： UPPER 函數的範例

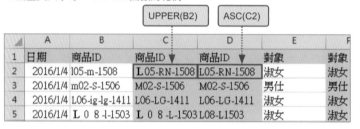

●將函數的結果轉存為值

可複製函數的結果，再以值貼上。以值貼上後，可在原始欄位按下滑鼠右鍵，再點選刪除。

❷點選「常用」索引標籤→「貼上」→「值」。其他輸入函數的部分也可進行相同的操作。

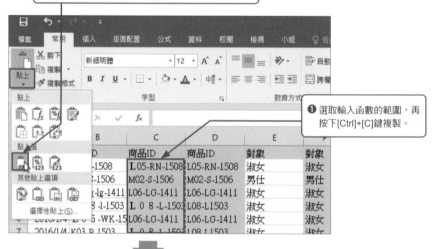

❶選取輸入函數的範圍，再按下[Ctrl]+[C]鍵複製。

▶利用 [Ctrl]+[C] 鍵複製，再立刻按下 [Ctrl]+[V] 鍵貼上，然後從「貼上選項」選取「值」也是另一種做法。

❸在原始資料的欄位按下滑鼠右鍵，再點選「刪除」。

# 04 以圖表圖解資料

在資料分析的過程中，為了了解問題與變化的特徵，有時會製作圖表，將數字轉換成具體可見的圖案。將針對共用的圖表操作方法說明。

## 導入 ▶ ▶ ▶

**實 例** 「確認有無需要提振業績的門市」

隸屬於家電門市 PC 企劃部門的 B 先生為了調查有無需要提振業績的門市，取得了三個月份的業績資料，資料也經過整理（→ P.25、36），也整理出各門市各月業績統計表。接下來希望透過圖表確認有無需要提振業績的門市。到底該製作哪種圖表才好呢？

● 各門市各月業績統計表

| | A | B | C | D | E |
|---|---|---|---|---|---|
| 1 | 各門市各月業績統計表 | | | | |
| 2 | 門市 | 10月 | 11月 | 12月 | 總計 |
| 3 | 三重A | 13,178,600 | 13,466,600 | 26,097,000 | 52,742,200 |
| 4 | 三重B | 14,559,600 | 14,106,800 | 25,828,400 | 54,494,800 |
| 5 | 萬華A | 16,568,200 | 22,391,800 | 37,089,000 | 76,049,000 |
| 6 | 萬華B | 16,805,600 | 22,734,400 | 36,091,000 | 75,631,000 |
| 7 | 中山 | 7,529,400 | 8,189,400 | 10,732,400 | 26,451,200 |
| 8 | 中正 | 27,842,600 | 37,788,400 | 46,977,800 | 112,608,800 |
| 9 | 總計 | 96,484,000 | 118,677,400 | 182,815,600 | 397,977,000 |
| 10 | | | | | |

▶ 於資料分析使用的圖表

常於資料分析使用的圖為下列三種。觀察圖表的重點為長度的差異與角度的變化。

①直條：資料的大小比較／資料的明細／資料的趨勢
②折線圖：資料的趨勢
③散佈圖：資料的關係性

▶圓形圖、直條圖都是用來表現比例的圖表，所以無法表現規模。舉例來說，若以「Yes／No」問卷進行調查，一萬人有七千人回答 Yes、3000 人回答 No 的圖表與 100 人有 70 人回答 Yes、30 人回答 No 的圖表是相同形狀的。

或許有些讀者會問「那圓形圖呢？」其實圓形圖是資料分析最不該使用的圖表。圓形圖的扇形中心角代表的是與扇形面積同樣的大小，所以圖表越是平面或立體，就越難看出資料的差異。

要以面積比較時，與其使用以扇形比較的圓形圖，不如改用百分比堆疊直條圖。百分比堆疊長圖的元素為長方形，比較容易以縱長或橫長的長度來比較。此外，Excel 的各種 3D 圖表會轉換成立體，所以不適合用於資料分析。

圖表可分成於簡報使用與自己或成員用來分析的兩種。立體圖表為簡報用。就分析手法而言，有時會比較圓形的面積，但原則上，資料分析最好使用平面的直條圖或折線圖，比較長度的差異或角度的變化。

## 實踐 ▶▶▶

### ▶ 依照目的製作圖表

接著要根據實例的目的比較門市業績，從中找出業績最差的門市，再判斷是否該有所作為。最適合比較業績高低的圖表是直條圖。實例已將業績分解成月份，所以製作堆疊直條圖後，就會顯示每月業績的明細。

### 繪製堆疊直條圖

範例
Excel20013/2016
2-06
Excel2007/2010
2-06_2007-2010

Excel2007/2010/2013
▶在步驟❶選取儲存格範圍，再點選「插入」索引標籤→「直條圖」或「插入直條圖」→「堆疊直條圖」。

Excel2007/2010
▶圖例將於圖表右側顯示。標題也將暫時定為「圖表標題」。

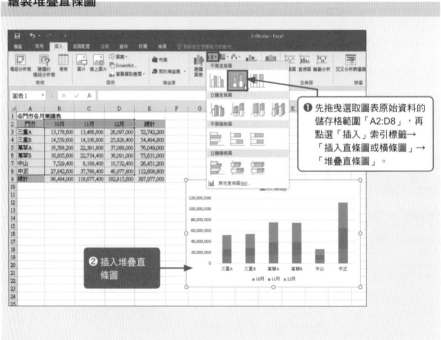

❶ 先拖曳選取圖表原始資料的儲存格範圍「A2:D8」，再點選「插入」索引標籤→「插入直條圖或橫條圖」→「堆疊直條圖」。

❷ 插入堆疊直條圖

### ▶ 編輯圖表

就算是要給自己看的圖表，也該調整圖表標題、座標軸標題與刻度。
Excel2007/2010 可使用「版面」索引標籤與對話框調整，Excel2013/2016 則可從圖
表旁邊的「圖表項目」鈕或作業視窗設定。

 **追加標題與座標軸標題** `Excel2013/2016`

❶ 點選「圖表標題」，再拖曳選取「圖表標題」這個暫定的標題，然後改成「各門市各月業績」。

▶ Excel2007/2010 的
操作可參考 P.43。

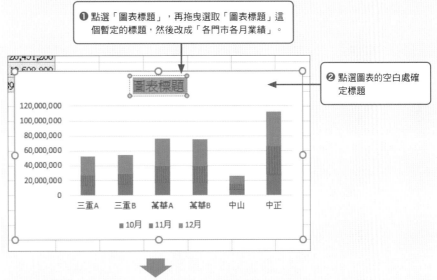

❷ 點選圖表的空白處確定標題

❸ 點選圖表，再點選顯示的「圖表項目」，然後勾選「座標軸標題」。

顯示圖表項目
▶要顯示圖表項目可利用步驟❸的方法或是點選「設計」索引標籤的「新增圖表項目」，再從一覽表點選要顯示的圖表項目。要隱藏圖表項目可點選圖表項目再按下 [Delete] 鈕。

❹ 插入直軸與橫軸的座標軸標題後，再以修改標題的方式將直軸的標題改成「業績(千)」，以及將橫軸的標題改成「門市」。

變更刻度 ・・・・・・・・・・・・・・・・・・・・・ Excel2013/2016

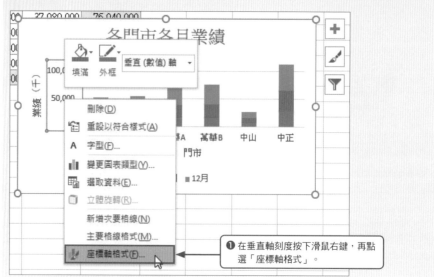

圖表的編輯方法
▶在想編輯的位置按下滑鼠右鍵,再點選「座標軸格式」,然後從作業視窗進行各種設定。

❶ 在垂直軸刻度按下滑鼠右鍵,再點選「座標軸格式」。

❸ 輸入單位的最小值／最大值,再點選其他的輸入框確定,然後顯示為「重設」。

❷ 顯示「座標軸格式」作業視窗

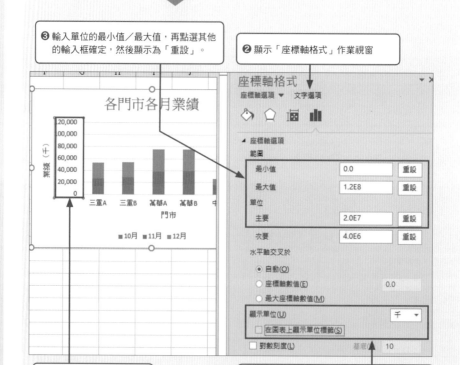

刻度的設定
▶自動設定的刻度會顯示為「自動」。即便自動設定的刻度就是需要的刻度,也可重新設定,固定刻度的設定,之後將會顯示為「重設」。設定刻度時,請確認是否顯示為「重設」。

表的數值
▶即便變更刻度的單位,表的數值也不會改變。

❺ 直軸刻度的0減少三個,變成以千為單位。

❹ 點選「顯示單位」的▼,點選「千」,再取消「在圖表上顯示單位標籤」選項。

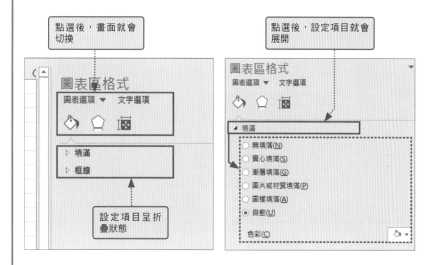

MEMO **作業視窗的使用方法**

作業視窗的上方會顯示「座標軸選項」、「文字選項」，點選圖示後，畫面就會切換。此外，設定項目有時會呈現折疊狀態，可依需求展開設定項目。

點選後，畫面就會切換

點選後，設定項目就會展開

▶結束圖表的編輯後，點選作業視窗右上角的「×」。

設定項目呈折疊狀態

**追加標題與座標軸標籤**　　Excel2007/2010

❶點選圖表，再點選「版面」索引標籤→「圖表標題」→「圖表上方」

顯示圖表項目
▶要顯示圖表項目可依照步驟❶、❷，點選「版面配置」索引標籤裡的各圖表項目，再從選單裡選取顯示方法。要隱藏圖表項目可先點選圖表項目再按下[Delete]鍵。

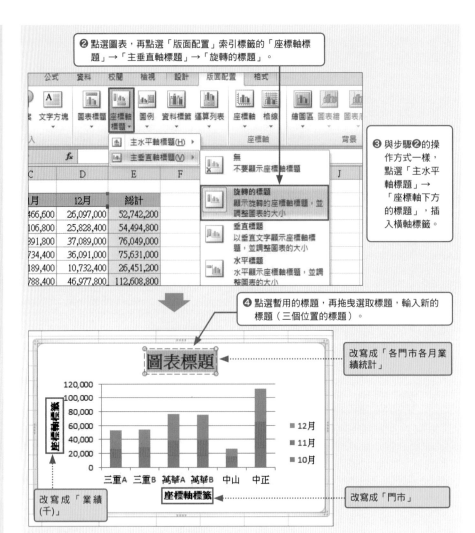

❷ 點選圖表，再點選「版面配置」索引標籤的「座標軸標題」→「主垂直軸標題」→「旋轉的標題」。

❸ 與步驟❷的操作方式一樣，點選「主水平軸標題」→「座標軸下方的標題」，插入橫軸標籤。

❹ 點選暫用的標題，再拖曳選取標題，輸入新的標題（三個位置的標題）。

▶輸入圖表標題與座標軸標籤之後，點選圖表的空白處確定內容。

改寫成「各門市各月業績統計」

改寫成「業績（千）」

改寫成「門市」

變更刻度　　　　　　　　　　　　　　Excel2007/2010

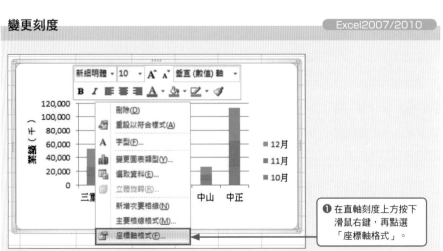

❶ 在直軸刻度上方按下滑鼠右鍵，再點選「座標軸格式」。

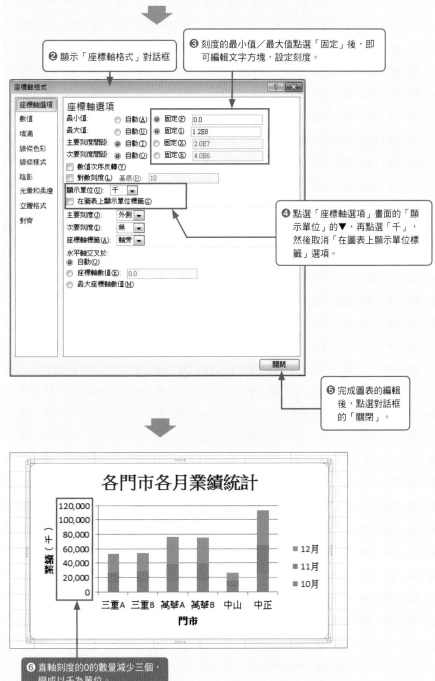

❷ 顯示「座標軸格式」對話框

❸ 刻度的最小值／最大值點選「固定」後，即可編輯文字方塊，設定刻度。

座標軸格式

座標軸選項
數值
填滿
線條色彩
線條樣式
陰影
光量和柔邊
立體格式
對齊

座標軸選項
最小值：　　○ 自動(A)　◉ 固定(F)　0.0
最大值：　　○ 自動(U)　◉ 固定(I)　1.2E8
主要刻度間距：◉ 自動(T)　○ 固定(X)　2.0E7
次要刻度間距：◉ 自動(O)　○ 固定(E)　4.0E6
☐ 數值次序反轉(V)
☐ 對數刻度(L)　基底(B)：　10
顯示單位(U)：千　▼
☐ 在圖表上顯示單位標籤(S)
主要刻度(J)：　　外側　▼
次要刻度(I)：　　無　　▼
座標軸標籤(A)：　軸旁　▼
水平軸交叉於：
◉ 自動(O)
○ 座標軸數值(E)　0.0
○ 最大座標軸數值(M)

關閉

圖表的編輯方法
▶在想編輯的位置按下滑鼠右鍵，再點選「座標軸格式」，然後從作業視窗進行各種設定。點選對話框左側的項目，即可切換畫面，進行各種設定。

表的數值
▶即便變更刻度的單位，表的數值也不會改變。

❹ 點選「座標軸選項」畫面的「顯示單位」的▼，再點選「千」，然後取消「在圖表上顯示單位標籤」選項。

❺ 完成圖表的編輯後，點選對話框的「關閉」。

各門市各月業績統計

業績（千）
120,000
100,000
80,000
60,000
40,000
20,000
0

三重A　三重B　萬華A　萬華B　中山　中正
門市

■ 12月
■ 11月
■ 10月

❻ 直軸刻度的0的數量減少三個，變成以千為單位。

CHAPTER 01
CHAPTER 02
CHAPTER 03
CHAPTER 04
CHAPTER 05

## 實踐 ▶▶▶

> ▶ 變更圖表的顯示順序

圖表與表格的資料是連動的，若是依照由高至低的順序重新排列表格的資料，圖表的業績也會由高至低重新排序。

**動手做做看！**

### 排序圖表

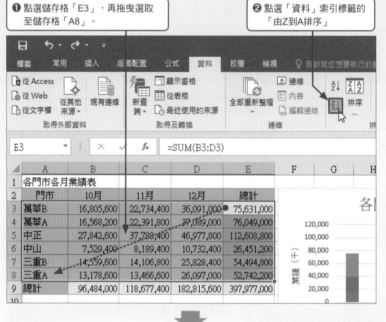

❶ 點選儲存格「E3」，再拖曳選取至儲存格「A8」。

❷ 點選「資料」索引標籤的「由Z到A排序」

▶排序表格資料時，請不要選取第二列的項目名稱以及第九列的總計列。此外，要以總計為排序基準時，必須將總計的儲存格設定為啟用中儲存格，所以才需要以儲存格「E3」為起點，往儲存格「A8」的方向拖曳選取。

E3 　　fx　=SUM(B3:D3)

| | A | B | C | D | E |
|---|---|---|---|---|---|
| 1 | 各門市各月業績表 | | | | |
| 2 | 門市 | 10月 | 11月 | 12月 | 總計 |
| 3 | 萬華B | 16,805,600 | 22,734,400 | 36,091,000 | 75,631,000 |
| 4 | 萬華A | 16,568,200 | 22,391,800 | 37,089,000 | 76,049,000 |
| 5 | 中正 | 27,842,600 | 37,788,400 | 46,977,800 | 112,608,800 |
| 6 | 中山 | 7,529,400 | 8,189,400 | 10,732,400 | 26,451,200 |
| 7 | 三重B | 14,559,600 | 14,106,800 | 25,828,400 | 54,494,800 |
| 8 | 三重A | 13,178,600 | 13,466,600 | 26,097,000 | 52,742,200 |
| 9 | 總計 | 96,484,000 | 118,677,400 | 182,815,600 | 397,977,000 |
| 10 | | | | | |

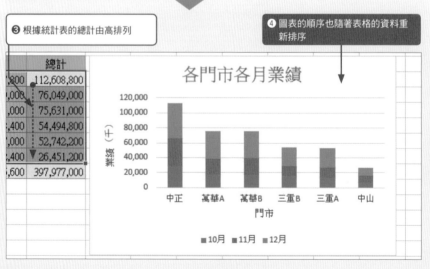

❸ 根據統計表的總計由高排列

❹ 圖表的順序也隨著表格的資料重新排序

| 總計 |
|---|
| 112,608,800 |
| 76,049,000 |
| 75,631,000 |
| 54,494,800 |
| 52,742,200 |
| 26,451,200 |
| 397,977,000 |

各門市各月業績

■10月　■11月　■12月

### 判讀結果

從圖表可以看出「中山」門市的業績最低。就各月業績而言,每間門市的十二月業績都是成長,唯獨中山門市不是如此。如果中山門市的周邊環境與其他門市沒有太大不同,就有可能得想對策提振業績。所謂的周邊環境是指商圈人口、門市地點、規模、競爭對手多寡這類環境條件。

## 發展 ▶ ▶ ▶

### ▶ 圖表的種類與用途

圖表的用途與對應的種類如下。

### 比較資料大小的圖表

以直條的長度表現數值的大小、多寡的直條圖最適合用來比較資料的大小。作為直條圖原始資料的表格即便重新排序,也通常不會重損及表格的內容,所以能做成依序排列的圖表。由於是表現多寡的圖表,所以「0」是原點。若是省略中途的值,原則上會加入省略的波浪線。

### 堆疊直條圖

▶堆疊直條圖除了可利用直條的高低比較,也可顯示資料的明細。右圖是將統計之後的業績重新分解成各部門的資料。

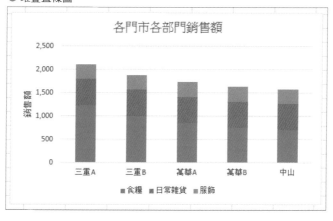

### 說明資料趨勢的圖表

要說明資料趨勢就以利用線條角度說明變化的折線圖最為適合。若是在折線圖加上符號,就能更清楚看出產生變化的轉折點。此外,若想同時說明資料的多寡,則可搭配直條圖使用。折線圖可看角度的變化,所以原點不一定非得是「0」不可。

● 折線圖

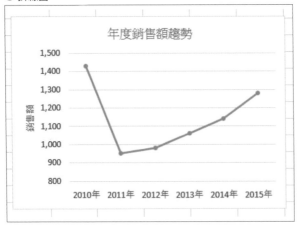

● **比較資料明細的圖表**

圓形圖與區域圖雖然可用來說明資料明細,但還是以百分比堆疊直條圖(橫條圖)最為適合。此外,中心鏤空的環圈圖不僅難以比較面積,也無法利用圓心角比較資料,所以不適合於資料分析使用。

● 堆疊橫條圖(左)與百分比堆疊橫條圖(右)

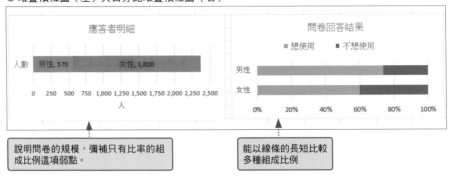

● **說明資料的分佈與關聯性的圖表**

要說明資料的分佈以及關聯性,就屬散佈圖最為適合。要同時說明資料之間的關聯性與大小可使用泡泡圖。此外,想要了解多個評價項目之間的平衡時,可使用雷達圖。

再者,也可以利用長條圖說明資料的分佈。長條圖是取消直條圖的直條間隙的柱狀圖表。Excel 2016 已於「插入」索引標籤新增了插入長條圖的按鈕。

▶散佈圖除了可說明未完成件數與改善案件數的關係性，還可讓調查的單位名稱與件數相對應，說明單位名稱的相對位置。

● 散佈圖（左）與泡泡圖（右）

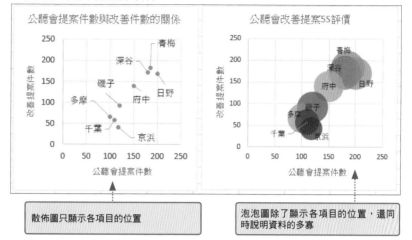

散佈圖只顯示各項目的位置

泡泡圖除了顯示各項目的位置，還同時說明資料的多寡

● 雷達圖

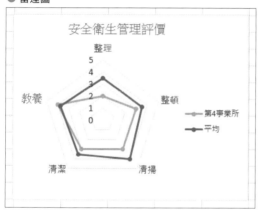

● 長條圖

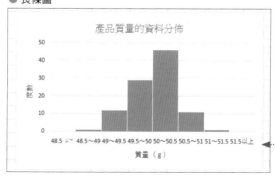

橫軸的資料是連續的，所以長條與長條之間沒有間隔。

CHAPTER 01

CHAPTER 02

CHAPTER 03

CHAPTER 04

CHAPTER 05

# 練習問題

**實 例** 「想了解各銷售對象的業績資料」

製鞋 X 公司所有門市的男士、女士、兒童的賣場幾乎都是相同面積。X 公司企劃部門的 C 先生希望能更有效率地銷售鞋子，所以希望掌握各銷售對象的業績資料，也收集了各門市的業績資料。

● 業績表

| | A | B | C | D | E | F | G | H | I |
|---|---|---|---|---|---|---|---|---|---|
| 1 | No | 日期 | 商品ID | 對象 | 分類 | 品項 | 業績 | 門市 | 門市型態 |
| 2 | 1 | 2015/10/1 | L05-RN-1508 | 女士 | 運動鞋 | 慢跑鞋 | 12,000 | 高雄A | 一般門市 |
| 3 | 2 | 2015/10/1 | M02-D-1504 | 男士 | 休閒鞋 | 帆船鞋 | 6,630 | 高雄A | 一般門市 |
| 4 | 3 | 2015/10/1 | L04-RN-1503 | 女士 | 運動鞋 | 慢跑鞋 | 4,900 | 高雄A | 一般門市 |
| 5 | 4 | 2015/10/1 | M05-WK-1510 | 男士 | 運動鞋 | 散步鞋 | 11,800 | 高雄A | 一般門市 |
| 6 | 5 | 2015/10/1 | M07-SL-1510 | 男士 | 樂福鞋 | 合成皮 | 7,000 | 高雄A | 一般門市 |
| 7 | 6 | 2015/10/1 | M03-K-1509 | 男士 | 上班鞋 | 輕量 | 13,000 | 高雄B | 購物中心 |
| | 7 | 2015/10/1 | L05-ST-1410 | 女士 | 靴子 | 短靴 | 9,000 | 高雄B | 購物中心 |
| 897 | 896 | 2015/10/31 | L03-H-1509 | 女士 | 船型高跟鞋 | 高跟鞋 | 16,800 | 台中B | 購物中心 |
| 898 | 897 | 2015/10/31 | L08-M-1412 | 女士 | 靴子 | 羊毛 | 9,800 | 台中B | 購物中心 |
| 899 | 898 | 2015/10/31 | L04-S-1509 | 女士 | 船型高跟鞋 | 球鞋 | 8,800 | 台中B | 購物中心 |
| 900 | 899 | 2015/10/31 | L03-H-1509 | 女士 | 船型高跟鞋 | 高跟鞋 | 16,800 | 台中B | 購物中心 |
| 901 | 900 | 2015/10/31 | M07-K-1405 | 男士 | 涼鞋 | 輕量 | 1,980 | 台中B | 購物中心 |
| 902 | 901 | 2015/10/31 | L03-L-1512 | 女士 | 船型高跟鞋 | 低跟 | 12,800 | 台中B | 購物中心 |

**範例**

問題①②
練習：2-renshu1
完成：2-kansei1

**範例**

問題③④⑤⑥
練習：2-renshu2
完成：2-kansei2

**問題 ①** 請確認標記是否一致。若出現標記不一致的情況，英文字母請統一為半形字型。

**問題 ②** 計算單日業績，再以圖解的方式說明日期與業績之間的關係，然後確認是否有偏差值。若出現偏差值，請指出明顯有異的資料。完成②的問題後，請確認完成檔案，再關閉檔案。

**問題 ③** 根據業績表統計各銷售對象的業績。此外，請將各對象的業績分解成各門市的資料。

**問題 ④** 將表格轉存為值，轉換成一般的表格。

**問題 ⑤** 比較男士、女士、兒童的業績。請依照各對象的業績製作比較用的圖表。此外，請視情況點選「設計」索引標籤的「切換列／欄」。

**問題 ⑥** 請編輯圖表。

· 圖表標題「銷售對象業績」

· 垂直軸標籤「業績（千）」／橫軸標籤「對象」

· 刻度單位「千」、不顯示標籤名稱

· 請依照由高至低的順序重新排序業績

# 與銷售有關的資料分析

本章要開始以實例說明 PPDCA 循環的 PP，並進一步針對 A（資料處理）與 C（考察）說明。D 已於「準備的業務資料」介紹，但前提是資料要先經過整理。本章的主題是與業績或利潤直接相關的銷售分析。很多都是與自家公司累積的資料有關的內容，請務必以現有的資料挑戰看看。

01 以中長期的眼光分析業績趨勢 ▶ ▶ ▶ ▶ ▶ ▶ ▶ ▶ ▶ ▶ ▶ ▶ ▶ ▶ ▶ ▶ ▶ ▶ P.052

02 比較銷售計劃與實績 ▶ ▶ ▶ ▶ ▶ ▶ ▶ ▶ ▶ ▶ ▶ ▶ ▶ ▶ ▶ ▶ ▶ ▶ ▶ ▶ ▶ P.061

03 讓商品管理更有彈性 ▶ ▶ ▶ ▶ ▶ ▶ ▶ ▶ ▶ ▶ ▶ ▶ ▶ ▶ ▶ ▶ ▶ ▶ ▶ ▶ P.071

04 從銷售金額與毛利評價商品 ▶ ▶ ▶ ▶ ▶ ▶ ▶ ▶ ▶ ▶ ▶ ▶ ▶ ▶ ▶ ▶ P.082

05 找出能有效產生利潤的商品 ▶ ▶ ▶ ▶ ▶ ▶ ▶ ▶ ▶ ▶ ▶ ▶ ▶ ▶ ▶ P.093

06 找出折扣效果較顯著的商品 ▶ ▶ ▶ ▶ ▶ ▶ ▶ ▶ ▶ ▶ ▶ ▶ ▶ ▶ P.105

07 找出毛利最高的售價 ▶ ▶ ▶ ▶ ▶ ▶ ▶ ▶ ▶ ▶ ▶ ▶ ▶ ▶ ▶ ▶ ▶ ▶ ▶ P.118

# 01 以中長期的眼光分析業績趨勢

不管是哪個業界,都會因為月份或季節導致業績有所增減。要判讀業績的走勢時,必須先去除月份或季節這類時間軸裡的變動因素。接下來就讓我們算出單月業績,再以吸收變動幅動的方法去除業績的變動因素,藉此掌握業績動向吧!

## 導入 ▶▶▶

**實 例**　「想正確掌握業績基調」

下圖是準備設立多間門市的企業的三年份單月業績趨勢圖。整體雖然是向上的走勢,但業績的落差非常明顯,所以無法用來判斷業績。該怎麼做才能在業績落差如此明顯的情況下,正確掌握業績的基調呢?

● 全店業績走勢圖

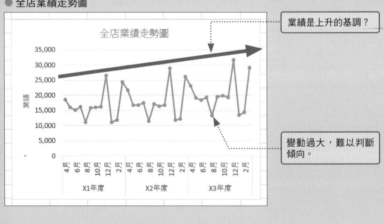

業績是上升的基調?

變動過大,難以判斷傾向。

▶ 能去除業績的變動因素,並以圖解方式呈現的是 Z 圖表

去除業績變動因素之一的方法就是每月累計與移動年計。這兩種方法都能累積業績的資料,讓變動因素變得不再明顯。將排除變動因素前後的結果整理成圖表,就會整理成像英文字母 Z 的形狀。

▶ 排除變動因素的原理
→ P.59

## ● Z圖表

這是由三種折線圖表組合而成的圖。所謂三種圖表是指每月業績、每月累計與移動年計。每月累計是累積每個月的業績，累積一整年的業績資料後，會與全年業績總和一致。移動年計是過去一年份的業績總和。舉例來說，當年四月的移動年計將會是從去年 5 月開始連續 12 個月份的業績總和。

每月業績：業績劇烈變動時，可觀察變動的幅度。

每月累計：可觀察當年的業績基調。

移動年計：可觀察從前年開始累積的業績。

## ● Z圖表的判讀方式

Z 圖表最需先注意的部分是移動年計的動向。如果折線往上揚升，代表業績從去年開始出現增加傾向，如果是往下則代表業績從去年開始減少。

● Z 圖表

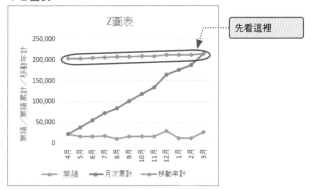

▶ 進階的判讀方式
→ P.59

● 業績為上升基調的 Z 圖表

● 業績為下降基調的 Z 圖表

實踐 ▶ ▶ ▶

▶ 準備的業務資料

秉持 PPDAC 循環的概念進行資料分析時，執行到資料收集（D）的階段會是下列的流程。

面對資料變動劇烈也想正確掌握業績基調的這個課題，可先訂立排除業績變動因素的 Z 圖表的計劃（P），然後收集至少兩年份的單月所有門市業績資料（D）。在收集資料的階段裡，必須先於目的＋α 的範圍內收集資料，如果能先準備各門市單月業績以及整理成單月業績資料之前的單日業績資料是最理想的，之後若是需要以不同的角度分析資料，也就不需要重新收集資料。

● 三年份單月業績資料

範例
3-01

| | A | B | C | D | E | F |
|---|---|---|---|---|---|---|
| 1 | 年 | 月 | 業績 | 每月累計 | 移動年計 | |
| 2 | X1年度 | 4月 | 18,574 | | | |
| 3 | | 5月 | 16,082 | | | |
| 12 | | 2月 | 11,967 | | | |
| 13 | | 3月 | 24,473 | | | |
| 14 | X2年度 | 4月 | 21,718 | | | |
| 15 | | 5月 | 16,843 | | | |
| 16 | | 6月 | 16,825 | | | |
| 17 | | 7月 | 17,585 | | | |
| 18 | | 8月 | 11,452 | | | |
| 19 | | 9月 | 17,245 | | | |
| 20 | | 10月 | 16,449 | | | |
| 21 | | 11月 | 16,817 | | | |
| 24 | | | 2,163 | | | |
| 25 | | 3月 | 26,200 | | | |
| 26 | X3年度 | 4月 | 23,117 | | | |
| 27 | | 5月 | 19,130 | | | |
| 28 | | 6月 | 18,399 | | | |
| 29 | | 7月 | 19,392 | | | |
| 30 | | 8月 | 13,285 | | | |
| 31 | | 9月 | 19,516 | | | |
| 32 | | 10月 | 19,840 | | | |
| 33 | | 11月 | 19,276 | | | |
| 34 | | 12月 | 31,624 | | | |
| 35 | | 1月 | 13,447 | | | |
| 36 | | 2月 | 14,396 | | | |
| 37 | | 3月 | 29,185 | | | |

> 依照從舊到新的順序垂直排列資料，就能輕鬆算出月次累計與移動年計。

▶ Excel 的操作①：建立 Z 圖表所需的資料

▶整理資料→ P.13

先將準備好的單月業績資料加工成 Z 圖表所需的每月累計與移動年計的資料。每月累計可先固定 SUM 函數的加總範圍起點，再逐月擴張加總範圍，算出每月的累計業績。移動年計則是以 SUM 函數加總當月到過去十一個月的業績資料。

動手做做看！

## 以年為單位算出每月累計

●在儲存格「D14」、「D26」輸入的公式

| D14 | =SUM($C$14:C14) | | D26 | =SUM($C$26:C26) |

▶絕對參照可按下 [F4] 設定。

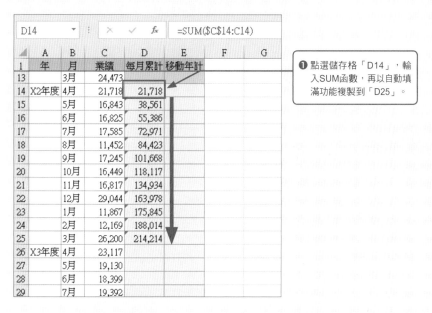

| D14 | ▼ | : | × | ✓ | fx | =SUM($C$14:C14) |

| ▲ | A | B | C | D | E | F | G |
|---|---|---|---|---|---|---|---|
| 1 | 年 | 月 | 業績 | 每月累計 | 移動年計 | | |
| 13 | | 3月 | 24,473 | | | | |
| 14 | X2年度 | 4月 | 21,718 | 21,718 | | | |
| 15 | | 5月 | 16,843 | 38,561 | | | |
| 16 | | 6月 | 16,825 | 55,386 | | | |
| 17 | | 7月 | 17,585 | 72,971 | | | |
| 18 | | 8月 | 11,452 | 84,423 | | | |
| 19 | | 9月 | 17,245 | 101,668 | | | |
| 20 | | 10月 | 16,449 | 118,117 | | | |
| 21 | | 11月 | 16,817 | 134,934 | | | |
| 22 | | 12月 | 29,044 | 163,978 | | | |
| 23 | | 1月 | 11,867 | 175,845 | | | |
| 24 | | 2月 | 12,169 | 188,014 | | | |
| 25 | | 3月 | 26,200 | 214,214 | | | |
| 26 | X3年度 | 4月 | 23,117 | | | | |
| 27 | | 5月 | 19,130 | | | | |
| 28 | | 6月 | 18,399 | | | | |
| 29 | | 7月 | 19,392 | | | | |

❶ 點選儲存格「D14」，輸入SUM函數，再以自動填滿功能複製到「D25」。

▶ 步驟 ❷ 可雙點「D26」的填滿控制點複製。

| D26 | ▼ | : | × | ✓ | fx | =SUM($C$26:C26) |

| ▲ | A | B | C | D | E | F | G |
|---|---|---|---|---|---|---|---|
| 1 | 年 | 月 | 業績 | 每月累計 | 移動年計 | | |
| 24 | | 2月 | 12,169 | 188,014 | | | |
| 25 | | 3月 | 26,200 | 214,214 | | | |
| 26 | X3年度 | 4月 | 23,117 | 23,117 | | | |
| 27 | | 5月 | 19,130 | 42,247 | | | |
| 28 | | 6月 | 18,399 | 60,646 | | | |
| 29 | | 7月 | 19,392 | 80,038 | | | |
| 30 | | 8月 | 13,285 | 93,323 | | | |
| 31 | | 9月 | 19,516 | 112,839 | | | |
| 32 | | 10月 | 19,840 | 132,679 | | | |
| 33 | | 11月 | 19,276 | 151,955 | | | |
| 34 | | 12月 | 31,624 | 183,579 | | | |
| 35 | | 1月 | 13,447 | 197,026 | | | |
| 36 | | 2月 | 14,396 | 211,422 | | | |
| 37 | | 3月 | 29,185 | 240,607 | | | |
| 38 | | | |  | | | |
| 39 | | | | | | | |

❷ 點選儲存格「D26」，輸入SUM函數再以自動填滿功能複製到「D37」。

**計算移動年計**

●在儲存格「E14」輸入的公式

| E14 | =SUM(C3:C14) |
|---|---|

| E14 | | ▼ | : | ╳ | ✓ | *fx* | =SUM(C3:C14) |
|---|---|---|---|---|---|---|---|

| ◢ | A | B | C | D | E | F |
|---|---|---|---|---|---|---|
| 1 | 年 | 月 | 業績 | 每月累計 | 移動年計 | |
| 2 | X1年度 | 4月 | 18,574 | | | |
| 3 | | 5月 | 16,082 | | | |
| 4 | | 6月 | 15,210 | | | |
| 12 | | 2月 | 11,967 | | | |
| 13 | | 3月 | 24,473 | | | |
| 14 | X2年度 | 4月 | 21,718 | 2◈18 | 202,855 | |
| 15 | | 5月 | 16,843 | 38,561 | 203,616 | |
| 16 | | 6月 | 16,825 | 55,386 | 205,231 | |
| 24 | | 2月 | 12,10. | 188,01. | 2,48. | |
| 25 | | 3月 | 26,200 | 214,214 | 214,214 | |
| 26 | X3年度 | 4月 | 23,117 | 23,117 | 215,613 | |
| 27 | | 5月 | 19,130 | 42,247 | 217,900 | |
| | | 1. | 13,. | 7,0. | 9,. | |
| 36 | | 2月 | 14,396 | 211,422 | 237,622 | |
| 37 | | 3月 | 29,185 | 240,607 | 240,607 | |
| 38 | | | | | | |

❶點選儲存格「E14」,輸入SUM函數再利用自動填滿功能複製到「E37」。

▶ **Excel 的操作②：製作 Z 圖表**

Z 圖表要利用折線圖製作。為了將圖表的範圍設定為 X2 年度與 X3 年度，要先隱藏 X1 年度再製作圖表。

 **隱藏 X1 年度**

▶步驟❶可在選取範圍的列編號上面按下滑鼠右鍵。

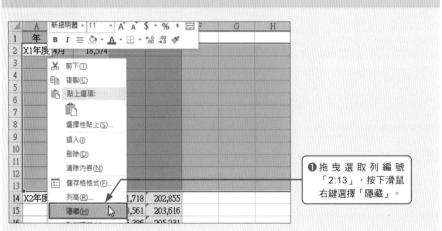

❶拖曳選取列編號「2:13」,按下滑鼠右鍵選擇「隱藏」。

**插入折線圖**

❶ 拖曳選取儲存格範圍「A1:E37」，再點選「插入」索引標籤→「插入折線圖或區域圖」→「含有資料標記的折線圖」。

▶步驟❶的折線圖按鈕名稱會因 Excel 的版本而不同，但按鈕的設計都是相同的。

▶圖表標題的外框有無或是圖例的位置會隨著 Excel 的版本不同。

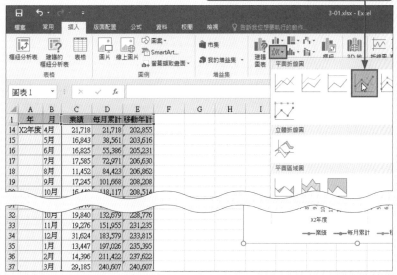

❷ 插入含有資料標記的折線圖之後，發現X2年度與X3年度之前多出了不必要的線條。

▶在 X2 年度與 X3 年度之間插入空白列，讓 X2 年度與 X3 年度分離。

❸ 在列編號「26」按下滑鼠右鍵，點選「插入」。

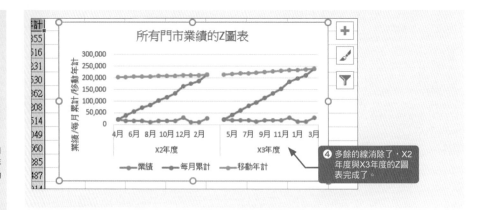

▶在表格裡插入空白列，每月累計與移動年計的加總範圍就會自動調整。

④ 多餘的線消除了，X2年度與X3年度的Z圖表完成了。

▶ **判讀結果**

X2 年度的移動年計是前年度 X1 年度的傾向，X3 年度的移動年計為前年度 X2 年度的傾向。移動年計全部往右上翻揚，代表企業的業績持續向上。此外，X3 年度的移動年計傾斜度比 X2 年度更為明顯，代表業績屬於上升基調，也在持續成長中。

● 移動年計的擴大圖

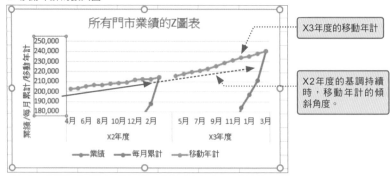

X3年度的移動年計

X2年度的基調持續時，移動年計的傾斜角度。

▶右圖為變更移動年計的直軸刻度（變更刻度的方法 → P.42、44）。

12 月的每月累計比其他月份還突出。即便累計也無法吸收變動，所以判讀成 12 月為全年最繁忙的時期。

● 每月累計的擴大圖

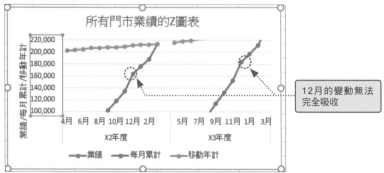

12月的變動無法完全吸收

## 發展 ▶ ▶ ▶

▷ **消除業績變動的原理**

即便原本的數據出現了令人無法忽視的差距,只要將數據整體拉升,差距就會消失。舉例來說,100 與 200 雖有兩倍的差距,但是分別加上 10000,變成 10100 與 10200 之後,差距就變得非常不明顯。同理可證,月次累計與移動年計在累計業績,數據整體提升後,變動也跟著被消弭。

● 月次累計與移動年計:加上一年份的月次資料消弭變動

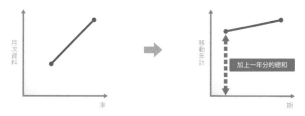

▷ **Z 圖表的進階解讀**

Z 的形狀與動向可根據移動年計觀察。

● Z 圖表與動向判斷

| 橫長型 | 成長型 |
|---|---|
| 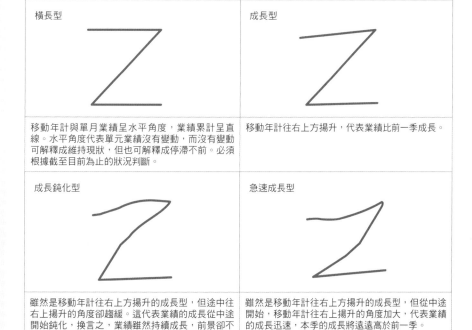 | |
| 移動年計與單月業績呈水平角度,業績累計呈直線。水平角度代表單元業績沒有變動,而沒有變動可解釋成維持現狀,但也可解釋成停滯不前。必須根據截至目前為止的狀況判斷。 | 移動年計往右上方揚升,代表業績比前一季成長。 |
| 成長鈍化型 | 急速成長型 |
| 雖然是移動年計往右上方揚升的成長型,但途中往右上揚升的角度卻趨緩。這代表業績的成長從中途開始鈍化,換言之,業績雖然持續成長,前景卻不看好。 | 雖然是移動年計右上方揚升的成長型,但從中途開始,移動年計往右上揚升的角度加大,代表業績的成長迅速,本季的成長將遠遠高於前一季。 |

CHAPTER 03

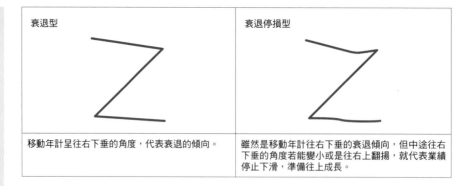

| 衰退型 | 衰退停損型 |
|---|---|
| 移動年計呈往右下垂的角度，代表衰退的傾向。 | 雖然是移動年計往右下垂的衰退傾向，但中途往右下垂的角度若能變小或是往右上翻揚，就代表業績停止下滑，準備往上成長。 |

範例
3-01- 參考

▶ **類似的分析範例**

替每間門市製作 Z 圖表，觀察各門市的業績動向。將業績分解成各門市的資料可挖掘出藏在整體之中的特徵。範例「3-01- 參考」列出了各門市的 Z 圖表，分別觀察時，將圖表的大小與直軸的刻度調整為一致的狀態。從這個範例可看出「新北市」門市的業績開始下滑。此外，若是將「門市」換成「商品」，就能掌握商品的業績動向。再者，這個範例也可用來比較銷售計劃與實際業績。有關銷售計劃與實際業績的比較將在下節介紹。

● 各門市 Z 圖表

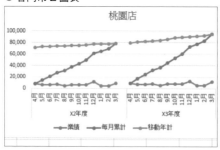

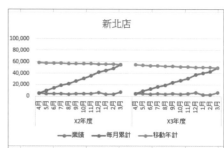

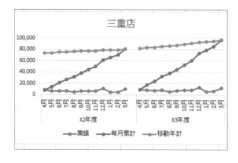

# 02 比較銷售計劃與實際業績

使用實際業績資料製作的 Z 圖表消弭業績裡因各月份或各季節產生的變動，就能判斷變動明顯的業績的基本走勢。接下來要製作包含預測值，也就是銷售計劃資料的 Z 圖表，藉此比較計劃與實際業績，判斷計劃的達成度。

## 導入 ▶ ▶ ▶

**實 例** 掌握「銷售計劃的達成度」

D 公司 X1 年度的業績為「199,711」，X2 年度的業績为「214,214」，X3 年度的業績為「240,607」，每年的業績為成長之勢，所以將 X4 年度的業績目標定為「300,000」，也訂立了每月的銷售計劃。D 公司的事業有淡旺季之分，每月的業績也有高低之別，所以銷售計劃也隨著業績的起伏調整。該怎麼做才能在 X4 年度的前半年掌握計劃的達成度呢？

● 銷售實績與銷售計劃

| | A | B | C | D | E | F |
|---|---|---|---|---|---|---|
| 1 | 月 | X1年度 | X2年度 | X3年度 | X4年度計劃 | X4年度實績 |
| 2 | 4月 | 18,574 | 21,718 | 23,117 | 30,000 | 25,200 |
| 3 | 5月 | 16,082 | 16,843 | 19,130 | 23,800 | 21,900 |
| 4 | 6月 | 15,210 | 16,825 | 18,399 | 23,000 | 20,100 |
| 5 | 7月 | 16,186 | 17,585 | 19,392 | 24,300 | 21,800 |
| 6 | 8月 | 11,220 | 11,452 | 13,285 | 16,500 | 15,200 |
| 7 | 9月 | 15,899 | 17,245 | 19,516 | 24,100 | 22,800 |
| 8 | 10月 | 16,143 | 16,449 | 19,840 | 24,000 | |
| 9 | 11月 | 16,282 | 16,817 | 19,276 | 24,000 | |
| 10 | 12月 | 26,533 | 29,044 | 31,624 | 40,000 | |
| 11 | 1月 | 11,142 | 11,867 | 13,447 | 16,700 | |
| 12 | 2月 | 11,967 | 12,169 | 14,396 | 17,600 | |
| 13 | 3月 | 24,473 | 26,200 | 29,185 | 36,000 | |
| 14 | 合計 | 199,711 | 214,214 | 240,607 | 300,000 | 127,000 |

▶ 透過 Z 圖表比較計劃與實際業績

像 D 公司這種有淡旺季之別的公司，可透過移動年計的計算消除資料的變動，再

根據月次業績／月次累計／移動累計製作折線圖的 Z 圖表，然後比較銷售計劃與實績。有關 Z 圖表的解說請參考 P.52。

### ● 訂立銷售目標的方法

決定整年的業績目標後，可將業績目標打散至各月。最簡單的做法就是直接除以 12，將全年計劃值平均分配給每個月。但是，若業績會隨著季節而產生大幅變動，就必須將比重較高的業績目標分配給旺季，並將比重較低的業績目標分配給淡季。要計算這種根據業績變動調整的單月目標時，可使用稱為季節指數的值決定各月的比重，並將旺季的目標值調高與將淡季的目標值調低。

▶使用季節指數訂立的
銷售計劃→ P.147

### ● 計劃與實績的比較方法

要注意的是銷售計劃與實績的移動年計的乖離程度。乖離程度越大，代表銷售計劃越不可能達成，也越需要修正。且根據前年度的業績基調，作為重擬計劃的依據。

## 實踐 ▶ ▶ ▶

### ▶ 預先準備的業務資料

一開始先準備最少一年份的各月業績資料與各月銷售計劃。範例準備了過去三年份的各月業績資料，X4 年度的銷售計劃也已訂立完成。此外，已根據銷售計劃計算 X2 年度到 X4 年度的月次累計與移動年計。

▶月次累計與移動年計
的計算→ P.55、56

● 三年份的各月業績資料與 X4 年度的銷售計劃

| | A | B | C | D | E | F | G | H |
|---|---|---|---|---|---|---|---|---|
| 1 | 年度 | 月份 | 業績 | 月次累計 | 移動年計 | X4年度實績 | X4年度月次累計 | X4年度移動年計 |
| 2 | X1年度 | 4月 | 18,574 | | | | | |
| 3 | | 5月 | 16,082 | | | | | |
| 4 | | 6月 | 15,210 | | | | | |
| 5 | | 7月 | 16,186 | | | | | |
| 6 | | 8月 | 11,220 | | | | | |
| 37 | | 3月 | 29,185 | 240,607 | 240,607 | | | |
| 38 | X4年度計劃 | 4月 | 30,000 | 30,000 | 247,490 | 25,200 | | |
| 39 | | 5月 | 23,800 | 53,800 | 252,160 | 21,900 | | |
| 40 | | 6月 | 23,000 | 76,800 | 256,761 | 20,100 | | |
| 41 | | 7月 | 24,300 | 101,100 | 261,669 | 21,800 | | |
| 42 | | 8月 | 16,500 | 117,600 | 264,884 | 15,200 | | |
| 47 | | 1月 | 16,400 | 246,400 | 289,901 | | | |
| 48 | | 2月 | 17,600 | 264,000 | 293,185 | | | |
| 49 | | 3月 | 36,000 | 300,000 | 300,000 | | | |

### ▶ Excel 的操作①：製作 Z 圖表所需的資料

▶統整資料→ P.13

根據儲存格「F38」之後的 X4 年度業績算出到 9 月之前的月次累計與移動年計。移動年計分成 X3 年度與 X4 年度的實際業績，並以 SUM 函數加總。

## 計算 X4 年度實際業績的月次累計與移動年計

範例
3-02

●在儲存格「G38」、「H38」輸入的函數

| G38 | =SUM($F$38:F38) | H38 | =SUM(C27:$C$37,$F$38:F38) |

| ▲ | A | B | C | D | E | F | G | H | I |
|---|---|---|---|---|---|---|---|---|---|
| 1 | 年度 | 月份 | 業績 | 月次累計 | 移動年計 | X4年度實績 | X4年度月次累計 | X4年度移動年計 | |
| 26 | X3年度 | 4月 | 23,117 | 23,117 | 215,613 | | | | |
| 27 | | 5月 | 19,130 | 42,247 | 217,900 | | | | |
| 28 | | 6月 | 18,399 | 60,646 | 219,474 | | | | |
| 36 | | 2月 | 14,396 | 211,422 | 237,622 | | | | |
| 37 | | 3月 | 29,185 | 240,607 | 240,607 | | | | |
| 38 | X4年度計劃 | 4月 | 30,000 | 30,000 | 247,490 | 25,200 | 25,200 | 242,690 | |
| 39 | | 5月 | 23,800 | 53,800 | 252,160 | 21,900 | 47,100 | 245,460 | |
| 40 | | 6月 | 23,000 | 76,800 | 256,761 | 20,100 | 67,200 | 247,161 | |
| 41 | | 7月 | 24,300 | 101,100 | 261,669 | 21,800 | 89,000 | 249,569 | |
| 42 | | 8月 | 16,500 | 117,600 | 264,884 | 15,200 | 104,200 | 251,484 | |
| 43 | | 9月 | 24,100 | 141,700 | 269,468 | 22,800 | 127,000 | 254,768 | |
| 44 | | 10月 | 24,000 | 165,700 | 273,628 | | | | |
| 45 | | 11月 | 24,000 | 189,700 | 278,352 | | | | |
| 46 | | 12月 | 40,000 | 229,700 | 286,728 | | | | |
| 47 | | 1月 | 16,700 | 246,400 | 289,981 | | | | |

❶ 在儲存格「G38」與「H38」輸入SUM函數，再利用自動填滿功能將儲存格「G38:H38」複製到9月為止。

▶ 計算 移 動 年 計 的 SUM 函數的第二項參數「$F$38:F38」可為了計算 X4 年度實績的月次累計改成「=SUM(C27:$C$37,G38)」。

MEMO　**移動年計的計算方法**

X3 年度底的 3 月實績為儲存格「C37」。計算 X4 年度實績的移動年計時，即便利用自動填滿功能往下複製，也要以絕對參照的方向固定住儲存格「C37」，以免 3 月實績的值移動到 X4 年度的計劃值的儲存格「C38」。

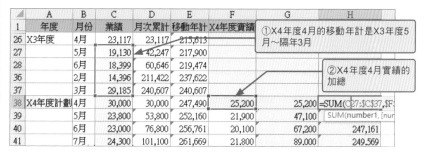

①X4年度4月的移動年計是X3年度5月～隔年3月

②X4年度4月實績的加總

③X4年度5月的移動年計是X3年度6月～隔年3月

④X4年度4月～5月實績的加總

CHAPTER 03

▶ Excel 的操作② ：製作銷售計劃與實際業績的 Z 圖表

為了將圖表的範例限制在 X4 年度裡，請先將 X3 年度之前的資料隱藏再製作折線圖。

### 隱藏截至 X3 年度之前的資料再插入折線圖

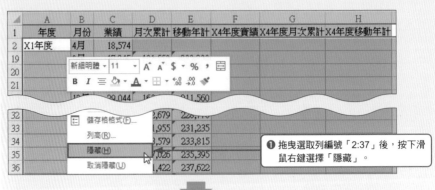

❶ 拖曳選取列編號「2:37」後，按下滑鼠右鍵選擇「隱藏」。

❷ 拖曳選取儲存格「A1:H49」

▶ 儲存格範圍「A1:H49」也包含了隱藏的 2～37 列的資料，而這些資料也會成為圖表的一部分，但是就算取消隱藏，這些列的資料也不會出現在圖表裡。此外，也拖曳選取 X4 年度 10 月之後的空白儲存格。

▶不同版本的按鈕名稱雖不同，但是造型卻是相同的。

❸ 點選「插入」索引標籤→「插入折線圖或區域圖」→「折線圖」

❹ 插入計劃與實績共六種折線的折線圖

**替實績值加上標記**

▶步驟❶之後將一邊確認圖例，一邊進行操作。圖例的位置會隨著版本而有所不同。

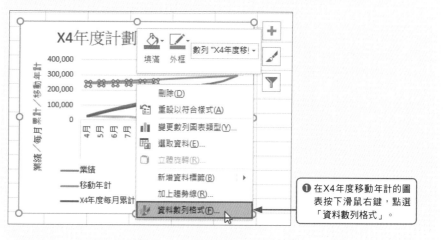

❶ 在X4年度移動年計的圖表按下滑鼠右鍵，點選「資料數列格式」。

❷ 依序點選「填滿與線條」→「標記」→「標記選項」，開啟作業視窗。

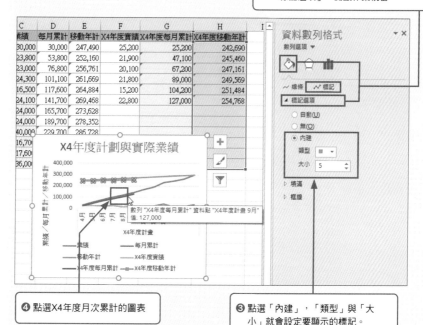

Excel2007/2010
▶從步驟❷之後，可於「資料數列格式」視窗的「標記選項」設定。

❹ 點選X4年度月次累計的圖表

❸ 點選「內建」，「類型」與「大小」就會設定要顯示的標記。

CHAPTER 01
CHAPTER 02
CHAPTER 03
CHAPTER 04
CHAPTER 05

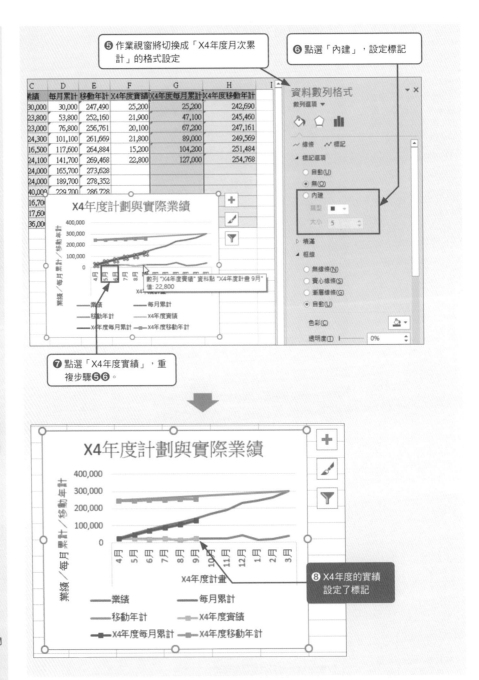

⑤ 作業視窗將切換成「X4年度月次累計」的格式設定

⑥ 點選「內建」，設定標記

| C | D | E | F | G | H | I |
|---|---|---|---|---|---|---|
| 業績 | 每月累計 | 移動年計 | X4年度實績 | X4年度每月累計 | X4年度移動年計 | |
| 30,000 | 30,000 | 247,490 | 25,200 | 25,200 | 242,690 | |
| 23,800 | 53,800 | 252,160 | 21,900 | 47,100 | 245,460 | |
| 23,000 | 76,800 | 256,761 | 20,100 | 67,200 | 247,161 | |
| 24,300 | 101,100 | 261,669 | 21,800 | 89,000 | 249,569 | |
| 16,500 | 117,600 | 264,884 | 15,200 | 104,200 | 251,484 | |
| 24,100 | 141,700 | 269,468 | 22,800 | 127,000 | 254,768 | |
| 24,000 | 165,700 | 273,628 | | | | |
| 24,000 | 189,700 | 278,352 | | | | |
| 40,000 | 229,700 | 286,728 | | | | |
| 16,700 | | | | | | |
| 17,600 | | | | | | |
| 36,000 | | | | | | |

資料數列格式
數列選項 ▼

~ 線條　　〜 標記
▲ 標記選項
　○ 自動(U)
　◉ 無(O)
　○ 內建
　　類型　■ ▼
　　大小　5
▷ 填滿
▲ 框線
　○ 無線條(N)
　○ 實心線條(S)
　○ 漸層線條(G)
　◉ 自動(U)
　色彩(C)
　透明度(T)　0%

X4年度計劃與實際業績

▶要變更標記的類型與大小時，可點選「類型」的「▼」，從列表選擇類型，而大小則可點選「▼」、「▲」或是直接拖曳選取大小的數字，然後輸入需要的數字。

數列 "X4年度實績" 資料點 "X4年度計畫 9月"
值: 22,800

業績／每月累計／移動年計

業績　　　　　每月累計
移動年計　　　X4年度實績
X4年度每月累計　X4年度移動年計

⑦ 點選「X4年度實績」，重複步驟⑤⑥。

▶完成設定後，可關閉作業視窗或是對話框。

X4年度計劃與實際業績

400,000
300,000
200,000
100,000
0

4月 5月 6月 7月 8月 9月 10月 11月 12月 1月 2月 3月

X4年度計畫

業績／每月累計／移動年計

⑧ X4年度的實績設定了標記

業績　　　　　每月累計
移動年計　　　X4年度實績
X4年度每月累計　X4年度移動年計

▶完成設定後，可關閉作業視窗或是對話框。

MEMO　**邊切換圖表元素邊編輯**

編輯多個圖表元素時，在結束所有編輯之前，不需要關閉作業視窗（Excel 2007／2010 為對話框）。在作業視窗（對話框）開啟的狀態下點選要編輯的圖表元素，就能切換成該圖表元素的格式設定作業視窗（對話框）。

▶ Excel 的操作③確認從年度開始的業績走勢

由於移動年計的實績值低於預測值，所以要確認從前年的 X3 年度開始的業績走勢。由於要將圖表的範圍變更為 X3 年度與 X4 年度，所以請先顯示所有列的資料，再隱藏截至 X2 年度之前的資料。在 X3 年度與 X4 年度之間插入空白列，讓 X3 年度與 X4 年度的資料分開。

### 也顯示 X3 年度的 Z 圖表

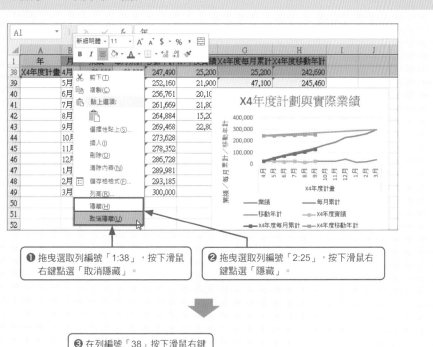

❶ 拖曳選取列編號「1:38」，按下滑鼠右鍵點選「取消隱藏」。　　❷ 拖曳選取列編號「2:25」，按下滑鼠右鍵點選「隱藏」。

❸ 在列編號「38」按下滑鼠右鍵選擇「插入」

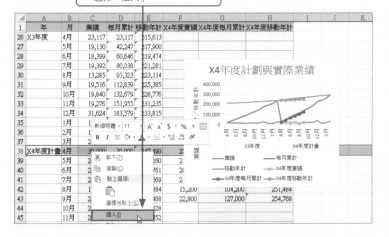

CHAPTER 03

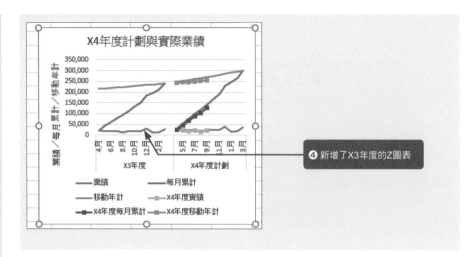

④ 新增了X3年度的Z圖表

▶ 判讀結果

X3 年度的移動年計是從前年的 X2 年度開始的傾向，X4 年度的移動年計是從前年的 X3 年度的傾向。X4 年度的前半年的實績雖未達成目標，但是延長 X3 年度的移動年計，就會發現 X4 年度前半年仍呈現上揚的趨勢，業績仍維持在成長的狀態。

● 移動年計的擴大圖

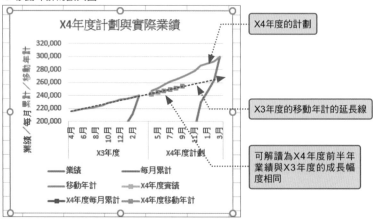

X4年度的計劃

X3年度的移動年計的延長線

可解讀為X4年度前半年業績與X3年度的成長幅度相同

▶右圖調整了移動年計的座標軸刻度（刻度的調整方法請參考 P42、44）。

發展 ▶ ▶ ▶

▶ 重新檢視銷售計劃

如果年度目標「300,000」沒有轉圜的餘地，就必須將 9 月之前未達成的業績加在 10 月之後的銷售計劃裡。X4 年度 4 月～9 月的銷售計劃為「141,700」，實際業績

為「127,000」，短缺了「14,700」。將未達成的目標加在 10 月到 3 月這段時間的銷售計劃與 Z 圖表如下。「14,700」的短缺可在旺季多補一些，淡季少補一些。從中可發現的是，移動年計比重新檢視之前的傾角更大，若不思考對策，將更難達成目標。

▶納入淡旺季因素的預算比重是根據季節指數製作的月份平均法所決定→ P.147。

● 為了達成 X4 年度全年目標「300,000」而修正的下半年計劃與 Z 圖表

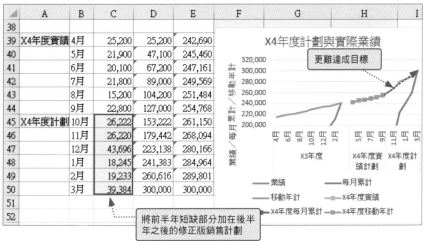

在不顧上半年未達目標也要「拼死達成目標」的情況下，上圖可讓我們一眼了解狀況。此外，從 X3 年度開始計算的業績仍呈增加的走勢，所以可看出即便「300,000」這個目標不可能達成，「270,000」這個目標就能達成這點。

▶上半年未能達成目標題理由

· 年度目標的根據為何？
· 是否根據銷售計劃調整生產體制？
· 上半年生產效率如何？
· 是否開拓新的銷售據點？
· 競爭對手的動向如何？

從各種著眼點思考與觀察，就能找到新的問題與設定課題。

● 為了達成 X4 年度全年目標「270,000」而下修的下半年計劃與 Z 圖表

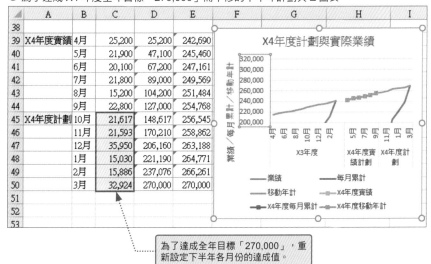

▶ **類似的分析範例**

經典商品在經過定期改良或是不斷翻新之後,要在何時投入市場可使用 Z 圖表決定。觀察的重點在於移動年計的上升傾角變小或是變得扁平。

因為商品生命週期的短縮而無法從 Z 圖表的月次累計或移動年計發現變化點時,可改成週次累計或每季累計的方式進行分析。

商品(產品)生命週期
▶指的是商品的壽命。一般而言,商品在銷售之後,業績會開始上升,到達顛峰之後會因為商品失去新鮮感或是出現競爭商品導致業績開始下滑,最終則在市場裡消失。

● 移動年計的變化點

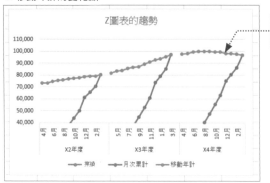

進入X4年度後,成長開始遲緩

## Column 讓商品生命週期變得具體可見

商品有很多類型,有的只限一季爆紅,有的則像經典商品長銷。將每個商品的業績走勢做成圖表,就能了解商品的生命週期。下圖將業績分解成價格與銷售數量,再將商品的銷售數量與售價走勢做成圖表。以防萬一,也將銷售數量與業績做成圖表,確認走勢是相同的。

可以發現的是,當銷售數量順利成長時,業績也跟著成長,但週數慢慢拉長,成長也隨之遇上瓶頸,此時即便調降價格,也無法提振銷售情況。

●業績推移

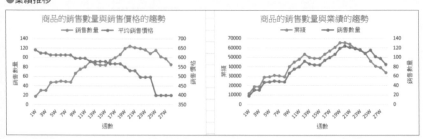

# 03 增加商品管理的彈性

需求的多樣化導致商品的多樣化是任何業界常見的現象。隨著銷售的品項增加,該如何有效管理商品就成為重要的課題。如果以相同的方式管理所有商品,賣得好的商品就有可能賣到斷貨,賣不好的商品有可能堆成小山,造成業績與成本管理不彰的問題。因此,接下來為大家解說根據業績將商品分成 ABC 三級,以便有效管理商品的 ABC 分析。

## 導入 ▶ ▶ ▶

### 實 例 「想提升庫存商品的管理效率」

在鞋子銷售公司任職的 E 先生覺得庫存品的管理很棘手,也常常花很多時間找商品,而且常常是找到最後才發現該樣商品缺貨。另外,著手管理的男鞋近年來增加不少品項,所以 E 先生正在摸索品項管理的方法。該怎麼做,才能更有效地管理商品呢?

● 男用鞋品項清單

| | A | B | C | D | E |
|---|---|---|---|---|---|
| 1 | 種類 | 品項 | 尺寸 | 顏色 | 品牌數 |
| 2 | 體育、戶外 | 健行鞋 | 25.0～28.5 | 3種 | 其他公司2 |
| 3 | | 散步鞋 | 25.0～28.0 | 5種 | 其他公司3 |
| 4 | | 籃球鞋 | 25.0～28.0 | 3種 | 其他公司3 |
| 5 | | 易乾上班鞋 | 25.0～29.0 | 3種 | 其他公司5 |
| 6 | | 跑步鞋 | 25.0～29.0 | 4種 | 其他公司5 |
| 7 | 休閒 | 懶人鞋 | 25.0～27.5 | 5種 | 自家公司、其他公司1 |
| 8 | | 帆船鞋 | 25.0～27.5 | 7種 | 其他公司2 |
| 9 | | 涼鞋 | M,L,XL | 3種 | 其他公司2 |
| 10 | | 雪靴 | 25.5～28.0 | 2種 | 其他公司2 |
| 11 | | 羊毛鞋 | 25.5～27.5 | 2種 | 其他公司2 |

### ▶ 進行將重要度分成 ABC 三級的 ABC 分析

ABC 分析是指依照「某個切入點」排序商品,並且依照商品的重要度進行彈性管理的手法。ABC 分析不僅可應用在商品的庫存管理,也能於品質管理、顧客管理這類情況使用。雖然「切入點」的種類很多,但最受歡迎的切入點就是「業績」。

▶ 類似的分析範例
→ P.81

以「業績」為切入點時,可依照業績的高低順序,由高而低排序商品,然後優先管理銷售較佳的商品,而銷售不佳的商品則可採取寄賣的方式減少庫存。先行分類商品就能讓商品管理變得更有彈性。此外,ABC 分析的結果會反映依照切入點分類之後的現況,所以除了可以管理商品,更是幫助我們了解現況的手法。

### ▶ ABC 評估的分類方式

常見的 ABC 評估分類方式是依照由高而低的業績組成比例累計組成比例,假設業績的組成比例累計達 80% 就歸類為 A 級,達 90% 就歸類為 B 級,後續則歸類為 C 級。

業績組成比例
▶意思是佔整體業績的比例。銷售越好的商品,佔整體業績的比例越高,業績組成比例也越高。

業績組成比例累計
▶業績組成比例累計之後的值。ABC 分析是以降冪的順序累計業績組成比例。

▶ 80:20 法則又稱為柏拉圖法則或二八法則。此外,管理臨界值只是參考值,有時會將 A 評價訂為低於 70%,有時也會將 B 評價訂為低於 95%。

A 級的「80%」是根據「80:20 法則」這個 80% 的現象是由整體的 20% 因素所造成的經驗法則所制定。舉例來說,銷售的商品雖然有 30 種,但業績的八成來自賣得好的 5~6 種商品,或是在 1000 位顧客之中,貢獻 80% 業績的只有 200 人左右。換言之,只要妥善管理所有元素的前 20%,就能達成八成的業績。

● ABC 評估與管理基準與臨界值

| 評價 | 管理基準 | 管理臨界值 |
|---|---|---|
| A | 重點管理 | 組成比例累計 ≦ 80% |
| B | 標準管理 | 80% < 組成比例累計 ≦ 90% |
| C | 簡易管理 | 90% < 組成比例累計 ≦ 100% |

### ▶ 利用柏拉圖讓管理的項目變得更具體可見

柏拉圖就是在同一張圖表裡,根據「切入點」將評價的元素繪製成長條圖,再將元素的組成比例累計繪製成折線圖的複合式圖表,可讓我們更了解 ABC 分析的分類狀況。

柏拉圖可確認組成比例累計的折線圖形狀,以及組成比例累計低於 80% 的元素以及元素數量。折線圖越趨近水平可解釋成業績越依賴特定元素。

● 柏拉圖範例

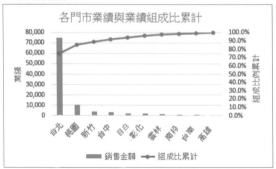

▶柏拉圖的折線圖模式
→ P.80

前一頁的柏拉圖以業績為切入點，將該店家的業績繪製成長條圖，並將業績組成比例累計繪製成折線圖。將注意力放在折線圖的 80% 之後，會發現在十家店鋪之中，創造 80% 整體業績的是「新宿店」。如果「新宿店」經營不善，導致業績下滑，整體的業績就會陷入低迷，所以必須對其他門市展開調查，也必須提振其他門市的業績，才能改善過度依賴單一門市的狀況。

## 實踐 ▶▶▶

▶資料要自行製作!?
→ P.13

▶將樞紐分析表轉存為
一般的表格→ P.35

範例
3-03

### ▶ 準備的業務資料

替要分類成 ABC 三級的項目準備「切入點」的相關資料。這次是以業績分類各種男鞋，所以準備了各商品業績分析表。收集分析前的業績清單時，可先用樞紐分析表整理出每項商品的業績，再轉存為一般格式的表格。下列就是整理之後的表格。

● 各商品業績分析表

| | A | B | C | D | E | F |
|---|---|---|---|---|---|---|
| 1 | 男鞋業績分析表 | | 業績合計金額 | 37,403,040 | | |
| 2 | | | | | | |
| 3 | No | 品項 | 業績金額 | 業績組成比例 | 組成比例累計 | 評價 |
| 4 | 1 | 健行鞋 | 781,800 | | | |
| 5 | 2 | 懶人鞋 | 1,369,860 | | | |
| 6 | 3 | 帆船鞋 | 5,174,310 | | | |
| 7 | 4 | 涼鞋 | 336,260 | | | |
| 8 | 5 | 散步鞋 | 5,074,200 | | | |
| 9 | 6 | 籃球鞋 | 623,200 | | | |
| 10 | 7 | 室內鞋 | 374,880 | | | |
| 11 | 8 | 跑步鞋 | 6,168,000 | | | |
| 12 | 9 | 典雅上班鞋 | 5,541,600 | | | |
| 13 | 10 | 輕量上班鞋 | 3,886,000 | | | |
| 14 | 11 | 易乾上班鞋 | 3,500,730 | | | |
| 15 | 12 | 雪靴 | 771,000 | | | |
| 16 | 13 | 羊毛鞋 | 60,800 | | | |
| 17 | 14 | 樂福合成皮鞋 | 1,319,600 | | | |
| 18 | 15 | 樂福真皮鞋 | 2,420,800 | | | |

### ▶ Excel 的操作①：計算 ABC 評估所需的值

先以降冪的順序排序業績，算出業績組成比例與業績組成比例累計。累計可使用 SUM 函數計算，只要先固定儲存格範圍的起點，再利用自動填滿功能將公式複製到其他儲存格，累計範圍就會跟著逐步擴張。

以降冪的順序排序業績，算出業績組成比例與業績組成比例累計

●在儲存格「D4」、「E4」輸入的算式與函數

| D4 | =C4/$D$1 | E4 | =SUM($D$4:D4) |
|----|----------|----|----------------|

▶步驟❷也可從「常用」索引標籤點選「排序與篩選」→「從最大到小排序」。

❶ 點選「業績金額」資料的任何一個儲存格

❷ 點選「資料」索引標籤的「從最大到最小排序」

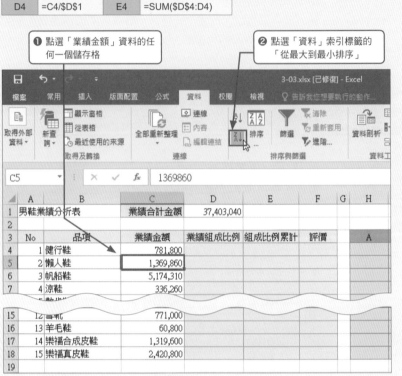

❸ 業績金額改變成由高至低的排序

❹ 在儲存格「D4」與「E4」輸入公式

❺ 拖曳選取儲存格範圍「D4:E4」，利用自動填滿功能將公式複製到資料的結尾處。

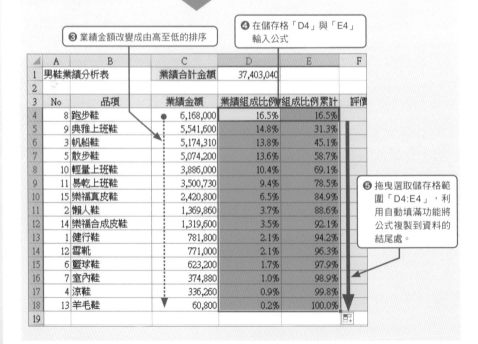

▶ Excel 的操作② ： ABC 分級以及替業績分級

既然使用了 Excel，就讓我們利用 IF 函數判斷 ABC 分級，再利用分級結果將業績分成 ABC 三級。利用分級之後的表格製作柏拉圖，就能以顏色標記 A、B、C 三級。若不需要評估與標色，可直接跳到 Excel 的操作③。

## 將業績組成比例累計分成 ABC 三級

●在儲存格「F4」輸入的函數

| F4 | =IF(E4<=80%,"A",IF(E4<=90%,"B","C")) | | E4 | =SUM($D$4:D4) |
|----|----|----|----|----|

▶ IF 函數的組合請參考→ P.76 的 Memo

❶ 在儲存格「F4」輸入IF函數，再以自動填滿的方式複製到「F18」為止的儲存格。

| | A | B | C | D | E | F | G |
|---|---|---|---|---|---|---|---|
| 1 | 男鞋業績分析表 | | 業績合計金額 | 37,403,040 | | | |
| 2 | | | | | | | |
| 3 | No | 品項 | 業績金額 | 業績組成比例 | 組成比例累計 | 評價 | |
| 4 | 8 | 跑步鞋 | 6,168,000 | 16.5% | 16.5% | A | |
| 5 | 9 | 典雅上班鞋 | 5,541,600 | 14.8% | 31.3% | A | |
| 6 | 3 | 帆船鞋 | 5,174,310 | 13.8% | 45.1% | A | |
| 7 | 5 | 散步鞋 | 5,074,200 | 13.6% | 58.7% | A | |
| | 10 | 輕量上班鞋 | 3,886,000 | 10.4% | 69.1% | A | |
| 17 | 4 | 涼鞋 | 336,260 | 0.9% | 99.8% | C | |
| 18 | 13 | 羊毛鞋 | 60,800 | 0.2% | 100.0% | C | |
| 19 | | | | | | | |

## 根據分級結果分類業績

●在儲存格「H4」輸入的函數

| H4 | =IF($F4=H$3,$C4,0) |
|----|----|

❶ 在儲存格「H4」輸入IF函數，並利用自動填滿功能將公式複製到「J18」。

▶若覺得複合式參照難以閱讀，可改成下列的內容。

儲存格「H4」
=IF(F4="A",C4,0)
儲存格「I4」
=IF(F4="B",C4,0)
儲存格「J4」
=IF(F4="C",C4,0)

| C | D | E | F | G | H | I | J | K |
|---|---|---|---|---|---|---|---|---|
| 業績合計金額 | 37,403,040 | | | | | | | |
| | | | | | | | | |
| 業績金額 | 業績組成比例 | 組成比例累計 | 評價 | | A | B | C | |
| 6,168,000 | 16.5% | 16.5% | A | | 6,168,000 | 0 | 0 | |
| 5,541,600 | 14.8% | 31.3% | A | | 5,541,600 | 0 | 0 | |
| 5,174,310 | 13.8% | 45.1% | A | | 5,174,310 | 0 | 0 | |
| 5,074,200 | 13.6% | 58.7% | A | | 5,074,200 | 0 | 0 | |
| 3,886,000 | 10.4% | 69.1% | A | | 3,886,000 | 0 | 0 | |
| 3,500,730 | 9.4% | | | | 3,500,730 | | | |
| 623,200 | 1.7% | 97.9% | C | | 0 | 0 | 623,200 | |
| 374,880 | 1.0% | 98.9% | C | | 0 | 0 | 374,880 | |
| 336,260 | 0.9% | 99.8% | C | | 0 | 0 | 336,260 | |
| 60,800 | 0.2% | 100.0% | C | | 0 | 0 | 60,800 | |

轉記為C評價，其他評價則為「0」

IF 函數 → P.16

▶一直在內文提到「組成比例累計」，大家可能聽得很煩，不過，IF 函數能正確解讀條件是一件非常重要的事。IF 函數的內容若是未正確輸入，條件的主詞就有可能失去正確性，所以才會苦口婆心地不斷提到。

---

MEMO **IF 函數的組合**

IF 函數的構造為「=IF( 條件 , 條件成立時的處理 , 條件不成立時的處理 )」，可沿著的構造解讀函數的內容。

「=IF (E4<=80%,"A",IF(E4<=90%,"B","C"))」的前半段「=IF (E4<=80%,"A"」代表會執行「儲存格「E4」的組成比例累計小於80%的條件成立時，就顯示A」的處理。

組成比例累計大於 80% 的時候，就會執行後半段「條件不成立時的處理」，也就是「IF(E4<=90%,"B","C")」的處理。條件雖然是「組成比例累計小於 90%」，但由於含有前半段的條件，所以只要組成比例累計超過 80%，低於 90%，就會顯示 B，超過 90% 就顯示 C。

---

▶ **Excel 的操作③：製作柏拉圖**

接著要將剛剛分類的業績製作成 ABC 的堆疊直條圖。製作成堆疊直條圖可自動替 ABC 分色。不過，分類之後的業績含有對應於 ABC 評價的值，若是非對應的值則會顯示為「0」，所以說是堆疊 ABC 的值，實質上也只是顯示對應的值而已。

接著要先將業績組成比例累計做成堆疊直條圖，然後再變更為折線圖。此外，業績與組成比例累計的單位不同，所以要於不同的座標軸顯示。

**插入堆疊直條圖**

▶未替業績分類時，可選取儲存格「B 3：C 18」與「E3:E18」，接下來的步驟與步驟❷都一樣。

同時選取多處儲存格
▶拖曳選取第一處的儲存格範圍後，按住 [Ctrl] 鍵再拖曳選取第二處的儲存格。

▶圖表的按鈕名稱會依版本而有所不同，但按鈕的外觀都是相同的。

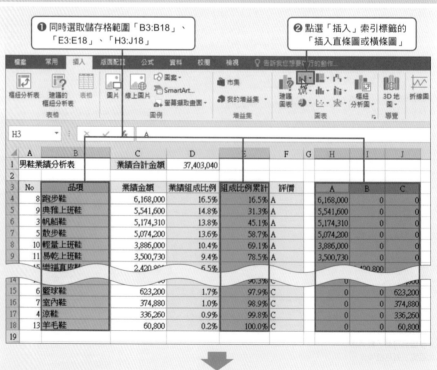

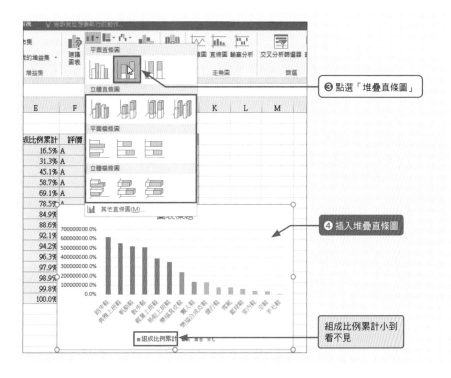

③ 點選「堆疊直條圖」

④ 插入堆疊直條圖

組成比例累計小到
看不見

### 將業績組成比例累計移動至副座標軸，並將圖表變更為折線圖

❶ 點選圖表，再點選「格式」索引標籤的「圖表區」的
「▼」，然後從中點選「數列"組成比例累計"」

▶點選圖表後，中途不
要點選儲存格，一鼓作
氣操作至步驟❻。若是
不小心點選了儲存格，
可操作步驟❶，在選取
「數列"組成比例累
計"」的狀態下繼續操
作。

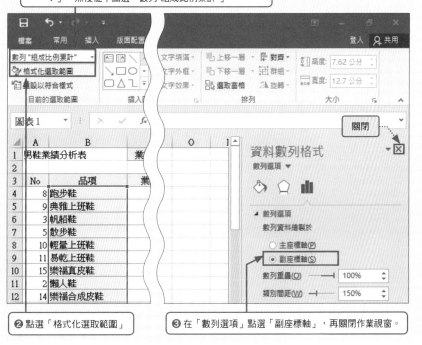

Excel2007/2010
▶步驟❸可於「數列格
式設定」對話框操作。

❷ 點選「格式化選取範圍」

❸ 在「數列選項」點選「副座標軸」，再關閉作業視窗。

❹ 在組成比例累計移動至副座標座，且為選取的狀態下，
點選「設計」索引標籤的「變更圖表類型」。

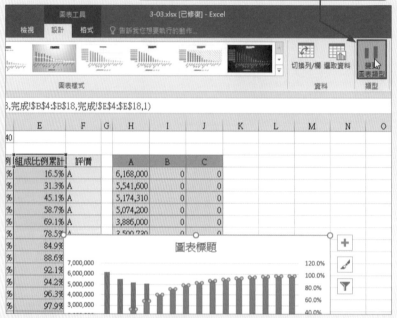

Excel2007/2010
▶步驟❹的「變更圖表類型」配置在「設計」索引標籤的最左側。

❺ 點選「組成比例累計」的「▼」，再點選「含有資料標記的折線圖」。

Excel2007/2010
▶步驟❺可於「變更圖表類型」對話框的「折線圖」點選「含有資料標記的折線圖」，再點選「確定」。

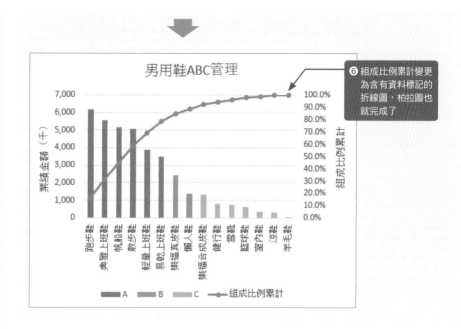

▶圖表標題、座標軸名稱、刻度可自行改成理想的內容。圖表的編輯方法請參考 P.41 之後的內容。

## ▶ 判讀結果

從柏拉圖可以得知，A 評價的商品為「跑步鞋」到「易乾上班鞋」這六項，B 評價為兩項，C 評價為七項。各評價的商品的管理方法如下。

▶過度增加下訂頻率導致庫存過剩就會失去意義。精確度較高的需求預測也是 A 評價的重要觀點之一。有關預測的部分將於 P.157、171 解說。

A 評價：重點性地實施庫存管理，並且存放在顯眼的位置，確保方便存取的空間，同時提高下訂頻率，避免賣到斷貨。

B 評價：實施標準型的庫存管理。B評價的品項有可能轉變成A或C評價的商品。可利用確認往何種評價的感覺管理。

C 評價：實施簡易型的庫存管理。實例的C評價商品包含了「雪靴」、「涼鞋」、「羊毛鞋」這類季節性商品。當季時，就保留庫存，非當季時，就不保留庫存，也可以只保留最低程度的庫存。其他品項也一樣，只要保留最低程度的庫存，等到賣得好之後再行補充。

## ● 今後的分析與觀察

雖然找出需要重點管理的六種商品，但一如 P.71 的商品清單所示，單一品項就有不同的大小、顏色與品牌，種類非常多，所以很難進行篩選。因此，可從顏色與大小這類切入點針對這六種商品分別進行 ABC 分析，找出其中更為重點的商品。

此外，ABC 應該要定期實施，觀察商品順位的變化，而不是只實施一次。

發展 ▶ ▶ ▶

## ▶ 柏拉圖的模式

柏拉圖的組成比例累計形狀共有三種模式，ABC 分析產生的評價也不同。組成比例累計的形狀模式會因用來評價的「切入點」而有好有壞，所以無法武斷地判斷何種形狀為佳。此外，A 評價的組成比例累計臨界值是根據 80:20 法則定為「80%」，但充其量只是參考值。雖然可依照自家公司所處的環境、經驗與切入點調整這個臨界值，但大概只能調至「70%」左右。

● 柏拉圖與 ABC 分析

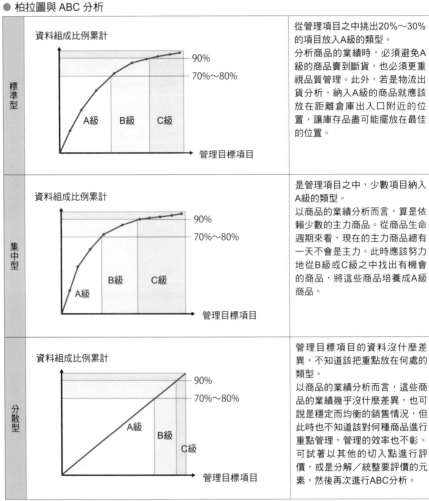

| | |
|---|---|
| **標準型**<br>資料組成比例累計<br>A級　B級　C級<br>管理目標項目<br>90%<br>70%～80% | 從管理項目之中挑出20%～30%的項目放入A級的類型。<br>分析商品的業績時，必須避免A級的商品賣到斷貨，也必須更重視品質管理。此外，若是物流出貨分析，納入A級的商品就應該放在距離倉庫出入口附近的位置，讓存庫品盡可能擺放在最佳的位置。 |
| **集中型**<br>資料組成比例累計<br>A級　B級　C級<br>管理目標項目<br>90%<br>70%～80% | 是管理項目之中，少數項目納入A級的類型。<br>以商品的業績分析而言，算是依賴少數的主力商品。從商品生命週期來看，現在的主力商品總有一天不會是主力。此時應該努力地從B級或C級之中找出有機會的商品，將這些商品培養成A級商品。 |
| **分散型**<br>資料組成比例累計<br>A級　B級　C級<br>管理目標項目<br>90%<br>70%～80% | 管理目標項目的資料沒什麼差異，不知道該把重點放在何處的類型。<br>以商品的業績分析而言，這些商品的業績幾乎沒什麼差異，也可說是穩定而均衡的銷售情況，但此時也不知道該對何種商品進行重點管理，管理的效率也不彰。可試著以其他的切入點進行評價，或是分解／統整要評價的元素，然後再次進行ABC分析。 |

▶ 類似的分析範例

ABC 分析隨著要評價的元素與「切入點」在不同的情況應用。

● ABC 分析

| 管理對象 | 評價元素 | 切入點 | 判讀結果範例 |
|---|---|---|---|
| 庫存 | 商品 | 業績、利潤、銷售數量、最近出貨日（銷售日） | 因銷售數量被評為C評價的商品有可能會成為滯銷品。以最近的銷售日排序的C評價商品有可能在某個時間點售完。可試著採行庫存賣光就不再進貨或是推出折扣優惠的方式處理庫存。 |
| 顧客 | 依照年齡層分類的顧客群與顧客名稱 | 購買次數、購買金額、客單價、最終購買日期 | 對因為購買金額與單次購買金額而被評為B評價的顧客實施提高忠誠度的宣傳，將其培養成A評價的顧客 |
| 交易對象／主力客戶 | 交易對象名稱、主力客戶名稱 | 交易金額、利潤 | 因為交易金額很高而被評價A評價的交易對象可解讀成採購金額集中在這類對象，此時不妨提出以量制價的手法調降採購成本。 |
| 生產效率 | 工程 | 作業時間、待機時間 | 由高至低排序各工程的作業時間，掌握成為瓶頸的工程，再改善該工程的作業方式 |
| 品質 | 產品 | 要因的發生次數、改善方案的範圍 | 以五段式評價的方式評估品質改善方案的重要性與改善後的效果，再實施分數較高，有可能達成的改善方案。 |
| 事業／工作人員 | 部門部名、工作人員姓名 | 業績、毛利率、簽約件數 | 因業績或簽約件數而被評為A評價的業務員若出現排名下滑的現象，可與之面談，跟進該業務員的狀況。 |

## Column 長尾效應

C 級商品的銷售量累積到快要凌駕 A 級商品的現象稱為長尾效應。簡單來說，就是「聚沙成塔」的意思。長尾效應常出現在不需要陳列商品的網路商店，而不是實體店舖。這是因為，實體店舖會將銷路較好的商品放在顯眼的位置，能不能有效率地賣出銷路較佳的商品是勝負的關鍵，賣得不好的商品就會被下架。

網路商店也需要注意 C 級商品，同時觀察 C 級商品的業績總和。

● 長尾效應

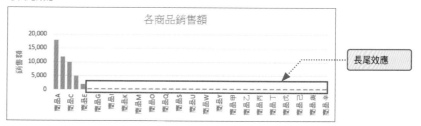

# 04 從銷售金額與毛利評價商品

業績好的商品有可能是不太會產生利潤的商品，因為不同的切入點而造成不同的評價。因此，讓我們透過兩個切入點進行 ABC 分析，如此一來就能以 A-A 評價到 C-C 評價這九種評價定位商品，也能更正確地管理商品。

## 導入 ▶ ▶ ▶

### 實例 「檢視商品陳列提振業績」

在時鐘製造公司服務的 F 先生為了提振業績而想要重新檢視掛鐘的陳列方式。因此 F 先生以業績進行了商品的 ABC 分析，並將 A 評價的商品陳列在搶眼的地方，不過，為了以防萬一，又以毛利進行了 ABC 分析，卻發現產生不同的評價。若想透過商品陳列的調整提振業績，該如何利用兩種切入點進行評價呢？

● 銷售額的ABC分析結果

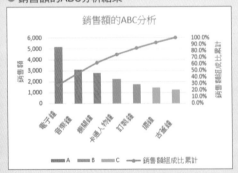

● 毛利的ABC分析結果

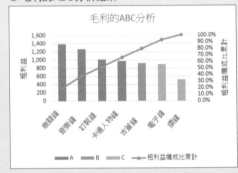

▶ 類似的分析範例
→ P.88

### ▶ 兩個切入點的交叉式 ABC 分析

利用兩個切入點進行 ABC 分析，並於直列與橫排各為 ABC 三個評價的陳列表分類商品名稱的手法稱為交叉式 ABC 分析。最具代表性的切入點組合就是銷售額與銷售數量或是銷售額（銷售數量）與毛利。

## ● 利用決策表定位商品

決策表就是交叉式 ABC 分析的結果表。將兩個切入點做成的 ABC 評價做成陣列表，再配置與兩個評價對應的商品名稱。以單一切入點進行的 ABC 分析雖然將評價對象分成 ABC 三類，但是當切入點增加為兩個後，就可分成 3×3=9 種分類，所以交叉式 ABC 分析光是增加一個切入點，就可讓分類數增加至 3 倍，可說是非常划算的分析方式。

下列的決策表商品 ABC 的銷售額與毛利的交叉式 ABC 分析的結果。定期進行交叉式 ABC 分析不僅可確認商品現在的定位，也能了解商品的定位變化。

### ● 決策表　商品 A 與 B 的銷售額與毛利的評價

| | | 毛利 | | |
|---|---|---|---|---|
| | | A | B | C |
| 銷售額 | A | 商品A（10月） | 商品A（9月） | |
| | B | | 商品C（9月） | 商品B（9月） |
| | | | 商品C（10月） | |
| | C | | | 商品B（10月） |

### ▶ 決策表的解讀方法

決策表如下分成 A-A 評價到 C-C 評價這九種定位。雖然不同的切入點需要不同的解讀方法，但是 A-A 評價為最高等級，C-C 評價為最低等級這點是共通的。舉例來說，在店面商品管理得到銷售額與毛利都為 A 的評價的商品，就必須進行重點管理，絕對不能賣到缺貨，除了要為這項商品保留足夠的陳列空間，還得時時注意商品的補充。而 C-C 評價的商品則納入下架商品的行列。

### ● 決策表

▶決策表的切入點 1、2 只代表切入點有兩個，兩個切入點要配置在哪邊都可以。

| | | 切入點1 | | |
|---|---|---|---|---|
| | | A | B | C |
| 切入點2 | A | A-A | A-B | A-C |
| | B | B-A | B-B | B-C |
| | C | C-A | C-B | C-C |

## 實踐 ▶ ▶ ▶

### ▶ 需準備的業績資料

▶要準備比最低限度多一點的資料→ P.12

要依照兩個切入點準備相關的資料。只要先收集到原始的業績清單，不管之後是要利用樞紐分析表依照切入點製作表格，還是要將業績清單的日期與數量當成切入

點，另行進行交叉式 ABC 分析，都是很有幫助的。範例為了以銷售額與毛利分類各種時鐘，準備了每個商品的銷售額與毛利的前半年銷售實績資料。

● 各商品業績與毛利的計算表

範例
3-04「操作 1」工作表

| | A | B | C | D | E | F | G | H |
|---|---|---|---|---|---|---|---|---|
| 1 | 掛鐘-前半年銷售實績 | | | | | | | |
| 2 | | 銷售額總和 | 17,930 | | 毛利總和 | 6,990 | | |
| 3 | | | | | | | | |
| 4 | No | 商品 | 銷售額 | 毛利 | 銷售額組成比例累計 | 毛利組成比例累計 | 銷售額評價 | 毛利評… |
| 5 | 1 | 古董鐘 | 1,250 | 920 | | | | |
| 6 | 2 | 訂製鐘 | 1,780 | 1,020 | | | | |
| 7 | 3 | 機關鐘 | 2,830 | 1,380 | | | | |
| 8 | 4 | 卡通人物鐘 | 2,280 | 980 | | | | |
| 9 | 5 | 電子鐘 | 5,210 | 900 | | | | |
| 10 | 6 | 擺鐘 | 1,460 | 520 | | | | |
| 11 | 7 | 音樂鐘 | 3,120 | 1,270 | | | | |
| 12 | | | | | | | | |

▶ Excel 的操作①：輸入組成比例累計與 ABC 評價的公式

ABC 評價是以由高至低的銷售額與毛利計算組成比例累計與 ABC 評價，但由於輸入的公式相同，所以我們不先排序，直接先輸入公式。組成比例累計可利用 SUM 函數加總前面儲存格的組成比例與現在儲存格的組成比例。

ABC 評價的臨界值分別設定為組成比例累計低於 70% 為 A 評價、低於 90% 以下為 B 評價，主要是利用 IF 函數計算。

▶要進行 ABC 分析的商品數量共有七種，所以將組成比例累計的臨界值設定為 80%，有可能會導致 A 評價的比例偏高。因此，這次範例將臨界值設定為 70%，縮減 A 評價的範圍。

計算銷售額與毛利的組成比例累計

● 在儲存格「E5」、「F5」輸入的函數

| E5 | =SUM(E4,C5/$C$2) | F5 | =SUM(F4,D5/$F$2) |
|---|---|---|---|

❶ 在儲存格「E5」、「F5」輸入 SUM函數

❷ 拖曳選取儲存格範圍「E4:F4」，再利用自動填滿功能將SUM函數複製到「音樂鐘」的列為止。

| | A | B | C | D | E | F | G | H |
|---|---|---|---|---|---|---|---|---|
| 1 | 掛鐘-前半年銷售實績 | | | | | | | |
| 2 | | 銷售額總和 | 17,930 | | 毛利總和 | 6,990 | | |
| 3 | | | | | | | | |
| 4 | No | 商品 | 銷售額 | 毛利 | 銷售額組成比例累計 | 毛利組成比例累計 | 銷售額評價 | 毛利評… |
| 5 | 1 | 古董鐘 | 1,250 | 920 | 7.0% | 13.2% | | |
| 6 | 2 | 訂製鐘 | 1,780 | 1,020 | 16.9% | 27.8% | | |
| 7 | 3 | 機關鐘 | 2,830 | 1,380 | 32.7% | 47.5% | | |
| 8 | 4 | 卡通人物鐘 | 2,280 | 980 | 45.4% | 61.5% | | |
| 9 | 5 | 電子鐘 | 5,210 | 900 | 74.5% | 74.4% | | |
| 10 | 6 | 擺鐘 | 1,460 | 520 | 82.6% | 81.8% | | |
| 11 | 7 | 音樂鐘 | 3,120 | 1,270 | 100.0% | 100.0% | | |
| 12 | | | | | | | | |

> **MEMO** 組成比例累計的計算方法
>
> 組成比例累計可如 P.75 般，在其他儲存格計算組成比例，再固定 SUM 函數的加總範圍起點算出，不過這次的範例沒有另外建立計算組成比例的儲存格，所以只能以加總前面儲存格的方式算出累計。儲存格「E5」是累計的起點，所以可將公式改成「=C5/C$2」，但是為了以自動填滿複製公式，所以也加入前面的儲存格「E4」。不過，不能將公式寫成「＝E4＋C5/C$2」，因為儲存格「E4」為字串，在加法裡指定字串，就會顯示「#VALUE!」錯誤，所以得使用忽略字串的 SUM 函數。

## 輸入銷售額與毛利的 ABC 評價的 IF 函數

●在儲存格「G5」輸入的函數

| G5 | =IF(E5<=70%,"A",IF(E5<=90%,"B","C")) |
|---|---|

❶ 在儲存格「G5」輸入IF函數，再利用自動填滿功能將公式複製到儲存格「H11」為止

| | A | B | C | D | E | F | G | H |
|---|---|---|---|---|---|---|---|---|
| 1 | 掛鐘.前半年銷售實績 | | | | | | | |
| 2 | | 銷售額總和 | 17,930 | | 毛利總和 | 6,990 | | |
| 3 | | | | | | | | |
| 4 | No | 商品 | 銷售額 | 毛利 | 銷售額組成比例累計 | 毛利組成比例累計 | 銷售額評價 | 毛利評價 |
| 5 | 1 | 古董鐘 | 1,250 | 920 | 7.0% | 13.2% | A | A |
| 6 | 2 | 訂製鐘 | 1,780 | 1,020 | 16.9% | 27.8% | A | A |
| 7 | 3 | 機關鐘 | 2,830 | 1,380 | 32.7% | 47.5% | A | A |
| 8 | 4 | 卡通人物鐘 | 2,280 | 980 | 45.4% | 61.5% | A | A |
| 9 | 5 | 電子鐘 | 5,210 | 900 | 74.5% | 74.4% | B | B |
| 10 | 6 | 擺鐘 | 1,460 | 520 | 82.6% | 81.8% | B | B |
| 11 | 7 | 音樂鐘 | 3,120 | 1,270 | 100.0% | 100.0% | C | C |
| 12 | | | | | | | | |

▶ **Excel 的操作②：排序銷售額與毛利，再進行 ABC 評價**

以降冪的順序排列銷售額，更新組成比例累計之後，再更新依照組成比例累計分類的 ABC 評價。毛利也要進行同樣的整理，不過，若以毛利為排序基準，銷售額的順序就會改變，ABC 評價也會跟著改變，所以，為了避免評價改變，請利用複製與貼上的功能，將公式轉換成值。

## 以銷售額與毛利進行 ABC 評價

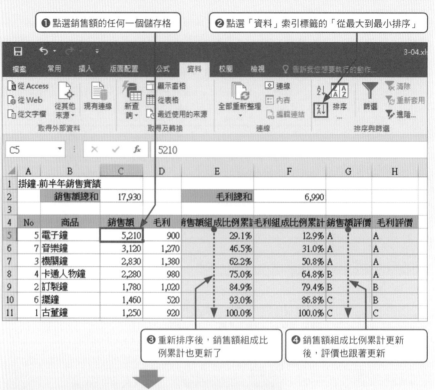

❶ 點選銷售額的任何一個儲存格

❷ 點選「資料」索引標籤的「從最大到最小排序」

❸ 重新排序後，銷售額組成比例累計也更新了

❹ 銷售額組成比例累計更新後，評價也跟著更新

▶步驟❺、❻可在按下[Ctrl]+[C]複製後，立刻按下[Ctrl]+[V]貼上，然後從「貼上選項」點選「值」。

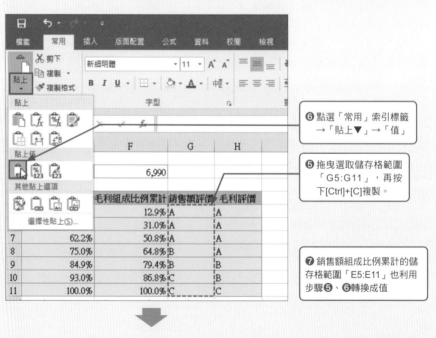

❻ 點選「常用」索引標籤→「貼上▼」→「值」

❺ 拖曳選取儲存格範圍「G5:G11」，再按下[Ctrl]+[C]複製。

❼ 銷售額組成比例累計的儲存格範圍「E5:E11」也利用步驟❺、❻轉換成值

▶點選毛利的儲存格範圍「D5:D11」，再以「從最大到最小」排序。

| ▲ | A | B | C | D | E | F | G | H |
|---|---|---|---|---|---|---|---|---|
| 1 | 掛鐘-上半季銷售實績 | | | | | | | |
| 2 | | 業績合計 | 17,930 | | 毛利合計 | 6,990 | | |
| 3 | | | | | | | | |
| 4 | No | 商品 | 業績 | 毛利 | 業績組成比例累計 | 毛利組成比例累計 | 業績評價 | 毛利評價 |
| 5 | 3 | 機關鐘 | 2,830 | 1,380 | 62.2% | 19.7% | A | A |
| 6 | 7 | 音樂鐘 | 3,120 | 1,270 | 46.5% | 37.9% | A | A |
| 7 | 2 | 訂製鐘 | 1,780 | 1,020 | 84.9% | 52.5% | B | A |
| 8 | 4 | 卡通人物鐘 | 2,280 | 980 | 75.0% | 66.5% | B | A |
| 9 | 1 | 古董鐘 | 1,250 | 920 | 100.0% | 79.7% | C | B |
| 10 | 5 | 電子鐘 | 5,210 | 900 | 29.1% | 92.6% | A | C |
| 11 | 6 | 擺鐘 | 1,460 | 520 | 93.0% | 100.0% | C | C |
| 12 | | | | | | | | |

▶ 判讀結果

根據銷售額與毛利評價的現階段結果如下。評價以「銷售額評價-毛利評價」顯示。今後也可定期進行同樣的分析，了解商品評價於時間之內的變化。

● A-A 評價

這是銷售額與毛利都有好成績的商品，對應的商品則是機關鐘與音樂鐘。為了展示更多的機關鐘與音樂鐘，需要先保留陳列空間，也得避免賣到沒有庫存。

● C-C 評價

這是銷售額與毛利都不佳的商品，對應的商品是擺鐘。若是賣到沒有庫存，可考慮讓這項商品下架。

● B-A 評價

這是銷售額普通，毛利不錯的商品，對應的商品為訂製鐘與卡通人物鐘。卡通人物鐘應該放在更搶眼的位置，抓住顧客的視線。訂製鐘應該擺放過去訂製鐘的照片或是說明訂製流程的海報進行商品訴求。可於下次的交叉式 ABC 分析確認行銷策略的效果。

● A-C 評價

這是銷售額不錯但是毛利不高的商品，對應的商品為電子鐘。在銷售額的 ABC 分析之中，電子鐘雖然是佔整體業績三成的第一名重點商品，但是有可能為了提昇銷售額而極度降低售價。可先找出決定銷售價格的理由後，再檢討銷售方法。

● C-B 評價

盡管銷售額不高，但毛利卻獲得 B 評價。屬於只要售出就能獲得毛利的商品，對應的商品為古董鐘。若是從古董迷身上看到對古董鐘的一定程度的需求，不妨考慮設立古董鐘專區，陳列符合需求的商品數，賣出後再予以補充即可。

## 發展 ▶ ▶ ▶

▶ 類似的分析範例

範例

3-04 的「參考」工作表

交叉式 ABC 分析跟 ABC 分析一樣，可根據評價的元素與「切入點」在不同的情況下使用（→參考 P.81）。舉例來說，為了管理顧客而從「購買金額」與「最終購買日期」進行交叉式 ABC 分析，藉此了解顧客群現狀或是找出可提升忠誠度的顧客，都屬於可應用的情況。

以下是以商品的「銷售額」與「最終銷售日」進行 ABC 分析的範例。請參考範例「3-04.xlsx」的參考工作表。最終銷售日期以 2015/9/1 之後以為 A，以 2015/6/1 之後為 B 並以 2015/6/1 之前為 C。

▶ 日期是一種將 19001/1 視為「1」的序列值，也就是連續編號的「數值」，日期越新，序列值就越大。

▶ IF 函數的條件無法指定「D5 >= "2015/9/1"」這種內容，這是因為儲存格「D5」為數值，而「"2015/9/1"」為字串，數值與字串無法互相比較。

● 商品的銷售額與最終銷售日的交叉式 ABC 分析

| | A | B | C | D | E | F | G |
|---|---|---|---|---|---|---|---|
| 1 | 掛鐘-上半季銷售實績 | | | | 銷售日評價 | 2015/9/1 | 之後為A |
| 2 | | 業績合計 | 17,930 | | | 2015/6/1 | 之後為B |
| 3 | | | | | | 2015/6/1 | 之前為C |
| 4 | No | 商品 | 業績 | 最後銷售日 | 業績組成比例累計 | 業績評價 | 銷售日評價 |
| 5 | 5 | 電子鐘 | 5,210 | 2015/9/28 | 29.1% | A | A |
| 6 | 7 | 音樂鐘 | 3,120 | 2015/9/1 | 46.5% | A | A |
| 7 | 4 | 卡通人物鐘 | 2,280 | 2015/8/25 | 75.0% | B | B |
| 8 | 3 | 機關鐘 | 2,830 | 2015/7/28 | 62.2% | A | B |
| 9 | 2 | 訂製鐘 | 1,780 | 2015/7/20 | 84.9% | B | B |
| 10 | 1 | 古董鐘 | 1,250 | 2015/5/25 | 100.0% | C | C |
| 11 | 6 | 擺鐘 | 1,460 | 2015/5/6 | 93.0% | C | C |
| 12 | | | | | | | |

> 輸入「=IF(D5>=$F$1,"A",IF(D5>=$F$2,"B","C"))」
> 之後，就可根據最後銷售日期做出ABC的評價

卡通人物鐘與訂製鐘雖然在銷售額與毛利的交叉式 ABC 分析為「B-A」評價，但在銷售日評價卻為「B」，從這點來看，或許該將這兩項商品放在顯眼的位置展示，或是利用海報強化商品訴求。

最令人擔心的是機關鐘。雖然銷售額與毛利的評價為 A-A，但在銷售日評價卻是「B」，此時需要定期進行交叉式 ABC 評價，確認銷售額是否出現鈍化的現象。

▶ 建立決策表

接著要使用 Excel 函數建立決策表。使用的是下列三個函數。

### INDEX 函數 ➡ 搜尋指定位置的值

| 格　式 | = INDEX（陣列，列編號，欄編號） |
|---|---|
| 解　說 | 於陣列指定儲存格範圍的第 1 列第 1 欄被設定為列編號「1」、欄編號「1」，然後搜尋與列編號、欄編號對應的儲存格的值。由於列編號與欄編號常利用 MATCH 函數取得位置的編號，所以 INDEX 函數常常與 MATCH 函數一起使用。 |

▶ MATCH 函數的第三個參數可從「1」「0」「-1」三種模式裡選擇檢查值的參照程度，這次選擇的是完全一致的「0」。

### MATCH 函數 ➡ 搜尋與檢查值一致的位置編號

| 格　式 | = MATCH（檢查值，檢查範圍，0） |
|---|---|
| 解　說 | 於檢查範圍搜尋檢查值，找出與檢查值一致的位置編號。檢查範圍可以是一列或是一欄，開頭的儲存格可以訂為第一列或是第一欄。 |

長度為 0 的字串
▶這是讓儲存格看起來是空白的字串。要在函數指定字串時，通常得利用「"愛"」這種以半形雙引號圍住字串的格式指定。「愛」為長度 2 的字串，而長度 0 的字串為「""」。由於沒有任何文字，所以什麼都不會顯示。

### IFERROR 函數 ➡ 不顯示錯誤訊息

| 格　式 | = IFERROR（值，錯誤時的值） |
|---|---|
| 解　說 | 當指定值為錯誤時，就顯示錯誤時的值。這個函數主要是處理公式或函數的結果有誤的情況。將長度為 0 的字串「""」指定為錯誤時的值，就能避免顯示錯誤訊息。 |

▶ 建立決策表的步驟

接下來要建立的決策表是商品數 × 商品數的陣列表，搜尋與銷售額順位、毛利順位一致的商品名稱再顯示商品的名稱。由於這次的商品數量有七個，所以建立 7×7 的陣列表，並在表格裡依照 ABC 評價分色標示。建立的流程如下：

1 依降冪的順序排序銷售額。
2 依降冪的順序排序毛利。
3 將銷售額與毛利的順位合併成如「11」般的格式，建立 MATCH 函數的搜尋範圍。
4 合併決策表的垂直與水平的順位，將陣列的各儲存格的位置編號設定為「11」或「12」這類格式，然後當成 MATCH 函數的檢查值使用。
5 根據 MATCH 函數取得的位置編號，利用 INDEX 函數搜尋對應的商品名稱。

### 替銷售額與毛利排序

## CHAPTER 01

範例
3-04「操作2」工作表

① 點選銷售額的任一儲存格，再點選「資料」索引標籤的「從最大到最小排序」，重新排序資料。

② 在儲存格範圍「H5:H11」輸入「1」～「7」，排出順位。

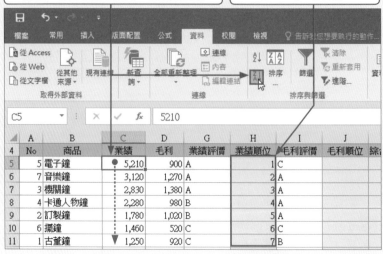

③ 毛利也執行步驟①②的操作，並在儲存格範圍「J5:J11」輸入「1」～「7」的順位。

| | A | B | C | D | H | I | J | K |
|---|---|---|---|---|---|---|---|---|
| 4 | No | 商品 | 業績 | 毛利 | 業績順位 | 毛利評價 | 毛利順位 | 綜合順位 |
| 5 | 3 | 機關鐘 | 2,830 | ● 1,380 | 3 | A | 1 | |
| 6 | 7 | 音樂鐘 | 3,120 | 1,270 | 2 | A | 2 | |
| 7 | 2 | 訂製鐘 | 1,780 | 1,020 | 5 | A | 3 | |
| 8 | 4 | 卡通人物鐘 | 2,280 | 980 | 4 | A | 4 | |
| 9 | 1 | 古董鐘 | 1,250 | 920 | 7 | B | 5 | |
| 10 | 5 | 電子鐘 | 5,210 | 900 | 1 | C | 6 | |
| 11 | 6 | 擺鐘 | 1,460 | ▼ 520 | 6 | C | 7 | |
| 12 | | | | | | | | |

### 計算要於 MATCH 函數的檢查範圍與檢查值使用的綜合順位

● 在儲存格「K5」與「P5」輸入的公式

| K5 | =H5&J5 | P5 | =$M5&P$2 |
|---|---|---|---|

▶ 儲存格範圍「K5:K11」會於將儲存格「K5」當成第1列的MATCH函數的檢查範圍使用。

▶ 右圖為了突顯操作的欄位而隱藏了某些欄位。可視情況決定是否隱藏。

| | A | B | H | I | J | K | L |
|---|---|---|---|---|---|---|---|
| 4 | No | 商品 | 業績順位 | 毛利評價 | 毛利順位 | 綜合順位 | |
| 5 | 3 | 機關鐘 | 3 | A | 1 | 31 | |
| 6 | 7 | 音樂鐘 | 2 | A | 2 | 22 | |
| 7 | 2 | 訂製鐘 | 5 | A | 3 | 53 | |
| 8 | 4 | 卡通人物鐘 | 4 | A | 4 | 44 | |
| 9 | 1 | 古董鐘 | 7 | B | 5 | 75 | |
| 10 | 5 | 電子鐘 | 1 | C | 6 | 16 | |
| 11 | 6 | 擺鐘 | 6 | C | 7 | 67 | |
| 12 | | | | | | | |

① 在儲存格「K5」輸入「=H5&J5」，合併銷售額與毛利的順位，再利用自動填滿功能將公式複製到「K11」為止。

❷ 儲存格「P5」輸入「=$M5&P$2」，合併銷售額與毛利的
順位，再利用自動填滿功能將公式複製到儲存格「V5」為止。

❸ 點選「自動填滿選項」，再點
選「填滿但不填入格式」。

▶「填滿但不填入格
式」會在之後每次更新
公式時使用。

▶「填滿但不填入格
式」會複製公式，但不
會複製複製來源的儲存
格的顏色或框線的格
式。

▶儲存格範圍「P5:
V11」將於 MATCH 函
數的檢查值使用。

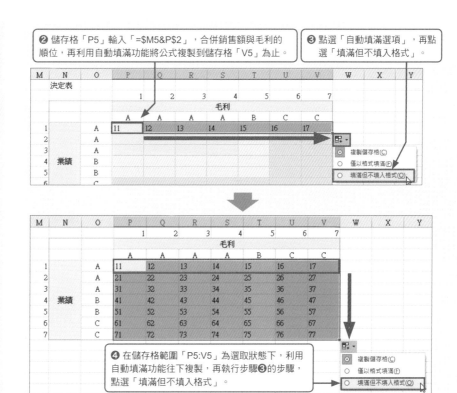

❹ 在儲存格範圍「P5:V5」為選取狀態下，利用
自動填滿功能往下複製，再執行步驟❸的步驟，
點選「填滿但不填入格式」。

### 利用 MATCH 函數算出與檢查值一致的位置編號

● 在儲存格「P5」追加的函數

| P5 | =MATCH($M5&P$2,$K$5:$K$11,0) |
|---|---|

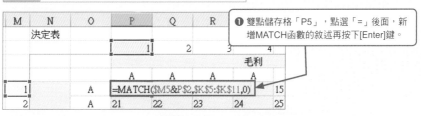

❶ 雙點儲存格「P5」，點選「=」後面，新
增MATCH函數的敘述再按下[Enter]鍵。

▶不存在綜合順位的儲
存格範圍「K5:K11」的
檢查值為「#N/A」的錯
誤值。儲存格「P7」顯
示為「1」是因為檢查
值「31」位於儲存格範
圍「K5:K11」的第 1
列。

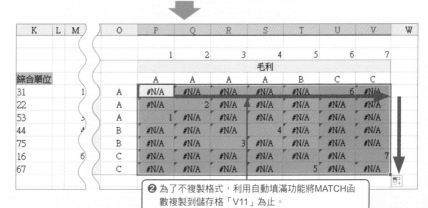

❷ 為了不複製格式，利用自動填滿功能將MATCH函
數複製到儲存格「V11」為止。

## CHAPTER 03

## 利用 INDEX 函數搜尋與位置編號對應的商品名稱

●在儲存格「P5」追加的函數

| P5 | =INDEX($B$5:$B$11,MATCH($M5&P$2,$K$5:$K$11,0),1) |
|----|----|

❶ 雙點儲存格「P5」，點選「＝」後面再新增
INDEX函數，然後按下[Enter]鍵。

▶ MATCH 函數算出的列編號後，INDEX 函數可根據該列編號搜尋對應的商品名稱。舉例來說，儲存格「P7」的「1」會搜尋到商品名稱儲存格範圍「B5:B11」的第 1 列的「機關鐘」。

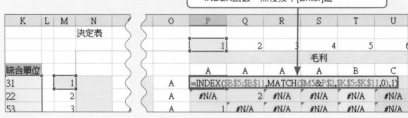

| K | L | M | N | | O | P | Q | R | S | T | U |
|---|---|---|---|---|---|---|---|---|---|---|---|
| | | 決定表 | | | | | | | | | |
| | | | | | | 1 | 2 | 3 | 4 | 5 | 6 |
| | | | | | | | | | 毛利 | | |
| 綜合順位 | | | | | | A | A | A | A | B | C |
| 31 | | | 1 | | A | =INDEX($B$5:$B$11,MATCH($M5&P$2,$K$5:$K$11,0),1) | | | | | |
| 22 | | | 2 | | A | #N/A | 2 | #N/A | #N/A | #N/A | #N/A |
| 53 | | | 3 | | A | 1 | #N/A | #N/A | #N/A | #N/A | #N/A |

## 利用 IFERROR 函數消除「#N/A」字樣

●在儲存格「P5」新增的函數

| P5 | =IFERROR(INDEX($B$5:$B$11,MATCH($M5&P$2,$K$5:$K$11,0),1),"") |
|----|----|

❶ 雙點儲存格「P5」，點選「＝」後面再新增
IFERROR函數，然後按下[Enter]鍵。

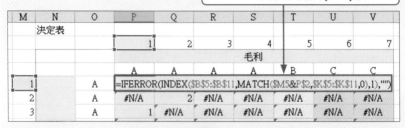

| M | N | O | P | Q | R | S | T | U | V |
|---|---|---|---|---|---|---|---|---|---|
| | 決定表 | | | | | | | | |
| | | | 1 | 2 | 3 | 4 | 5 | 6 | 7 |
| | | | | | | 毛利 | | | |
| | | | A | A | A | A | B | C | C |
| 1 | | A | =IFERROR(INDEX($B$5:$B$11,MATCH($M5&P$2,$K$5:$K$11,0),1),"") | | | | | | |
| 2 | | A | #N/A | 2 | #N/A | #N/A | #N/A | #N/A | #N/A |
| 3 | | A | 1 | #N/A | #N/A | #N/A | #N/A | #N/A | #N/A |

❷ 進行P.91的步驟❸、❹，以自動填滿功能將公式複製到儲存格「V11」為止，但不複製格式。

▶決策表的標色設定為 A-A、B-B、C-C 三種顏色。因此，即便有一邊是 A，但另一邊是 C 的話，還是只會標記為 C 的顏色。

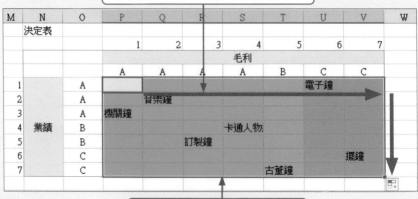

| M | N | O | P | Q | R | S | T | U | V | W |
|---|---|---|---|---|---|---|---|---|---|---|
| | 決定表 | | | | | | | | | |
| | | | 1 | 2 | 3 | 4 | 5 | 6 | 7 | |
| | | | | | | 毛利 | | | | |
| | | | A | A | A | A | B | C | C | |
| 1 | | A | | | | | | 電子鐘 | | |
| 2 | | A | | 音樂鐘 | | | | | | |
| 3 | | A | 機關鐘 | | | | | | | |
| 4 | 業績 | B | | | | 卡通人物 | | | | |
| 5 | | B | | 訂製鐘 | | | | | | |
| 6 | | C | | | | | | 擺鐘 | | |
| 7 | | C | | | 古董鐘 | | | | | |

❸ 摻雜銷售額與毛利因素的決策表完成了

CHAPTER 01 CHAPTER 02 CHAPTER 03 CHAPTER 04 CHAPTER 05

# 05 找出能有效產生利潤的商品

要有效產生利潤,不是賣出稀有而高額的商品,想要增加淨利,就是持續賣出經典商品累積利潤,所以這個問題的答案是讓淨利增加,而且不斷售出商品。這次要利用利潤與次數算出交叉比率以及摻雜業績組成比例因素的利潤貢獻度,藉此找出有效產生利潤的商品。

## 導入 ▶▶▶

**實 例**　「找出可提昇利潤的商品」

在連鎖超商擔任店長的 G 先生希望在下個月的業績發表會提出利潤增加的結果。因此他希望找出銷售額與毛利都高的商品,並統計各商品的銷售額與毛利,然後依照降冪的順序排序毛利與製作圖表。不知道是不是因為毛利與銷售額不成比例,除了「烘焙食品」、「酒類」與「其他」之外,毛利看起來都沒有太大差異,所以不知道該於何種商品多做努力。該如何找出最能產生利潤,對店裡的利潤最有貢獻的商品呢?

● 各種商品的銷售額與毛利

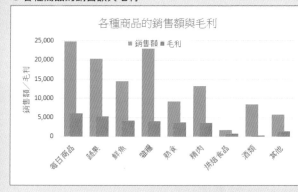

　　　　　　　　　　　▶ 利用交叉比率找出銷售效率為佳的商品

　　　　　　　「銷售效率不錯」指的是銷售一次就能獲得較多利,而且可重複銷售的意思。交叉比率是將重點放在利潤與次數的指標,可利用下列公式算出。

$$交叉比率（\%）= \frac{毛利}{銷售額} \times \frac{銷售額}{平均庫存值} = 銷售額毛利率 \times 商品周轉率$$

▶交叉比率的單位
→ P.100

銷售額毛利率指的是毛利佔銷售額的比例，比例越高，代表只要賣出，就能獲得更多利潤。商品周轉率是指銷售額等於幾次的平均庫存值，換言之，就是庫存會推陳出新幾次，次數越多，代表重複銷售的次數越高。

## ● 交叉比率的目標值

不同業界的交叉比率會出現很大的差異，所以沒有可通用的目標值，但可以與自家公司過去的值比較，或是與所屬的業界比較。舉例來說，所屬業界的業績毛利率的平均值為 30%，商品周轉率的平均為 10 次，該業界的平均交叉比率為 300%。換言之，自家公司的交叉比率目標值也應該訂在 300% 以上。

自家公司的交叉比率目標值＝銷售額毛利率 × 商品周轉率≧業界的平均交叉比率

▶在庫存的調整方面，儘管減少每一項商品的採購量，還是得考慮其他商品的進貨量，盡可能避免整體的商品量減少，以求與現在的採購量相同。

假設自家公司的銷售額毛利率為 30%，商品周轉率為 8 次，交叉比例就是 240%。從中可看出銷售額毛利率雖然差強人意，但是商品周轉率卻比業界的平均還低，代表庫存的方式必須改革。交叉比率可分解成利潤與次數，所以是可以看出該提升利潤還是降低成本的指標。

### ▶ 讓交叉比率與毛利同時具體化

交叉比率有兩個弱點，第一個是與比率的弱點相同，無法看出規模大小。下列的泡泡圖是以組成交差比率的銷售額毛利率與商品周轉率為座標軸，同時顯示代表規模的毛利，藉此消除比率的弱點。

▶ 10,000:1,000 的比率可換成 10:1，因為兩邊都是 10%。

高周轉率、高利潤且泡泡大小（泡泡的大小代表毛利）較大的商品代表能有效產生利潤的商品。

▶泡泡圖的製作方法
→ P.100

## ● 交叉比率的泡泡圖

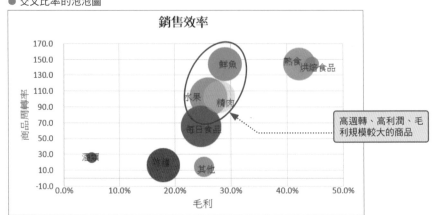

▶ **找出利潤貢獻度高的商品**

交叉比率的另一項弱點是庫存不多的商品會擁有高周轉率，導致交叉比率上升的問題。之所以會沒什麼庫存，代表該商品是賣完再補充就好的商品，在 ABC 分析之前有可能是 C 評價的商品。利潤貢獻度是在交叉比率加入業績規模的因素，是一種修正交叉比率的指標。

▶ ABC 分析→ P.71

利潤貢獻度（%）＝交叉比率 × 業績組成比例

**實踐 ▶ ▶ ▶**

▶ **要準備的業績資料**

準備一張統整各商品的銷售額、毛利與平均庫存的表格。平均庫存是期初庫存與期末庫存的平均值。

範例

3-05「操作」工作表

● 各商品統計表

| | A | B | C | D | E | |
|---|---|---|---|---|---|---|
| 1 | 銷售效率的檢討 | | 單位：千元 | | | |
| 2 | No | 品項 | 銷售額 | 毛利 | 平均庫存 | 業績組 |
| 3 | 1 | 雜糧 | 22,950 | 4,104 | 1,403 | |
| 4 | 2 | 熟食 | 9,120 | 3,850 | 63 | |
| 5 | 3 | 每日商品 | 24,880 | 6,145 | 380 | |
| 6 | 4 | 精肉 | 13,200 | 3,696 | 128 | |
| 7 | 5 | 鮮魚 | 14,400 | 4,176 | 100 | |
| 8 | 6 | 蔬果 | 20,400 | 5,304 | 198 | |
| 9 | 7 | 酒類 | 8,400 | 420 | 327 | |
| 10 | 8 | 烘焙食品 | 1,822 | 810 | 13 | |
| 11 | 9 | 其他 | 5,832 | 1,470 | 405 | |
| 12 | | 合計 | 121,004 | 29,975 | 3,017 | |
| 13 | | | | | | |

CHAPTER 03

▶ **Excel 的操作①：計算交叉比率與利潤貢獻度**

計算交叉比率所需的銷售額毛利率、商品周轉率以及計算利潤貢獻度所需的業績組成比例，都可利用算式算出。

**計算業績組成比例、銷售額毛利率、商品周轉率**

●在儲存格「F3」、「G3」與「H3」輸入的公式

| F3 | =C3/$C$12 | G3 | =D3/C3 | H3 | =C3/E3 |

❶ 在儲存格「F3」、「G3」與「H3」輸入公式

| | A | B | C | D | E | F | G | H | |
|---|---|---|---|---|---|---|---|---|---|
| 1 | 銷售效率的檢討 | | 單位：千元 | | | | | | |
| 2 | No | 品項 | 銷售額 | 毛利 | 平均庫存 | 業績組成比例 | 毛利率 | 商品周轉率 | 交 |
| 3 | 1 | 雜糧 | 22,950 | 4,104 | 1,403 | 19.0% | 17.9% | 16.4 | |
| 4 | 2 | 熟食 | 9,120 | 3,850 | 63 | 7.5% | 42.2% | 144.0 | |
| 5 | 3 | 每日商品 | 24,880 | 6,145 | 380 | 20.6% | 24.7% | 65.5 | |
| 6 | 4 | 精肉 | 13,200 | 3,696 | 128 | 10.9% | 28.0% | 102.9 | |
| 7 | 5 | 鮮魚 | 14,400 | 4,176 | 100 | 11.9% | 29.0% | 144.0 | |
| 8 | 6 | 蔬果 | 20,400 | 5,304 | 198 | 16.9% | 26.0% | 102.9 | |
| 9 | 7 | 酒類 | 8,400 | 420 | 327 | 6.9% | 5.0% | 25.7 | |
| 10 | 8 | 烘焙食品 | 1,822 | 810 | 13 | 1.5% | 44.5% | 144.0 | |
| 11 | 9 | 其他 | 5,832 | 1,470 | 405 | 4.8% | 25.2% | 14.4 | |
| 12 | | 合計 | 121,004 | 29,975 | 3,017 | 100.0% | 24.8% | 40.1 | |
| 13 | | | | | | | | | |

❷ 拖曳選取儲存格範圍「F3:H3」，利用自動填滿功能將公式複製到表格最後一列為止。

 **計算交叉比率與利潤貢獻度**

●在儲存格「I3」與「J3」輸入的公式

| I3 | =G3*H3 | J3 | =I3*F3 |

❶ 在儲存格「I3」與「J3」輸入公式

❷ 拖曳選取儲存格範圍「I3:J3」，再以自動填滿功能將公式複製到表格最後一最為止。

| E | F | G | H | I | J |
|---|---|---|---|---|---|
| 平均庫存 | 業績組成比例 | 毛利率 | 商品周轉率 | 交叉比率 | 貢獻利潤 |
| 1,403 | 19.0% | 17.9% | 16.4 | 292.6% | 55.5% |
| 63 | 7.5% | 42.2% | 144.0 | 6078.9% | 458.2% |
| 380 | 20.6% | 24.7% | 65.5 | 1616.6% | 332.4% |
| 128 | 10.9% | 28.0% | 102.9 | 2880.0% | 314.2% |
| 100 | 11.9% | 29.0% | 144.0 | 4176.0% | 497.0% |
| 198 | 16.9% | 26.0% | 102.9 | 2674.3% | 450.9% |
| 327 | 6.9% | 5.0% | 25.7 | 128.6% | 8.9% |
| 13 | 1.5% | 44.5% | 144.0 | 6401.8% | 96.4% |
| 405 | 4.8% | 25.2% | 14.4 | 363.0% | 17.5% |
| 3,017 | 100.0% | 24.8% | 40.1 | 993.6% | 993.6% |

❸ 算出各商品的交叉比率與利潤貢獻度

▶ Excel 的操作② ： 替交叉比率與利潤貢獻度排出順位

接著要依降冪的順序排列交叉比率與利潤貢獻度。由於表格最後一列的「合計」
不是要排序的對象，所以請先指定排序範圍，再呼叫「排序」對話框。

### 依照降冪排序交叉比率

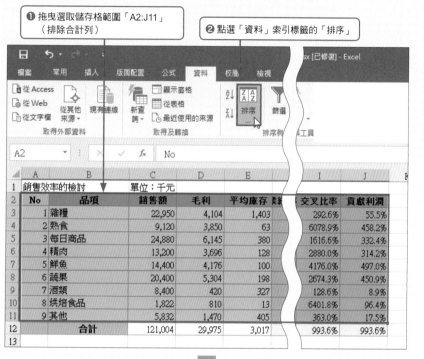

❶ 拖曳選取儲存格範圍「A2:J11」
（排除合計列）

❷ 點選「資料」索引標籤的「排序」

▶步驟❶可先點開頭的
儲存格「A2」，然後
按住 [Shift] 鍵點選最後
的儲存格「J11」選
取。

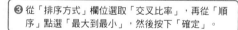

❸ 從「排序方式」欄位選取「交叉比率」，再從「順
序」點選「最大到最小」，然後按下「確定」。

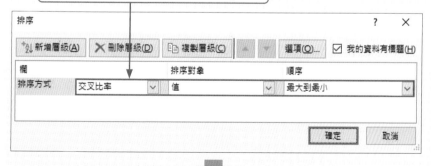

❹ 以降冪排序交叉比率

| | A | B | C | D | E | I | J |
|---|---|---|---|---|---|---|---|
| 1 | 銷售效率的檢討 | | 單位：千元 | | | | |
| 2 | No | 品項 | 銷售額 | 毛利 | 平均庫 | 交叉比率 | 貢獻利潤 |
| 3 | 8 | 烘焙食品 | 1,822 | 810 | | 6401.8% | 96.4% |
| 4 | 2 | 熟食 | 9,120 | 3,850 | | 6078.9% | 458.2% |
| 5 | 5 | 鮮魚 | 14,400 | 4,176 | 1 | 4176.0% | 497.0% |
| 6 | 4 | 精肉 | 13,200 | 3,696 | | 2880.0% | 314.2% |
| 7 | 6 | 蔬果 | 20,400 | 5,304 | | 2674.3% | 450.9% |
| 8 | 3 | 每日商品 | 24,880 | 6,145 | | 1616.6% | 332.4% |
| 9 | 9 | 其他 | 5,832 | 1,470 | | 363.0% | 17.5% |
| 10 | 1 | 雜糧 | 22,950 | 4,104 | 1, | 292.6% | 55.5% |
| 11 | 7 | 酒類 | 8,400 | 420 | | 128.6% | 8.9% |
| 12 | | 合計 | 121,004 | 29,975 | 3, | 993.6% | 993.6% |

▶交叉比率的前三名依序為「烘焙商品」、「熟食」、「鮮魚」。

以降冪排序利潤貢獻度

❶ 執行 P.97 的步驟❶、❷，將「排序方式」設定為「貢獻利潤」，然後再點選「確定」。

**排序** ? ✕

⁺₂ᴸ 新增層級(A)　✕ 刪除層級(D)　🗋 複製層級(C)　▲ ▼　選項(O)...　☑ 我的資料有標題(H)

| 欄 | | 排序對象 | | 順序 | |
|---|---|---|---|---|---|
| 排序方式 | 貢獻利潤 ∨ | 值 | ∨ | 最大到最小 | ∨ |

確定　　取消

❷ 依照利潤貢獻度重新排序

| | A | B | C | D | H | I | J |
|---|---|---|---|---|---|---|---|
| 1 | 銷售效率的檢討 | | 單位：千元 | | | | |
| 2 | No | 品項 | 銷售額 | 毛利 | 商品周轉率 | 交叉比率 | 貢獻利潤 |
| 3 | 5 | 鮮魚 | 14,400 | 4,176 | 144.0 | 4176.0% | 497.0% |
| 4 | 2 | 熟食 | 9,120 | 3,850 | 144.0 | 6078.9% | 458.2% |
| 5 | 6 | 蔬果 | 20,400 | 5,304 | 102.9 | 2674.3% | 450.9% |
| 6 | 3 | 每日商品 | 24,880 | 6,145 | 65.5 | 1616.6% | 332.4% |
| 7 | 4 | 精肉 | 13,200 | 3,696 | 102.9 | 2880.0% | 314.2% |
| 8 | 8 | 烘焙食品 | 1,822 | 810 | 144.0 | 6401.8% | 96.4% |
| 9 | 1 | 雜糧 | 22,950 | 4,104 | 16.4 | 292.6% | 55.5% |
| 10 | 9 | 其他 | 5,832 | 1,470 | 14.4 | 363.0% | 17.5% |
| 11 | 7 | 酒類 | 8,400 | 420 | 25.7 | 128.6% | 8.9% |
| 12 | | 合計 | 121,004 | 29,975 | 40.1 | 993.6% | 993.6% |
| 13 | | | | | | | |

▶利潤貢獻度的前三名依序為「鮮魚」、「熟食」、「蔬果」。

▶ 判讀結果

### ● 挑出重點商品

交叉比率的前三名為「烘焙食品」、「熟食」、「鮮魚」，但業績規模較小的「烘焙食品」在利潤貢獻度退後至第六名。

利潤貢獻度的前三名為「鮮魚」、「熟食」、「蔬果」，第四名之後就有100%以上的差距。

從交叉比率與利潤貢獻度來看應該挑兩方都高的「熟食」與「鮮魚」作為重點商品，但是「熟食」與「鮮魚」比「蔬果」的賞味期限還要短，而且是人事費用較高的商品。以消費期限較短的食品而言，客數多寡會是非常重要的因素之一，而決定客數多寡的原因之一，就是我們所無法控制的「天氣」。

▶內部環境與外部環境
→ P.7

根據上述結果，將「蔬果」選為重點商品培植是比較安全的做法。

決定蔬果是重點商品後，可進一步分出根莖類、菇類這些分類，或是分解成不同的商品，然後計算交叉比率與利潤貢獻度，再施以促銷或宣傳的對策。

### ● 目標值的設定

從銷售效率來看，所有商品的結果如下。可與食品超市的業界平均比較，或是與公司過去的成績比較再設定目標。

### ● 目標的設定範例

交叉比率＝ 銷售額毛利率 × 商品周轉率

1000% ＝ 25% × 40 次

## 發展 ▶ ▶ ▶

▶ 類似的分析範例

交叉比率是零售業常用的指標。除了可用於商品的分類，也可用於各商品。根據各商品的交叉比率建立的分類與銷售戰略如下。

### ● 根據交叉比率建立的個別商品的分類

| | | 銷售額毛利率 | |
|---|---|---|---|
| | | 低利潤 | 高利潤 |
| 商品周轉率 | 高周轉 | 低利潤-高周轉<br>薄利多銷<br>交叉比率中 | 高利潤-高周轉<br>多利多銷<br>交叉比率高 |
| | 低周轉 | 低利潤-低周轉<br>薄利少銷<br>交叉比率低 | 高利潤-低周轉<br>多利少銷<br>交叉比率中 |

● 根據交叉比率擬定的各商品銷售戰略

| 分類 | 交叉比率 | 商品特徵 | 銷售戰略 |
|------|---------|---------|---------|
| 多利多銷 | 高 | 高利潤商品 | 維持現狀。假設銷售額成長趨緩，可試著調降價錢，轉換成薄利多銷的商品，以高商品周轉率一決勝負。 |
| 薄利多銷 | 中 | 熱賣商品 | 強化現在的價格與商品周轉率的管理，目標是維持現狀。 |
| 多利薄銷 | 中 | 新進商品 | 提升知名度，培養成高利潤、高周轉率的多利多銷型商品。無法維持高價時，可轉換成薄利多銷型的商品，藉此提升商品周轉率與利潤。 |
| 薄利少銷 | 低 | 滯銷商品 | 利用這項商品與顧客之間的關聯性培育其他商品，若無戰略意義，可考慮退出市場。 |

▶代表庫存投資收益的有 GMROI 這種指標。GMROI 是將庫存視為成本的值，有交叉比率=GMROI× 成本率的關係。

## ▶ 交叉比率的單位

交叉比率的單位是以銷售額毛利率與商品周轉率算出的比率，所以通常是百分比的「％」，但也可根據交叉比率的公式，顯示為「元」這種庫存每元平均的毛利。乘上庫存的金額是為了銷售的投資，所以交叉比率也可以是根據投資的庫存算出獲利的指標。

$$交叉比率（元）= \frac{毛利}{銷售額} \times \frac{銷售額}{平均庫存} = \frac{毛利}{平均庫存} = 庫存每元平均的毛利$$

## ▶ 製作交叉比率與毛利的泡泡圖

Excel 的泡泡圖可從圖表原始資料表格的左側依序辨識「橫軸」、「直軸」、「泡泡大小」。這次將銷售額毛利率當成橫軸，商品周轉率當成直軸，再將毛利當成泡泡大小。

## 插入泡泡圖

範例
3-05「操作 2」工作表

Excel2007/2010
▶步驟❷可點選「插入」索引標籤→「其他圖表」→「泡泡圖」。

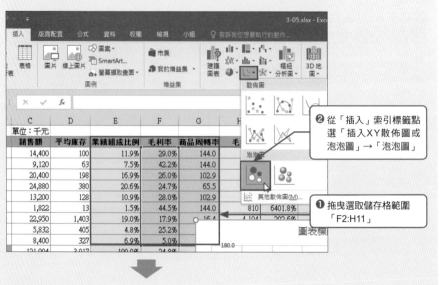

❷ 從「插入」索引標籤點選「插入XY散佈圖或泡泡圖」→「泡泡圖」

❶ 拖曳選取儲存格範圍「F2:H11」

● 圖表的編輯

| 標題 | 各商品銷售效率 |
|---|---|
| 座標軸 | 橫軸：銷售額毛利率　直軸：商品周轉率 |
| 刻度 | 橫軸：0～0.5、單位 0.05<br>直軸：-10～170、單位 20 |

▶圖表的編輯方法<br>→ P.41

Excel2007/2010
點選圖例，按下 Delete
鍵，設定為隱藏。

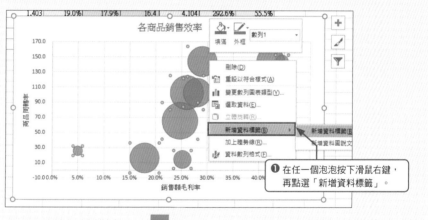

❸ 插入泡泡圖

### 在泡泡裡顯示商品名稱　　Excel2013/2016

❶ 在任一個泡泡按下滑鼠右鍵，
再點選「新增資料標籤」。

Excel2007/2010
▶以相同的方式操作步
驟❶，再進入 P.103 的
步驟。

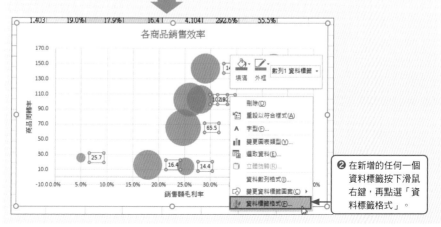

❷ 在新增的任何一個
資料標籤按下滑鼠
右鍵，再點選「資
料標籤格式」。

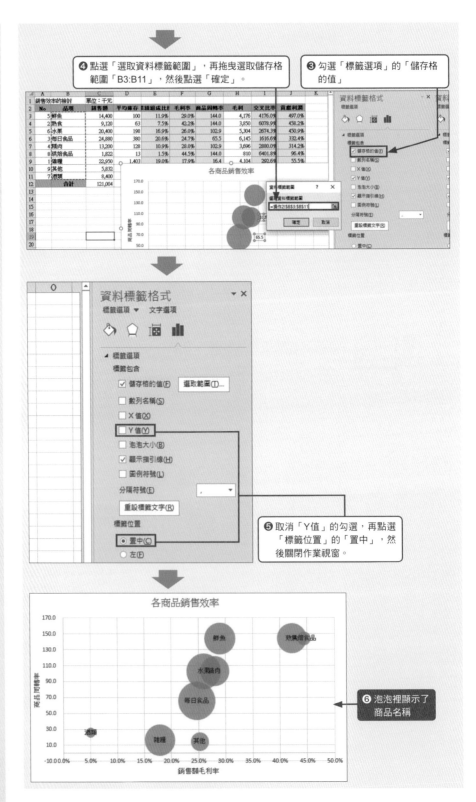

④ 點選「選取資料標籤範圍」，再拖曳選取儲存格範圍「B3:B11」，然後點選「確定」。

③ 勾選「標籤選項」的「儲存格的值」

**資料標籤格式**

標籤選項 ▼ 文字選項

▲ 標籤選項

標籤包含

☑ 儲存格的值(F)　選取範圍(T)...

☐ 數列名稱(S)

☐ X 值(X)

☐ Y 值(Y)

☐ 泡泡大小(B)

☑ 顯示指引線(H)

☐ 圖例符號(L)

分隔符號(E)　[ , ▼ ]

[ 重設標籤文字(R) ]

標籤位置

◉ 置中(C)

○ 左(F)

⑤ 取消「Y值」的勾選，再點選「標籤位置」的「置中」，然後關閉作業視窗。

**各商品銷售效率**

⑥ 泡泡裡顯示了商品名稱

在泡泡裡顯示商品名稱

▶步驟❷是緩慢地點選兩次，而不是快速點選。

❶ 執行P.101的步驟❶新增資料標籤

❷ 雙點新增的資料標籤，選取其中一個標籤

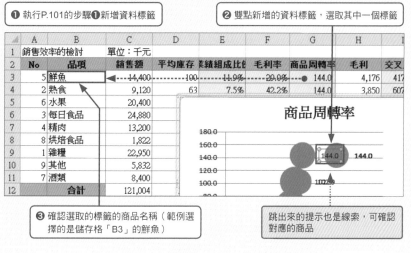

❸ 確認選取的標籤的商品名稱（範例選擇的是儲存格「B3」的鮮魚）

跳出來的提示也是線索，可確認對應的商品

❹ 點選資料編輯列，輸入「=」再點選儲存「B3」，然後按下[Enter]鍵

B3 =操作2!$B$3

❺ 標籤名稱換成商品名稱。其他的標籤也利用相同的操作變更名稱

資料標籤的位置
▶在資料標籤按下滑鼠右鍵，點選「資料標籤格式」，再從「標籤選項」對話框選擇「標籤位置」。

CHAPTER 03

103

其他的編輯
▶可依照目標毛利率或
商品周轉率在圖表裡拉
出直線，就能一眼看出
各商品的位置。請從範
例檔案「3-05.xlsx」的
「完成2」工作表確認
結果。

MEMO　**如何替泡泡分色**

要替泡泡分色可在任何一個泡泡按下滑鼠右鍵，選擇「資料數列格式」，再設定填色。

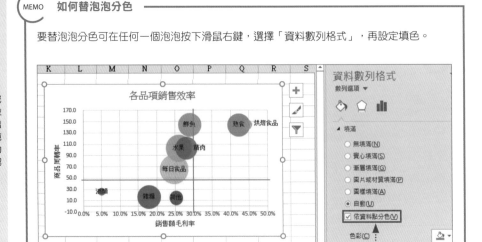

勾選「依資料點分色」
選項

## Column 交叉比率與GMROI

與交叉比率同樣的指標為 GMROI 指標。兩者的差異之處在於將平均庫存視為售價基礎，換言之從售價觀察的情況是交叉比率，以成本基礎，也就是採購值觀察的情況是 GMROI。

交叉比率的目的在於觀察賣出什麼可有效獲利，但是 GMROI 的目的則是該採購什麼才能有效獲利。現代可透過公司內部網路找到採購價，但是只要知道售價加成率，就能從售價轉換成 GMROI。

●GMROI的算式

GMROI（%）= 毛利率 × 商品周轉率（成本）

$$= 毛利率 \times \frac{商品周轉率（售價）}{1-售價加成率} = \frac{交叉比率}{1-售價加成率}$$

要根據上述的公式提高 GMROI，可提升交叉比率與售價加成率。提升售價加成率的重點有三個，其一是便宜的進價，其二是降低進貨成本，最後是如何打消多餘的庫存。交叉比率與 GMROI 都是為了有效提升利潤，但是從售價觀察，就可當成在銷售第一線使用的指標，若從採購價觀察，就可成為在採購第一線使用的指標。

# 找出折扣效果較顯著的商品

大聲廣播「所有商品半價」，或是寫著類似字樣的紅色布條的確是能有效吸引顧客的促銷活動。假設折扣的策略成功，除了能獲得新顧客，還能提高獲利。這次要帶大家從需要價格的彈性這項觀點找出具有折扣效果，也就是降價效果顯著的商品。

## 導入 ▶ ▶ ▶

**實 例**　「想找出降價效果明顯的商品」

在零售店服務的 G 先生為了了解商品的降價效果，而調查了商品的折扣與銷售額之間的關係。G 先生挑出的四項商品的銷售成績如下。四項商品是種類相同，但製造商與容量不同的商品。該如何測試，才能確定各商品的降價效果呢？此外，這四項商品之中，哪一個商品的降價效果最為明顯呢？

● 四種商品的銷售數量與銷售價格的實際數值

| | A | B | C | D | E | F | G | H | I | J | K |
|---|---|---|---|---|---|---|---|---|---|---|---|
| 1 | 四種商品的銷售實績 | | | | | | | | | | |
| 2 | | | | | | | | | | | |
| 3 | 商品 | NB-500 | | 商品 | NB-300 | | 商品 | PB-500 | | 商品 | PB-300 |
| 4 | 銷售數量 | 銷售價格 | | 銷售數量 | 銷售價格 | | 銷售數量 | 銷售價格 | | 銷售數量 | 銷售價格 |
| 5 | 155 | 198 | | 172 | 178 | | 90 | 158 | | 88 | 158 |
| 6 | 152 | 208 | | 155 | 188 | | 85 | 178 | | 82 | 168 |
| 7 | 140 | 222 | | 142 | 198 | | 82 | 198 | | 85 | 178 |
| 8 | 138 | 238 | | 136 | 208 | | 80 | 218 | | 83 | 188 |
| 9 | 120 | 258 | | 128 | 220 | | 78 | 228 | | 80 | 208 |
| 10 | | | | | | | | | | | |
| 11 | | | | | | | | | | | |

▶商品、價格、數量的關係可參考 P.114。

▶ **利用需要價格的彈性量化對價格的敏感度**

高級品通常會有一降價，顧客就增加的傾向，但常用的商品即便降價，也不一定會有同樣的效果。即便是同樣的商品，品牌、容量的不同，都會讓消費者對價格的敏感度不同。消費者的反應會具體反映在銷售數量上。

從上圖可知，只要售價有所變化，銷售數量也會跟著變化。不過，即便盯著多種售

105

CHAPTER 01
CHAPTER 02
CHAPTER 03
CHAPTER 04
CHAPTER 05

▶平常使用的商品也有折扣效果，就是當消費者看到「○○製造商的○○商品只要○○元」的「參照價格」出現，覺得很划算的時候。若能比參照價格還便宜地買到平常使用的商品，消費者就會增加。

彈性
▶指的是變化率的比。當分子的變化幅度大於分母的變化幅度，彈性就會 >1，此時也稱為「有彈性的」，若是分子的變化幅度小於分母的變化幅度，彈性就會 <1，此時也稱為「無彈性的」。

價與銷售數量，也看不出對商品價格的反應與商品之間的反應差異。因此，若能有針對商品價格的反應解釋的數值，就能了解對商品價格的敏感度，也能比較商品的差異。

## ▶ 需要價格彈性

所謂需要價格彈性是指價格變化 1% 之際所需的變化率。這是經濟學的術語，聽起來有點困難，但其實就是觀察消費者對價格變化的反應，換言之，就是了解銷售數量變化的值。下列是代表這種值的公式。之所以在公式開頭加上「－（負號）」，是因為希望以正值表現需要價格彈性，不需要太過在意這個符號。

$$
需要價格彈性 = -\frac{需要的變化率}{價格的變化率} = -\frac{\dfrac{變化後的需要量 - 變化前的需要}{變化前的需要量}}{\dfrac{變化後的價格 - 變化前的價格}{變化前的價格}}
$$

因此，假設有正常售價 100 元能賣出 100 個的商品 A 與 B，兩者都將售價調至 50 元時，商品 A 可賣出 300 個，商品 B 可賣出 120 個。商品 A 對售價的反應顯然較為明顯，但是反應的明顯度可利用需要價格彈性化為具體的數字。

$$
商品 A 的需要價格彈性 = -\frac{\dfrac{300 - 100}{100}}{\dfrac{50 - 100}{100}} = \frac{200}{-50} = 4
$$

$$
商品 B 的需要價格彈性 = -\frac{\dfrac{120 - 100}{100}}{\dfrac{50 - 100}{100}} = \frac{20}{-50} = 0.4
$$

商品 A 與 B 的價格彈性除了可利用數值表示個別的價格反應度，也可知道降價後，消費者對商品 A 與 B 的反應差了 10 倍。一般而言，需要價格彈性會以「1」為分界線，進行下列的分類。

● 需要價格彈性

| >1 | 有彈性的 | 高於價格變化率的需要變化率越大，代表降價或漲價的反應較為敏感。 |
|---|---|---|
| =1 | | 價格變化率等於需要變化率的情況。 |
| <1 | 無彈性的 | 需要變化率小於價格變化率，不管降價或漲價，需要的反應都不明顯。數值越小，這個傾向越明顯。 |

### ● 需要價格彈性與折扣效果

需要價格彈性是利用價格與數量算出來的值。此外，價格與數量與銷售額有關，由此可知，需要價格彈性與銷售額之間有著密切關係。

就結論而言，只要是損益平衡的價格，需要價格彈性越高，折扣效果就越明顯。

以剛剛的商品 A 與 B 為例，在以 50 元銷售也損益平衡的條件下，需要價格彈性為「4」的商品 A 比「0.4」的商品 B 擁有更為明顯的折扣效果。

算出銷售額也能看出這點。商品 A 與 B 在降價前的銷售額為 100 元 100 個，所以銷售額為 10000 元，而商品 A 降價後的銷售額則是 50 元 ×300 個，等於 15000 元，降價反而讓銷售額成長 1.5 倍，而商品 B 降價後，銷售額為 6000 元，減少了有四成之多。

### ● 需要價格彈性與需要曲線

所謂的需要曲線是以需要的數量為橫軸，價格為直軸的圖表。一般來說，漲價後，銷售數量會下滑，降價時，銷售數量會上升，所以需要曲線也會出現往右下方下垂的傾向。

此外，需要曲線的斜率也代表需要價格彈性。

就結論來看，需要曲線的斜率越平緩，需要價格彈性越高，消費者對價格更敏感，降價的效果也更明顯。

### ● 需要曲線

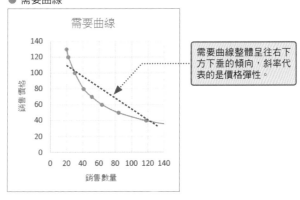

> 需要曲線整體呈往右下方下垂的傾向，斜率代表的是價格彈性。

但是，或許有些人會覺得需要價格彈性的斜率與想像不太一致。一般而言，需要價格彈性的值越大，斜率應該更為陡峭才對，但其實這是因為一般的圖表都是將原因（這裡是價格的變化）當成橫軸，而將伴隨著原因出現的結果（這裡為銷售數量的變化）當成直軸。不過，需要曲線是以數量為橫軸，以價格為直軸，所以是一種倒因為果的表現方式，所以需要價格彈性越高，斜率才會越平緩，需要價格彈性越低，斜率才會越陡峭。

▶ 銷售額是 15 倍的話，可能就此以為「商品 A 可從一開始就賣 50 元」，因為一直以 50 元來賣的話，消費者心中的參照價格就會從 100 元腰斬至 50 元，此時售價若不低於 50 元，消費者可能就不會有反應。

▶ 需要曲線可假設為指數模型，藉此計算價格彈性。→ P.115

## 實踐 ▶ ▶ ▶

▶ 準備的業務資料

要計算需要價格彈性需要價格與數量的「變化」，所以至少需要準備變化前與變化後的兩種銷售價格與銷售數量。若要進一步繪製需要曲線，觀察價格帶的斜率變化，也就是需要價格彈性的變化時，就需要從多個售價算出銷售數量。

這次將商品分在不同的工作表，並且準備「變化前」的正常價格與正常銷售數量以及「變化後」的售價與銷售數量。而且為了更有效率地使用 Excel 的功能，還將各工作表的表格調整為同樣的格式，並且依序輸入「銷售數量」與「銷售成績」。

範例
3-06

● 各商品銷售成績

| | A | B | C | D | E |
|---|---|---|---|---|---|
| 1 | 價格檢討 | | | | |
| 2 | 製造商 | NB | 容量 | 500g | 正常銷售數量 |
| 3 | 採購價 | 168 | | | 正常價格 |
| 4 | | | | | |
| 5 | 銷售數量 | 售價 | 銷售額 | 數量變化率 | 價格變化率 |
| 6 | 155 | 198 | 30,690 | | |
| 7 | 152 | 208 | 31,616 | | |
| 8 | 140 | 222 | 31,080 | | |
| 9 | 138 | 238 | 32,844 | | |
| 10 | 120 | 258 | 30,960 | | |
| 11 | | | | | |

> 數值的最後一列輸入了正常售價與銷售數量

▶ Excel 的操作①：計算需要價格彈性

這次的範例將四種商品的正常價格與正常銷售數量當成「變化前」的數值，並將實際成績當成「變化後」的數量，藉此算出需要價格彈性。這次將需要價格彈性的算式分成分子的數量變化率與分母的價格變化率，再以價格變化率除以數量變化率算出需要價格彈性。為了能一口氣算出四種商品的數，先設定作業群組再輸入算式。

**計算四種商品的數量變化率、價格變化率與需要價格彈性**

●在儲存格「D6」、「E6」、「F6」輸入的公式

| D6 | =(A6-A$10)/A$10 | E6 | =(B6-B$10)/B$10 | F6 | = -D6/E6 |
|---|---|---|---|---|---|

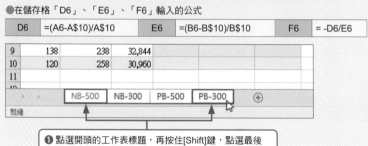

❶點選開頭的工作表標題，再按住[Shift]鍵，點選最後一張工作表的標題，將四張工作表設定為作業群組。

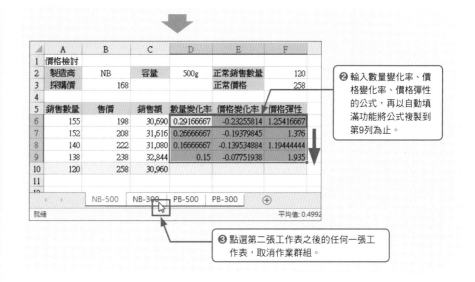

▶儲存格「E6」的公式可利用自動填滿功能複製儲存格「D6」輸入。計算價格彈性時，只要在開頭加上「－（負號）」就能算出正值。

▶這次計算的價格彈性是正常價格對正常銷售數量的值。假設是以正常價格→售價→正常價格的循環銷售商品。

❷輸入數量變化率、價格變化率、價格彈性的公式，再以自動填滿功能將公式複製到第9列為止。

❸點選第二張工作表之後的任何一張工作表，取消作業群組。

▶ **Excel 的操作② ： 繪製需要曲線**

接著要根據銷售數量與售價繪製需要曲線。由於是數值資料，所以順便繪製散佈圖。Excel 的散佈圖會將指定範圍的左欄辨識為橫軸，並將右側辨識為直軸。圖表無法利用作業群組製作，所以得分別在每張工作表製作。要想更有效率地繪製圖表，同時以相同的圖表比較四項商品，可先製作第一張圖表，再以複製的方式繪製其他圖表。

### 插入散佈圖

▶圖表的按鈕名稱會因 Excel 的版本而有所不同，但按鈕的設計都是一樣的。

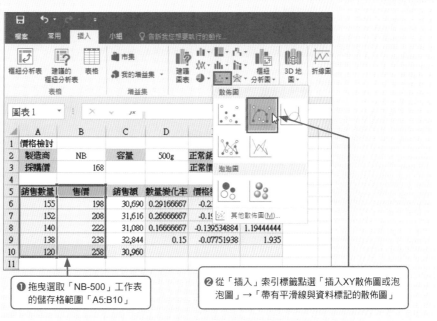

❶拖曳選取「NB-500」工作表的儲存格範圍「A5:B10」

❷從「插入」索引標籤點選「插入XY散佈圖或泡泡圖」→「帶有平滑線與資料標記的散佈圖」

●圖表的編輯

| 標題 | NB-500 需要曲線 |
|---|---|
| 座標軸標籤 | 直軸標籤：售價、橫軸標籤：銷售數量 |
| 刻度 | 直軸刻度： 150～270 為止，刻度為 20<br>橫軸刻度： 70～190 為止，刻度為 20 |

▶圖表的編輯方法
→ P.41

Excel2007/2010
▶ 點選圖例，按下
[Delete] 鍵隱藏。

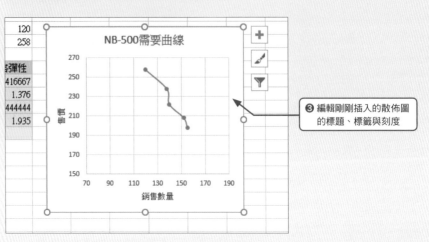

❸ 編輯剛剛插入的散佈圖
的標題、標籤與刻度

動手
做做看！

## 複製圖表

❶ 點選圖表，按下[Ctrl]+[C]複製

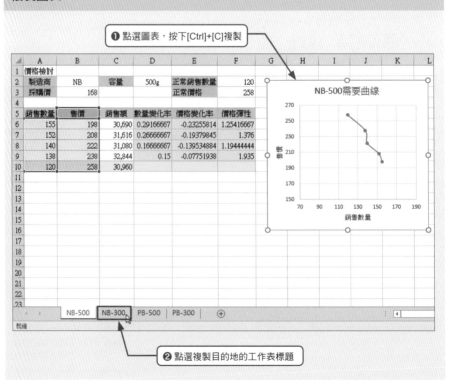

❷ 點選複製目的地的工作表標題

Excel2007/2010
▶步驟❺的「選取資料」配置在「設計」索引標籤的左側。

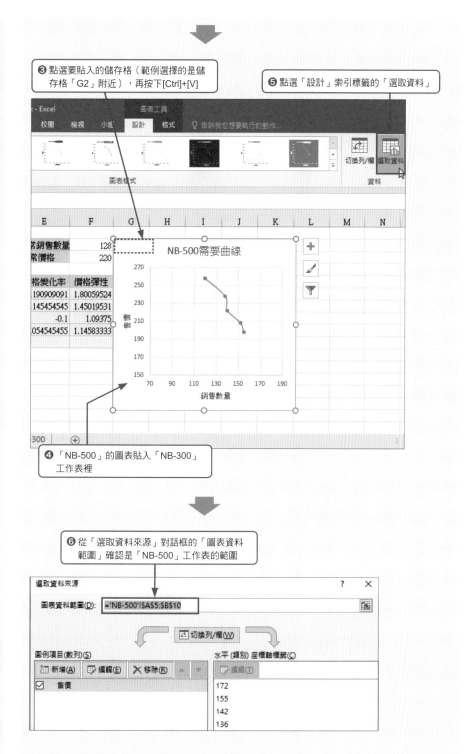

❸ 點選要貼入的儲存格（範例選擇的是儲存格「G2」附近），再按下[Ctrl]+[V]

❺ 點選「設計」索引標籤的「選取資料」

❹ 「NB-500」的圖表貼入「NB-300」工作表裡

❻ 從「選取資料來源」對話框的「圖表資料範圍」確認是「NB-500」工作表的範圍

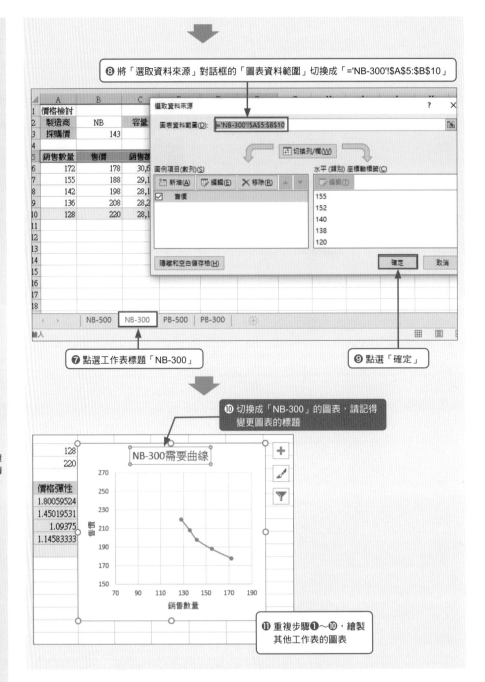

⑧ 將「選取資料來源」對話框的「圖表資料範圍」切換成「='NB-300'!$A$5:$B$10」

⑦ 點選工作表標題「NB-300」

⑨ 點選「確定」

⑩ 切換成「NB-300」的圖表，請記得變更圖表的標題

▶複製的圖表會保留複製來源的資訊，所以請一邊切換工作表標題，一邊貼上圖表。

⑪ 重複步驟❶～⑩，繪製其他工作表的圖表

### ▶ 判讀結果

各商品的需要價格彈性與需要曲線如下。需要價格彈性的值會因比較的正常價格而有所不同，所以要與需要價格彈性的臨界值「1」比較。需要價格彈性的變化會反映在需要曲線的斜率上。

● NB-500 的需要價格彈性與需要曲線

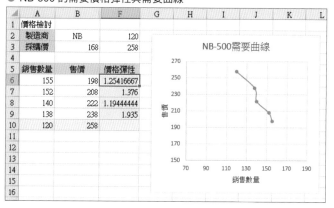

| | A | B | F |
|---|---|---|---|
| 1 | 價格檢討 | | |
| 2 | 製造商 | NB | 120 |
| 3 | 採購價 | 168 | 258 |
| 4 | | | |
| 5 | 銷售數量 | 售價 | 價格彈性 |
| 6 | 155 | 198 | 1.25416667 |
| 7 | 152 | 208 | 1.376 |
| 8 | 140 | 222 | 1.19444444 |
| 9 | 138 | 238 | 1.935 |
| 10 | 120 | 258 | |
| 11 | | | |
| 12 | | | |
| 13 | | | |
| 14 | | | |
| 15 | | | |
| 16 | | | |

相對於正常價格與正常銷售數量的銷售成績若超過需要價格彈性的1,代表消費者對這項商品的降價很有反應,但從需要曲線觀察,斜率從在238元的部分突然變得陡峭,降價效果也會變得不明顯。是不需要過度降價也有效果的商品。

● NB-300 的需要價格彈性與需要曲線

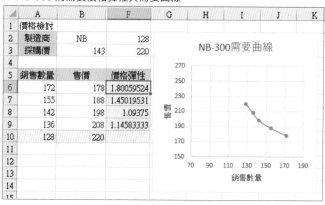

| | A | B | F |
|---|---|---|---|
| 1 | 價格檢討 | | |
| 2 | 製造商 | NB | 128 |
| 3 | 採購價 | 143 | 220 |
| 4 | | | |
| 5 | 銷售數量 | 售價 | 價格彈性 |
| 6 | 172 | 178 | 1.80059524 |
| 7 | 155 | 188 | 1.45019531 |
| 8 | 142 | 198 | 1.09375 |
| 9 | 136 | 208 | 1.14583333 |
| 10 | 128 | 220 | |
| 11 | | | |
| 12 | | | |
| 13 | | | |
| 14 | | | |
| 15 | | | |

相對於正常價格的價格彈性偏高,所以是降價效果明顯的商品。從需要曲線來看,斜率會隨著價格調降而趨緩,所以是降價效果明顯的商品。

● PB-500 的需要價格彈性與需要曲線

| | A | B | F |
|---|---|---|---|
| 1 | 價格檢討 | | |
| 2 | 製造商 | PB | 78 |
| 3 | 採購價 | 148 | 228 |
| 4 | | | |
| 5 | 銷售數量 | 售價 | 價格彈性 |
| 6 | 90 | 158 | 0.5010989 |
| 7 | 85 | 178 | 0.40923077 |
| 8 | 82 | 198 | 0.38974359 |
| 9 | 80 | 218 | 0.58461538 |
| 10 | 78 | 228 | |
| 11 | | | |
| 12 | | | |
| 13 | | | |
| 14 | | | |
| 15 | | | |

相對於正常價格的需要價格彈性低於1,代表消費者對價格的變動不太敏感,需要曲線的斜率也很陡峭,所以是降價效果不明顯的商品。

113

● PB-300 的需要價格彈性與需要曲線

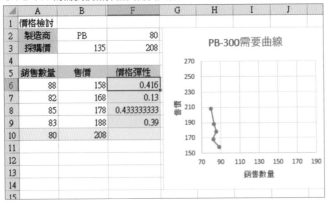

| | A | B | F | | G | H | I | J |
|---|---|---|---|---|---|---|---|---|
| 1 | 價格檢討 | | | | | | | |
| 2 | 製造商 | PB | 80 | | | | | |
| 3 | 採購價 | 135 | 208 | | | | | |
| 4 | | | | | | | | |
| 5 | 銷售數量 | 售價 | 價格彈性 | | | | | |
| 6 | 88 | 158 | 0.416 | | | | | |
| 7 | 82 | 168 | 0.13 | | | | | |
| 8 | 85 | 178 | 0.433333333 | | | | | |
| 9 | 83 | 188 | 0.39 | | | | | |
| 10 | 80 | 208 | | | | | | |
| 11 | | | | | | | | |
| 12 | | | | | | | | |
| 13 | | | | | | | | |
| 14 | | | | | | | | |
| 15 | | | | | | | | |

相對於正常價格的需要價格彈性低於1的商品。需要曲線看起來很複雜,但基本上,斜率還是很陡峭,代表消費者對降價的反應不明顯,屬於降價效果不明顯的商品。

從上述得知 NB-300 是四項商品之中降價效果明顯的商品。

## 發展 ▶ ▶ ▶

### ▶ 需要價格彈性的模式

需要價格彈性的模式與商品範例如下,不過也是僅供參考。即便是需要價格彈性低於 1 的日用品,只要售價能讓消費者覺得划算,購買的人就會增加,需要價格彈性也會超過 1。此外,若是平常需要價格彈性超過 1 的高級商品遇到「價高 = 價值」,的時候,一旦過度降價就會使品牌的價值感下滑,反而賣不出去,需要價格彈性也有可能因此低於 1。

● 需要價格彈性的模式與商品範例

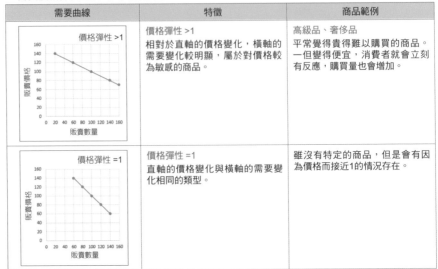

| 需要曲線 | 特徵 | 商品範例 |
|---|---|---|
| 價格彈性 >1 | 價格彈性 >1<br>相對於直軸的價格變化,橫軸的需要變化較明顯,屬於對價格較為敏感的商品。 | 高級品、奢侈品<br>平常覺得貴得難以購買的商品。一但變得便宜,消費者就會立刻有反應,購買量也會增加。 |
| 價格彈性 =1 | 價格彈性 =1<br>直軸的價格變化與橫軸的需要變化相同的類型。 | 雖沒有特定的商品,但是會有因為價格而接近1的情況存在。 |

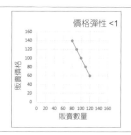

| | 價格彈性 <1 | 日常用品 |
|---|---|---|
| 價格彈性 <1 | 相對於直軸的價格變化，橫軸的需要變化較不明顯，屬於對價格較不敏感的商品。 | 日常生活不可或缺的商品。比起價格，是否缺乏該商品更為重要。舉例來說，汽車加滿油的時候，就算是油價下滑，也不可能去加油。但是，如果沒油的話，稍微貴一點也會去加油。 |

▶ **假設需要曲線為指數模型時的需要價格彈性**

假設 P.107 往右下方下垂的需要曲線為指數模型，需要曲線可利用①的公式解釋。接著若是透過數學公式替兩側取對數，需要曲線就可利用②的公式解釋。

$$D = aP^{-\beta} \quad \text{——❶} \qquad D: 需要（銷售數量）\alpha：常數 \quad P：售價 \quad \beta：價格彈性$$

❶的公式兩邊取對數後，就會轉換成❷的公式。

$$\log D = \log \alpha P^{-\beta} = \log \alpha + \log P^{-\beta} = \log \alpha\ \ \beta \log P \quad \text{——❷}$$

將❷的公式的 logD 置換為 d，將 $\log \alpha$ 置換為 a，再將 logP 置換為 p，需要曲線將會轉換成一次方程式，而一次方程式的斜率「$\beta$」就是需要價格彈性。所謂一次方程式就是指價格與數量之間呈線性關係。

$$d = a\ \ \beta p \quad \text{——❸}$$

呈弧線的需要函數取對數之後，若出現下圖般直線的關係就是指數模型。若是直線，斜率就會固定，所以就可以解釋成需要曲線所代表的價格帶都是相同的需要價格彈性。

看到 P.107 的需要曲線裡的直線後，或許會有讀者覺得「為什麼要這麼牽強地在圖中畫直線？」但是若從指數模型來看，就無法觀察接近 100 元的價格或接近 60 元的價格這麼細膩的部分，所以才會在圖中畫線。

● 需要曲線（左）與取對數之後的需要曲線（右）

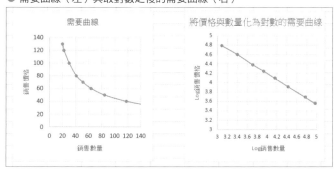

承上述,要計算需要價格彈性可先透過銷售數量與售價的實際值計算數量與價格的對數,然後再算出對數為一次方程式之際的直線斜率即何。

### LN 函數 ➡ 計算指定數值的自然對數
------
| 格 式 | = LN(數值) |
| --- | --- |
| 解 說 | 計算數值的自然對數。 |

### SLOPE 函數 ➡ 從呈現直線關係的值計算直線斜率
------
| 格 式 | = SLOPE(已知的 y,已知的 x) |
| --- | --- |
| 解 說 | 根據已知的 y 與已知的 x 計算直線的斜率。從已知的 x 變化,已知的 y 會跟著受影響這點得知,已知的 x 相當於售價,已知的 y 相當於銷售數量。 |

這次以 NB-300 為例,試著計算假設為指數模型的需要價格彈性。

### 根據銷售數量與售價的對數計算需要價格彈性

範例
3-06- 發展

●在儲存格「C5」、「D2」輸入的函數

| C5 | =LN(A5) | D2 | =−SLOPE(C5:C9,D5:D9) |
| --- | --- | --- | --- |

❶ 點選儲存格「C5」輸入函數,再利用自動填滿功能將公式複製到儲存格「D9」為止。

❷ 點選儲存格「D2」,輸入前頭帶有「-」的SLOPE函數。

| | A | B | C | D | E |
| --- | --- | --- | --- | --- | --- |
| 1 | 計算指數模式的價格彈性 | | | | |
| 2 | 商品 | NB-300 | 價格彈性 | 1.37621246 | |
| 3 | | | | | |
| 4 | 銷售數量 | 售價 | Ln銷售數量 | Ln售價 | |
| 5 | 172 | 178 | 5.147494477 | 5.18178355 | |
| 6 | 155 | 188 | 5.043425117 | 5.23644196 | |
| 7 | 142 | 198 | 4.955827058 | 5.28826703 | |
| 8 | 136 | 208 | 4.912654886 | 5.33753808 | |
| 9 | 128 | 220 | 4.852030264 | 5.39362755 | |
| 10 | | | | | |

為了以正值表示需要價格彈性,所以才在前頭加上「-」。假設為指數模型後,價格彈性為「約 1.38」,但是這個結果也介於以 P.113 算式求得的「NB-300」的需要價格彈性的「1.09～1.80」。

### ▶ 類似的分析範例
①準備決定優惠商品時,有時會遇到每種商品的需要價格彈性差不多,每一種都適合當成優惠商品。此時可先計算商品的毛利,再將毛利較高的商品當成優惠商品。

②將注意力放在需要曲線是由數量與價格組成的這點之後,需要曲線上的數量與

價格的組合就是銷售額的組合。若是與事先就知道的成本價比較就能算出利潤，也就能分析出需要曲線上的數量與價格的哪種組合可以獲得最高的利潤（下一節將繼續解說）。

## Column　需要價格彈性越高越好!?

就優惠，也就是所謂的降價而言，需要價格彈性越高，優惠效果的確越明顯，但是較高的需要價格彈性也意味著消費者對這項商品的漲價很敏感，若是漲價，該商品的銷售數量就會下滑，銷售額也會大幅滑落。就這點而言，需要價格彈性較低的商品雖然不適合降價，但消費者對於這項商品的漲價也不那麼敏感，所以稍微漲價也不至於讓銷售額大幅下滑，反而有可能在銷售數量維持一定的情況下，讓銷售額往上成長。需要價格彈性是根據觀點評價能否漲價或降價的指標。

## Column　各種彈性

本節介紹的是需要價格彈性，但彈性只是代表變化率之間的比的字眼，所以有各種彈性存在，例如還有「供給的」價格彈性。除此之外，也有需要所得彈性與投資利率彈性。其中的需要所得彈性有下列的定義。

●需要所得彈性

$$需要所得彈性 = \frac{需要變化率}{所得變化率} = \frac{\dfrac{變化後的需要量 - 變化前的需要量}{變化前的需要量}}{\dfrac{變化後的所得 - 變化前的所得}{變化前的所得}}$$

雖然跟需要價格彈性很類似，但最明顯的特徵就是沒有加上「負號」。需要價格彈性的價格與數量通常呈反向的趨勢，所以在公式裡加上「負號」，大致上都可以轉為正值呈現，但在需要所得彈性這部分，購買的東西則是根據所得的變化而改變，所以會因商品的性質而呈現正值為負值，也是無法調整的指標。

●需要所得彈性

| 需要所得彈性 | 商品的性質 |
| --- | --- |
| >1 | 高級品、奢侈品、選購品 |
| <1 | 必需品 |
| <0 | 廉價品 |

與需要價格彈性同樣是聽起來不太好懂的用語，但請想像成薪水這類所得提升與下降的情況，大致上就是薪水提高，可以買比平常更高級的商品，薪水下滑，就不喝咖啡廳的咖啡，改買超商咖啡的情況。需要所得彈性是加諸在高級商品或超商咖啡的數字。

# 07 找出毛利最高的售價

一般而言，商品降價時，銷售數量會成長，漲價時，銷售數量會下滑，但是，銷售數量的變化會隨著商品的特徵而有不同。如果只需稍微降價就能讓銷售數量大幅成長，就能期待銷售額與利潤提升，所以接下來要從商品的銷售成績找出毛利最高的售價。

## 導 入 ▶ ▶ ▶

**實 例**　「想找出毛利最高的售價」

H 先生服務的服飾製造公司是透過直營店銷售商品。商品 A1 與商品 B1 的銷售成績如下。一開始是以定價銷售，然後以一個月的時間為基準，定期以一定程度的幅度降價，最後在換季之前，以大幅降價的手法避免庫存。H 先生對於定期降價的做法存有疑問，所以希望在後繼商品的商品 A2 與商品 B2 開始銷售之前，能先根據商品 A1 與商品 B1 的銷售成績算出毛利最高的售價。到底該怎麼計算才正確呢？

● 商品A1與B1的銷售業績

| | A | B | C | D | E | F | G |
|---|---|---|---|---|---|---|---|
| 1 | | 商品A1 | 商品B1 | | | 商品A1 | 商品B1 |
| 2 | 售價 | 銷售數量合計 | 銷售數量合計 | | 成本價 | 1800 | 1500 |
| 3 | 3980 | 16 | 51 | | | | |
| 4 | 3580 | 43 | 86 | | | | |
| 5 | 2720 | 79 | 110 | | | | |
| 6 | 2380 | 52 | 61 | | | | |
| 7 | 1980 | 30 | 22 | | | | |
| 8 | | | | | | | |
| 9 | | | | | | | |

▶ **利用規劃求解功能算出需要曲線上毛利最高的數量與價格的組合**

要根據條件算出目標值的組合時，可利用規劃求解功能。這次要根據在需要曲線上這項條件，算出毛利最高的銷售數量與售價的組合。

### ● 透過需要曲線計算業績與毛利

商品的需要曲線是將銷售數量當成橫軸，並將售價當成直線所繪製的曲線。數量乘上價格就是業績，所以需要曲線上的銷售數量與售價的組合就是銷售額的組合，也是扣掉採購價之後的毛利的組合。如下圖所示，業績會隨著銷售數量與銷售價的組合而改變。哪種組合可以獲得最高的毛利？此時即可利用規劃求解功能計算。

▶需要曲線→ P.107

▶需要曲線的繪製方法 → P.109

▶毛利＝業績－銷售數量 × 單個商品的採購值

▶數量是 1 個單位的整數，所以需要曲線上的數量並非計算對象。需要曲線上的整數組合才是計算對象。

### ● 需要曲線與業績的關係

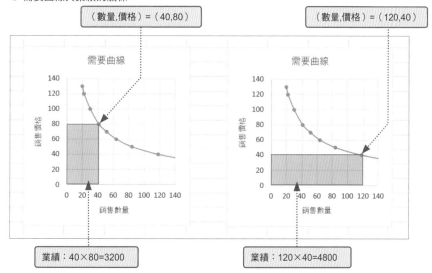

### ● 代表需要曲線的近似公式

要計算需要曲線上的售價與銷售數量，必須使用售價與銷售數量的關係式。要算關係式，可使用 Excel 的趨勢線。畫出趨勢線後，就能顯示曲線的公式以及代表需要曲線與趨勢線的代入性的決定係數（R 平方值）。R 平方值介於 0～1 之間，越接近 1 代表代入性越佳。

### ● 趨勢線、公式與決定係數

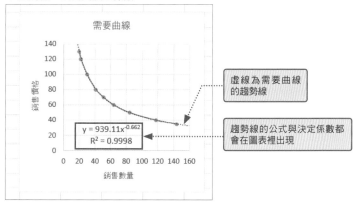

原本我們想知道的是價格變化時，銷售數量會受到多少影響，但是需要曲線與呈現因果關係的圖表是相反的（→ P.107）。

不過，趨勢公式與常見的圖表一樣，是將橫軸的銷售數量當成原因，並將直軸的價格當成結果的關係式，所以這次要反轉需要曲線的因果，將銷售價格擺在橫軸，並將銷售數量擺在直軸，再藉此畫出趨勢線。

## 實踐 ▶ ▶ ▶

### ▶ 準備的業務資料

這次準備了售價與銷售數量的實際成績，也將 P.118 所示的銷售數量合計分解成固定期間的資料。為了看出售價變化時，銷售數量的變化，還依照「售價」與「銷售數量」的順序製作表格。

範例
3-07

● 商品 A1 與商品 B1 的銷售成績

| | A | B | C | D | E | F |
|---|---|---|---|---|---|---|
| 1 | 商品A1 | 採購價 | 1,800 | | | |
| 2 | 售價 | 銷售數量 | 業績 | 毛利 | | |
| 3 | 3,980 | 4 | 15,920 | 8,720 | | |
| 4 | 3,980 | 3 | 11,940 | 6,540 | | |
| 5 | 3,980 | 4 | 15,920 | 8,720 | | |
| 6 | 3,980 | 5 | 19,900 | 10,900 | | |
| 7 | 3,580 | 8 | 28,640 | 14,240 | | |
| 8 | 3,580 | 7 | 25,060 | 12,460 | | |
| 9 | 3,580 | 9 | 32,220 | 16,020 | | |
| 10 | 3,580 | 6 | 21,480 | 10,680 | | |
| 11 | 3,580 | 7 | 25,060 | 12,460 | | |
| 12 | 3,580 | 6 | 21,480 | 10,680 | | |
| 13 | 2,720 | 13 | 35,360 | 11,960 | | |
| 14 | 2,720 | 11 | 29,920 | 10,120 | | |
| 15 | 2,720 | 12 | 32,640 | 11,040 | | |
| 16 | 2,720 | 15 | 40,800 | 13,800 | | |
| 17 | 2,720 | 15 | 40,800 | 13,800 | | |
| 18 | 2,720 | 13 | 35,360 | 11,960 | | |

商品A1 　商品B1 　規劃求解的模型

就緒

### ▶ Excel 的操作①：計算需要曲線的趨勢公式

Excel 內建了多種趨勢線，但一般的需要曲線就是趨近乘冪的曲線。這次要選擇乘冪種類，顯示公式與決定係數（R 平方值）。假設顯示的公式是以簡略格式顯示，可變更趨勢公式的顯示格式。請一口氣從步驟❹執行到步驟❿。商品 B1 的圖表與趨勢公式可複製商品 A1 的圖表繪製。

## 插入售價與銷售數量的散佈圖，再新增趨勢線

▶圖表的按鈕名稱會因 Excel 的版本而改變，但按鈕的設計是相同的。

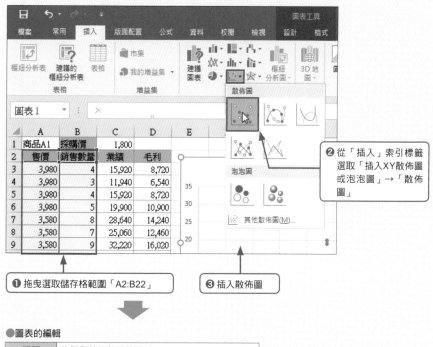

❷從「插入」索引標籤選取「插入XY散佈圖或泡泡圖」→「散佈圖」

❶ 拖曳選取儲存格範圍「A2:B22」

❸ 插入散佈圖

●圖表的編輯

| 標題 | 售價與銷售數量的關係 |
|---|---|
| 座標軸標籤 | 直軸：銷售數量　橫軸：售價 |
| 刻度 | 橫軸：1000～6000　刻度：1000 |

Excel2007/2010
▶ 點選圖例，按下 [Delete] 隱藏。

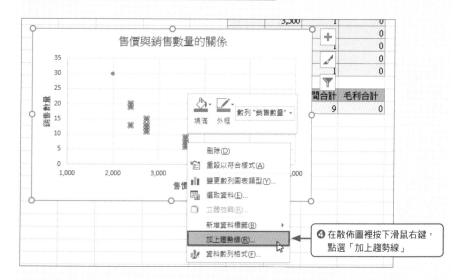

❹ 在散佈圖裡按下滑鼠右鍵，點選「加上趨勢線」

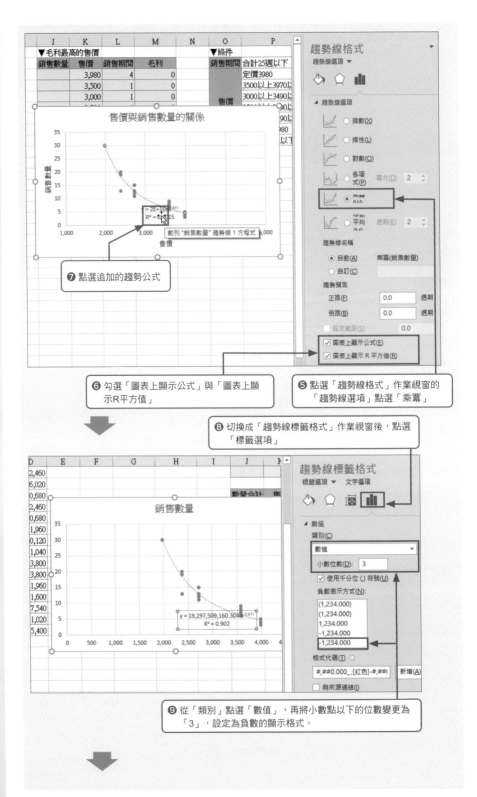

Excel2007/2010
▶步驟❺、❻在「趨勢線格式」對話框進行相同的操作。完成步驟❼的作業後,就會切換成「趨勢線標籤格式」對話框。

▶趨勢公式若以指數的簡略格式顯示,就無法進行詳細的計算,所以得變更趨勢公式的格式。

Excel2007/2010
▶步驟❽可於「趨勢線標籤格式」對話框的「數值」進行相同的操作。

❼ 點選追加的趨勢公式

❻ 勾選「圖表上顯示公式」與「圖表上顯示R平方值」

❺ 點選「趨勢線格式」作業視窗的「趨勢線選項」點選「乘冪」

❽ 切換成「趨勢線標籤格式」作業視窗後,點選「標籤選項」

❾ 從「類別」點選「數值」,再將小數點以下的位數變更為「3」,設定為負數的顯示格式。

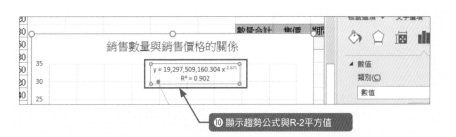

⑩ 顯示趨勢公式與R-2平方值

## 複製圖表

❶ 點選商品A1的圖表,按下[Ctrl]+[C]複製後,點選「商品
B1」工作表的儲存格「E2」附近,再按下[Ctrl]+[V]貼上

❷ 點選「設計」索引標籤的
「選取資料」

Excel2007/2010
▶步驟❷的「選取資
料」配置在「設計」索
引標籤的左側。

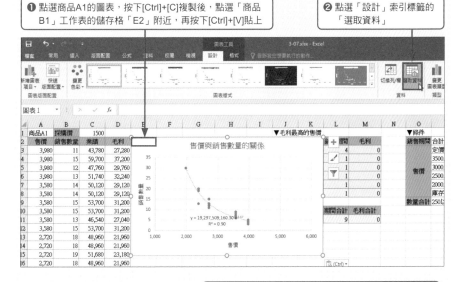

❹ 確認圖表資料範圍變更為「商品B1!$A$2:$B$22」,
再點選「確定」

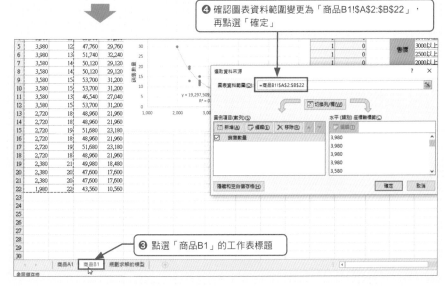

❸ 點選「商品B1」的工作表標題

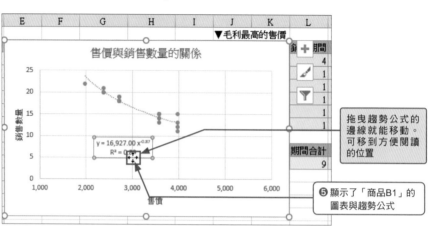

▼毛利最高的售價

拖曳趨勢公式的邊線就能移動。可移到方便閱讀的位置

❺顯示了「商品B1」的圖表與趨勢公式

## ▶ Excel 的操作② ： 在銷售數量設定趨勢公式

在儲存格範圍「J3:J8」輸入趨勢公式，再利用 INT 函數讓銷售數量化為整數。此外，趨勢公式的「x」是橫軸的售價，「y」則是直軸的銷售數量。

● 代表售價與銷售數量關係的趨勢公式

| | 趨勢公式 |
|---|---|
| 商品A1 | 銷售數量=19,297,509,160,304×售價的-2.671次方 |
| 商品B1 | 銷售數量=16,927,001×售價的-0.866次方 |

INT 函數 ➡ 將指定的數值化為整數

| 格 式 | = INT（數值） |
|---|---|
| 解 說 | 四捨五入數值的小數點。 |

## 動手做做看輸入計算銷售數量與毛利的公式

●在「商品 A1」工作表的儲存格「J3」輸入的公式

| J3 | =INT(19297509160.304*K3^-2.671) |

●在「商品 B1」工作表的儲存格「J3」輸入的公式

| J3 | =INT(16927.001*K3^-0.866) |

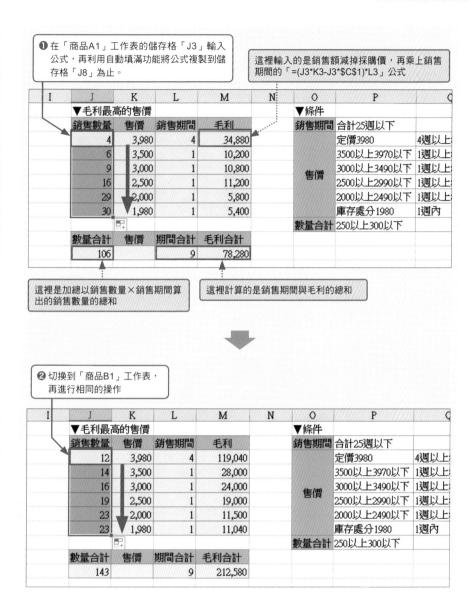

① 在「商品A1」工作表的儲存格「J3」輸入公式，再利用自動填滿功能將公式複製到儲存格「J8」為止。

這裡輸入的是銷售額減掉採購價，再乘上銷售期間的「=(J3*K3-J3*$C$1)*L3」公式

| | | | | | | | | |
|---|---|---|---|---|---|---|---|---|
| I | J | K | L | M | N | O | P | Q |
| | ▼毛利最高的售價 | | | | | ▼條件 | | |
| | 銷售數量 | 售價 | 銷售期間 | 毛利 | | 銷售期間 | 合計25週以下 | |
| | 4 | 3,980 | 4 | 34,880 | | | 定價3980 | 4週以上 |
| | 6 | 3,500 | 1 | 10,200 | | | 3500以上3970以下 | 1週以上 |
| | 9 | 3,000 | 1 | 10,800 | | 售價 | 3000以上3490以下 | 1週以上 |
| | 16 | 2,500 | 1 | 11,200 | | | 2500以上2990以下 | 1週以上 |
| | 29 | 2,000 | 1 | 5,800 | | | 2000以上2490以下 | 1週以上 |
| | 30 | 1,980 | 1 | 5,400 | | | 庫存處分1980 | 1週內 |
| | | | | | | 數量合計 | 250以上300以下 | |
| | 數量合計 | 售價 | 期間合計 | 毛利合計 | | | | |
| | 106 | | 9 | 78,280 | | | | |

這裡是加總以銷售數量×銷售期間算出的銷售數量的總和

這裡計算的是銷售期間與毛利的總和

② 切換到「商品B1」工作表，再進行相同的操作

| | | | | | | | | |
|---|---|---|---|---|---|---|---|---|
| I | J | K | L | M | N | O | P | Q |
| | ▼毛利最高的售價 | | | | | ▼條件 | | |
| | 銷售數量 | 售價 | 銷售期間 | 毛利 | | 銷售期間 | 合計25週以下 | |
| | 12 | 3,980 | 4 | 119,040 | | | 定價3980 | 4週以上 |
| | 14 | 3,500 | 1 | 28,000 | | | 3500以上3970以下 | 1週以上 |
| | 16 | 3,000 | 1 | 24,000 | | 售價 | 3000以上3490以下 | 1週以上 |
| | 19 | 2,500 | 1 | 19,000 | | | 2500以上2990以下 | 1週以上 |
| | 23 | 2,000 | 1 | 11,500 | | | 2000以上2490以下 | 1週以上 |
| | 23 | 1,980 | 1 | 11,040 | | | 庫存處分1980 | 1週內 |
| | | | | | | 數量合計 | 250以上300以下 | |
| | 數量合計 | 售價 | 期間合計 | 毛利合計 | | | | |
| | 143 | | 9 | 212,580 | | | | |

▶ Excel 的操作③ ： 設定規劃求解功能

接著要設定規劃求解功能。如下圖所示，銷售數量已由售價決定，所以要讓內容變化的儲存格是售價與銷售期間。此外，也顯示了售價與銷售期間的條件。

▶一邊讓售價與銷售期間變化，一邊重複更新銷售數量的計算，藉此達成求出最高毛利的目的。達成目的時，計算立刻停止，也將代入解答。

● 規劃求解的目的與條件

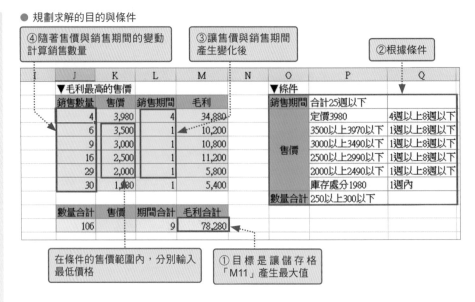

④隨著售價與銷售期間的變動計算銷售數量

③讓售價與銷售期間產生變化後

②根據條件

▼毛利最高的售價

| 銷售數量 | 售價 | 銷售期間 | 毛利 |
|---|---|---|---|
| 4 | 3,980 | 4 | 34,880 |
| 6 | 3,500 | 1 | 10,200 |
| 9 | 3,000 | 1 | 10,800 |
| 16 | 2,500 | 1 | 11,200 |
| 29 | 2,000 | 1 | 5,800 |
| 30 | 1,980 | 1 | 5,400 |

| 數量合計 | 售價 | 期間合計 | 毛利合計 |
|---|---|---|---|
| 106 | | 9 | 78,280 |

▼條件

| 銷售期間 | 合計25週以下 | |
|---|---|---|
| 售價 | 定價3980 | 4週以上8週以下 |
| | 3500以上3970以下 | 1週以上8週以下 |
| | 3000以上3490以下 | 1週以上8週以下 |
| | 2500以上2990以下 | 1週以上8週以下 |
| | 2000以上2490以下 | 1週以上8週以下 |
| | 庫存處分1980 | 1週內 |
| 數量合計 | 250以上300以下 | |

在條件的售價範圍內，分別輸入最低價格

①目標是讓儲存格「M11」產生最大值

下次投入市場的商品 A2 與 B2 的條件是相同的。條件的概要如下。

· 預設投入市場的商品量為 300，25 週之內要銷售至 250 個以上。

· 投入商品後，在 4 週至 8 週之間以定價銷售，庫存處分的銷售期間為 1 週。

· 雖然慢慢降價，但仍得設定售價的範圍。設定售價後，維持售價的銷售期間最短維持 1 週，最長維持 8 週。

我們要將上述的條件設定給規劃求解功能，但規劃求解功能的處理單位為工作表，所以無法同時設定「商品 A1」工作表與「商品 B1」工作表。因此我們要將「商品 A1」工作表的規劃求解設定轉存為「規劃求解的模型」工作表，再匯入「商品 B1」工作表的規劃求解。

規劃求解功能的對話框大小、畫面裡的文字方塊與按鈕位置都會隨著 Excel 的版本而有所改變，但操作的方法都是相同的。

### 啟動規劃求解功能，設定目的與要變化的儲存格

❶ 切換至「商品A1」工作表，再點選「資料」索引標籤裡的「規劃求解」。

❸ 將「至：」設定為
「最大值」

❷ 在「設定目標式」裡點
選「M11」

▶在步驟❷、❹點選儲
存格或是拖曳選取儲存
格，都會自動設定為絕
對參照。

Excel2007
▶步驟❷是點選「設定
目標式」，步驟❹是點
選「藉由變更變數儲存
格」，操作方式是相同
的。

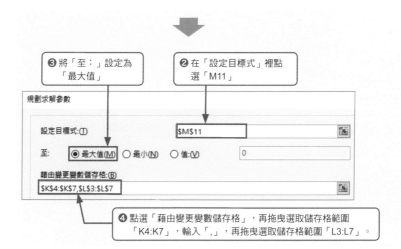

規劃求解參數

設定目標式:(T)                    $M$11

至：    ◉ 最大值(M)  ○ 最小(N)  ○ 值:(V)    0

藉由變更變數儲存格:(B)
$K$4:$K$7,$L$3:$L$7

❹ 點選「藉由變更變數儲存格」，再拖曳選取儲存格範圍
「K4:K7」，輸入「,」，再拖曳選取儲存格範圍「L3:L7」。

 **設定銷售數量合計與銷售期間合計的條件**

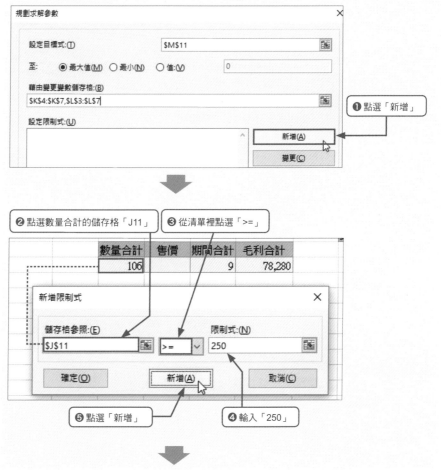

規劃求解參數                                    ✕

設定目標式:(T)                    $M$11

至：    ◉ 最大值(M)  ○ 最小(N)  ○ 值:(V)    0

藉由變更變數儲存格:(B)
$K$4:$K$7,$L$3:$L$7

設定限制式:(U)

                                    新增(A)     ❶ 點選「新增」

                                    變更(C)

❷ 點選數量合計的儲存格「J11」    ❸ 從清單裡點選「>=」

| 數量合計 | 售價 | 期間合計 | 毛利合計 |
|---|---|---|---|
| 106 | | 9 | 78,280 |

新增限制式                                    ✕

儲存格參照:(E)              限制式:(N)
$J$11              >=    250

確定(O)      新增(A)      取消(C)

❺ 點選「新增」              ❹ 輸入「250」

▶若設定太多條件，可在適當時機按下「確定」，回到「規劃求解參數」對話框確認「限制式」。

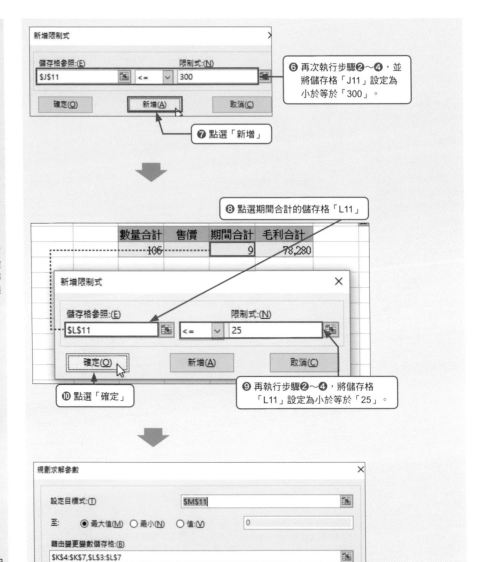

⑥ 再次執行步驟❷～❹，並將儲存格「J11」設定為小於等於「300」。

⑦ 點選「新增」

⑧ 點選期間合計的儲存格「L11」

| | 數量合計 | 售價 | 期間合計 | 毛利合計 |
|---|---|---|---|---|
| | 106 | | 9 | 78,280 |

⑨ 再執行步驟❷～❹，將儲存格「L11」設定為小於等於「25」。

⑩ 點選「確定」

⑪ 設定了銷售數量與銷售期間的條件

▶為了維持設定而想中斷操作時，可點選「規劃求解參數」對話框的「關閉」。只要從「資料」索引標籤點選「規劃求解」，一樣可從中途繼續設定。

### 設定售價的條件

操作 P.127 的步驟❶，再重複步驟❷～❼，設定下列的條件。

設定完成後，點選 P.128 的步驟⑩的「新增限制式」對話框的「確定」，確認設定的條件。

●售價的條件

| 儲存格參照 | 選擇的運算子 | 條件 |
|---|---|---|
| 儲存格「K4」 | >= | 3500 |
| 儲存格「K4」 | <= | 3970 |
| 儲存格「K5」 | >= | 3000 |
| 儲存格「K5」 | <= | 3490 |
| 儲存格「K6」 | >= | 2500 |
| 儲存格「K6」 | <= | 2990 |
| 儲存格「K7」 | >= | 2000 |
| 儲存格「K7」 | <= | 2490 |

❶ 售價的條件設定完成

如果設定條件有誤，可點選要修改的條件，然後點選「變更」

## 設定銷售期間的條件

點選「規劃求解參數」對話框的「新增」，再重複 P.127、P.128 的步驟❷～❼，新增下列的條件。

設定完成後，點選 P.128 步驟❿的「新增限制式」對話框的「確定」新增條件。

●銷售期間的條件

| 儲存格參照 | 選擇的運算子 | 條件 |
|---|---|---|
| 儲存格「L3」 | >= | 4 |
| 儲存格「L3」 | <= | 8 |
| 儲存格「L4:L7」 | >= | 1 |
| 儲存格「L4:L7」 | <= | 8 |

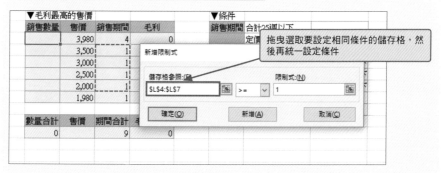

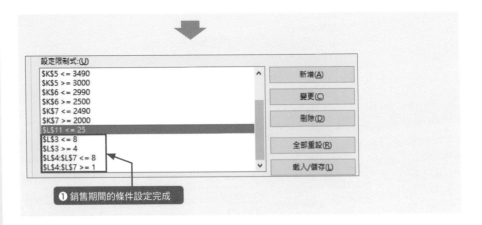

❶ 銷售期間的條件設定完成

## 整數的設定

▶為了避免售價與銷售期間出現小數點而進行整數的設定。

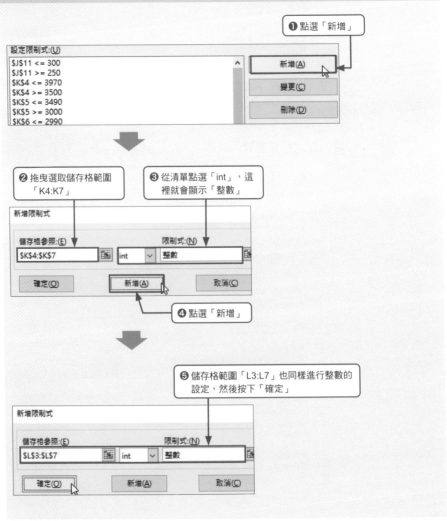

❶ 點選「新增」

❷ 拖曳選取儲存格範圍「K4:K7」

❸ 從清單點選「int」，這裡就會顯示「整數」

❹ 點選「新增」

❺ 儲存格範圍「L3:L7」也同樣進行整數的設定，然後按下「確定」

### 轉存規劃求解的設定

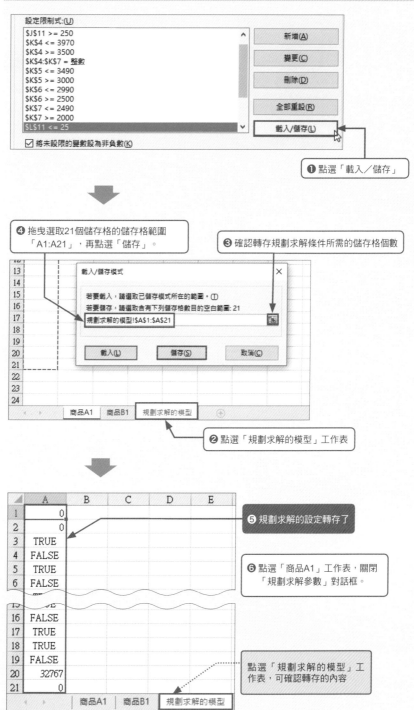

❶ 點選「載入／儲存」

❹ 拖曳選取21個儲存格的儲存格範圍「A1:A21」，再點選「儲存」。

❸ 確認轉存規劃求解條件所需的儲存格個數

❺ 規劃求解的設定轉存了

❻ 點選「商品A1」工作表，關閉「規劃求解參數」對話框。

▶轉存至「規劃求解的模型」工作表的設定將匯入「商品 B1」工作表的規劃求解。

❷ 點選「規劃求解的模型」工作表

點選「規劃求解的模型」工作表，可確認轉存的內容

匯入規劃求解的設定內容

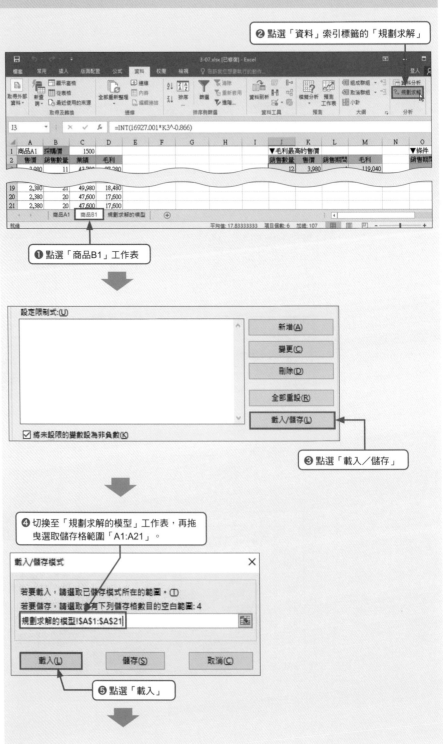

❷ 點選「資料」索引標籤的「規劃求解」

❶ 點選「商品B1」工作表

❸ 點選「載入／儲存」

❹ 切換至「規劃求解的模型」工作表，再拖曳選取儲存格範圍「A1:A21」。

❺ 點選「載入」

❻ 匯入規劃求解的設定後，點選「關閉」完成設定

▶ Excel 的操作④ ： 執行規劃求解功能

接下來要執行規劃求解功能，算出毛利最高的價格與數量，以及銷售期間的組合。

### 執行規劃求解

點選「商品 A1」工作表，再從「資料」索引標籤點選「規劃求解」。

❶ 點選「求解」

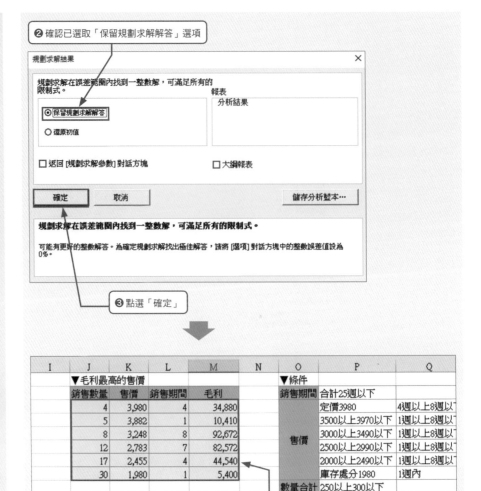

❷ 確認已選取「保留規劃求解解答」選項

規劃求解結果                                                    ✕

規劃求解在誤差範圍內找到一整數解，可滿足所有的
限制式。                                    報表
                                           分析結果
  ⦿ 保留規劃求解解答

  ◯ 還原初值

□ 返回 [規劃求解參數] 對話方塊          □ 大綱報表

  確定        取消                          儲存分析藍本…

規劃求解在誤差範圍內找到一整數解，可滿足所有的限制式。

可能有更好的整數解答。為確定規劃求解找出極佳解答，請將 [選項] 對話方塊中的整數誤差值設為
0%。

▶規劃求解的執行結果
會覆寫儲存格的內容。

❸ 點選「確定」

| I | J | K | L | M | N | O | P | Q |
|---|---|---|---|---|---|---|---|---|
| | ▼毛利最高的售價 | | | | | ▼條件 | | |
| | 銷售數量 | 售價 | 銷售期間 | 毛利 | | 銷售期間 | 合計25週以下 | |
| | 4 | 3,980 | 4 | 34,880 | | | 定價3980 | 4週以上8週以... |
| | 5 | 3,882 | 1 | 10,410 | | | 3500以上3970以下 | 1週以上8週以... |
| | 8 | 3,248 | 8 | 92,672 | | 售價 | 3000以上3490以下 | 1週以上8週以... |
| | 12 | 2,783 | 7 | 82,572 | | | 2500以上2990以下 | 1週以上8週以... |
| | 17 | 2,455 | 4 | 44,540 | | | 2000以上2490以下 | 1週以上8週以... |
| | 30 | 1,980 | 1 | 5,400 | | | 庫存處分1980 | 1週內 |
| | | | | | | 數量合計 | 250以上300以下 | |
| | 數量合計 | 售價 | 期間合計 | 毛利合計 | | | | |
| | 267 | | 25 | 270,474 | | | | |

❹ 顯示了規劃求解的執行結果

❺ 「商品B1」工作表也執行同樣的操作

⌢
MEMO   **重新執行規劃求解**

若想重新執行規劃求解，可參考 P.126 的「規劃求解的目的與條件」的圖，重新設定售價與
銷售期間的初始值。規劃求解的結果會因為執行前的初始值而有所改變。
此外，假設規劃求解的執行結果有誤，代表設定了不可能符合的條件，此時必須重新檢視條
件。

▶規劃求解的執行結果
若每次都不相同，代表
符合條件的組合有很多
種，此時可試著增加條
件減少組合的數量。

不過，有時還是會出現設定相同，卻因 Excel 的版本而得出不同答案的情況，也有可能會出現錯誤而無法求得解答。此時可試著取消整數的條件或是放寬整數最適率，讓條件變得寬鬆一點。

一般來說，計算整數的問題會因為整數這個離散值的制約過於嚴格而難以算出規劃求解的答案，所以拿掉整數這個條件後，條件就會變得寬鬆，也就比較容易找到解答。

要顯示選項畫面可點選「規劃求解參數」對話框的「選項」。

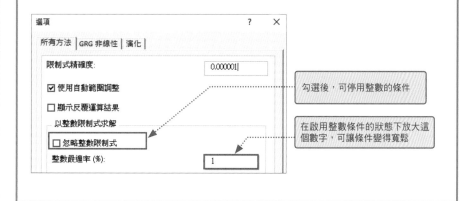

▷ **判讀結果**

判讀商品 A1、商品 B1 的分析結果後，可獲得後續投入市場的商品 A2、商品 B2 的最高毛利的售價與銷售數量，以及銷售期間的組合如下。

● 商品 A2 的情況

▶圖表是需要曲線的直軸與橫軸互調位置後的結果。需要曲線是本書打橫，從頁面後面透出來的圖。

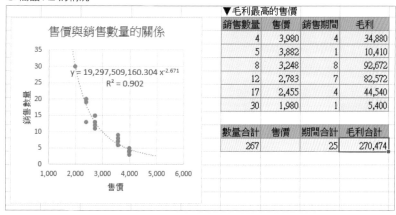

商品 A1 的售價調降後，銷售數量就會成長，後續投入市場的商品 A2 也是同類型的商品。根據規劃求解的結果顯示，定價銷售期間只需 4 週，之後就以降價後的價格全力銷售。不過，能於 25 週之內銷售的數量為「267」，低於計劃的

「300」，所以要在期間內售完商品，必須再次檢討售價。

● 商品 B2 的情況

▶商品 A1 與商品 B1 的價格彈性與售價的關係

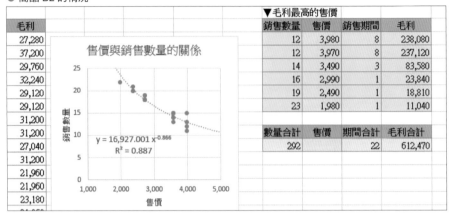

| ▼毛利最高的售價 | | | |
|---|---|---|---|
| 銷售數量 | 售價 | 銷售期間 | 毛利 |
| 12 | 3,980 | 8 | 238,080 |
| 12 | 3,970 | 8 | 237,120 |
| 14 | 3,490 | 3 | 83,580 |
| 16 | 2,990 | 1 | 23,840 |
| 19 | 2,490 | 1 | 18,810 |
| 23 | 1,980 | 1 | 11,040 |
| 數量合計 | 售價 | 期間合計 | 毛利合計 |
| 292 | | 22 | 612,470 |

與商品 A1 相較之下，商品 B1 即便調降售價，銷售數量也不容易成長，後續進入市場的商品 B2 也是同類型的商品。根據規劃求解的執行結果，定期銷售期間需定為最大的 8 週，以全時段不降價的方式銷售。若是這個銷售方式成功，可在 22 週左右賣完商品。

## 發展 ▶▶▶

### ▶ 需要價格彈性與售價的關係

商品 A1 與商品 B1 的規劃求解結果互為對照組，商品 A1 是以降價為主，商品 B1 則是以定價銷售為主。之所以會形成對照組，是因為消費者對商品 A 與商品 B 的反應不同，所以需要價格彈性也會不同。

若要以 P.115 的指數模型計算商品 A1 與商品 B1 的需要價格彈性，就會得出下圖的結果。

● 商品 A1 的需要價格彈性

● 商品 B1 的需要價格彈性

| G1 | | ▼ : | × ✓ | fx | =-SLOPE(G3:G22,F3:F22) | |
|---|---|---|---|---|---|---|
| | A | B | C | D | E | F | G |

| | A | B | C | D | E | F | G |
|---|---|---|---|---|---|---|---|
| 1 | 商品B1 | 採購價 | 1500 | | | 價格彈性 | 0.86559816 |
| 2 | 售價 | 銷售數量 | 業績 | 毛利 | | Ln售價 | Ln銷售數量 |
| 3 | 3,980 | 11 | 43,780 | 27,280 | | 8.289037 | 2.39789527 |
| 4 | 3,980 | 15 | 59,700 | 37,200 | | 8.289037 | 2.7080502 |
| 5 | 3,980 | 12 | 47,760 | 29,760 | | 8.289037 | 2.48490665 |
| 6 | 3,980 | 13 | 51,740 | 32,240 | | 8.289037 | 2.56494936 |

商品 A1 的需要價格彈性約為 2.671，屬於彈性超過 1 的商品，也代表消費者對售價的變化敏感，當然也就是適合推出優惠的商品。商品 B1 的需要價格彈性約為 0.866，是彈性低於 1 的商品，代表消費者對售價的變化沒反應，雖然適合推出優惠，卻可維持價格持續銷售。

商品 A1 的「2.67」與商品 B1 的「0.866」已在先前提過，就是 P124 的趨勢曲線方程式的累乘。事實上，趨勢公式的累乘代表的就是需要價格彈性。

▶ 類似的分析範例

本節使用了規劃求解，而規劃求解還有下列表格裡的範例。一如 P134 的 Memo 所述，規劃求解是有點進階的功能，要多花點時間學習。

● 規劃求解的分析範例

| 規劃求解的目的 | 準備的業務資料 | 條件 |
|---|---|---|
| 以利潤最大化為目的的生產計劃<br><br>計算生產多種產品是否能求得最高的利潤 | ·每件產品的價格與生產費用<br>·其他與生產有關的資料<br>若是分段替換要生產的商品，固定費用是相同的。由於目的是希望透過多種商品得到最高的利潤，所以不需要將固定費用打散至每種商品。<br>多種商品的利潤＝多種商品的銷售額總和-（個別產品的變動費合計+共通固定費），算出最高的利潤 | 生產條件為限制式。<br>·生產量的下限與上限<br>·每項產品的製作步驟數量<br>·生產量為整數 |
| 以費用最小化為目的的物流計劃<br><br>計算從何處的物流中心將幾個商品送往何處，可得到最低的物流成本 | ·物流中心的供給量資料（庫存狀況）<br>·物流目的地的需要量資料<br>·從物流中心送往目的地的平均物流成本<br>總費用為各目的地的需要量×各物流成本的總和，算出最低的費用 | 物流中心的庫存與目的地的需要量為限制式。<br>·不超過庫存<br>·恰到好處的需要量<br>·物流量為整數 |

# 練習問題

## 「了解銷售額現狀與商品的特性」

Y 先生開了一間以「可愛」為主題的雜貨店,至今已超過半年。銷售的商品包含廚房雜貨、裝潢雜貨,也包含首飾、服飾與文具。Y 先生銷售的都是由自己精選的商品,也在店面的裝潢與陳設下足了工夫,但是他覺得最近的來客數慢慢下滑。因此準備了到目前為止的銷售額表格,希望了解銷售額動向與各種商品的定位。

● 銷售額表格

| | A | B | C | D | E | F | G | H |
|---|---|---|---|---|---|---|---|---|
| 1 | No | 日期 | 星期 | 商品分類 | 商品名稱 | 售價 | 數量 | 金額 |
| 2 | 1 | 2015/4/1 | 週三 | 小物 | 手機殼 | 2,300 | 2 | 4,600 |
| 3 | 2 | 2015/4/1 | 週三 | 首飾 | 耳環 | 1,200 | 1 | 1,200 |
| 4 | 3 | 2015/4/1 | 週三 | 包包 | 肩揹包 | 5,300 | 2 | 10,600 |
| 5 | 4 | 2015/4/3 | 週五 | 小物 | 小提包 | 1,500 | 1 | 1,500 |
| 6 | 5 | 2015/4/3 | 週五 | 服飾 | 褲子 | 3,980 | 2 | 7,960 |
| 7 | 6 | 2015/4/4 | 週六 | 裝潢雜貨 | 蠟燭 | 980 | 1 | 980 |
| 8 | 7 | 2015/4/4 | 週六 | 首飾 | 戒指 | 1,780 | 2 | 3,560 |
| 9 | 8 | 2015/4/4 | 週六 | 小物 | 手機殼 | 2,300 | 2 | 4,600 |
| 10 | 9 | 2015/4/4 | 週六 | 裝潢雜貨 | 面紙盒 | 1,100 | 2 | 2,200 |
| 11 | 10 | 2015/4/4 | 週六 | 小物 | 手機吊飾 | 580 | 2 | 1,160 |
| 12 | 11 | 2015/4/6 | 週一 | 首飾 | 頭飾 | 450 | 3 | 1,350 |
| 13 | 12 | 2015/4/6 | 週一 | 首飾 | 手環 | 2,200 | 2 | 4,400 |

範例
練習: 3-renshu
完成: 3-kansei

問題②
要製作銷售額統計表時,可使用樞紐分析表製作。

問題 ❶ 根據銷售額表格的資料在「Z 圖表」工作表裡輸入以週為單位的銷售額。計算從第 14 週開始的週次累計與以 13 週為單位的移動週計,並製作 Z 圖表。

問題 ❷ 使用銷售額表格計算商品分類的銷售額與銷售數量,再將表格以「值」的格式輸出至「交叉 ABC 分析」工作表。

問題 ❸ 根據問題②輸出的表格進行銷售額的 ABC 評價與銷售數量的 ABC 評價。評價時,組成比例累計低於 70% 的為 A 評價,低於 85% 為 B 評價,低於 100% 的為 C 評價。之後再於決策表輸入商品分類名稱。

問題 ❹ 開啟「需要曲線」工作表,繪製作文具的夾子與服飾的連身洋裝的需要曲線。

問題 ❺ ·Z 圖表所示的業績動向為何?

·交叉 ABC 分析的結果是否有需要退出市場的商品分類?

·請根據文具與服飾的需要曲線類推出價格彈性是否具有彈性。

問題❺是根據問題❶~❹的結果進行檢討。此外,閱讀過 3-06 節與 3-07 節的發展的讀者,請針對問題❹計算需要價格彈性。

# 與企劃有關的資料分析

本章將以企劃為主題，說明在銷售與開店之際不可或缺的資料預測。主要的操作為趨勢線與迴歸分析。由於現在已累積了來自公司內外的各種資料，所以能進行精確度更高的分析。回歸分析是一種能於各種情況使用的通用分析手法，請務必藉此機會學會。只要能熟悉這種分析方法，一定會被視為是工作幹練的人。

01　根據銷售實際成績預測下一季的銷售額 ▶▶▶▶▶▶▶▶▶▶▶ P.140

02　根據銷售額變動幅度訂立每月的銷售計劃 ▶▶▶▶▶▶▶▶▶ P.147

03　預測新門市的銷售額 ▶▶▶▶▶▶▶▶▶▶▶▶▶▶▶▶▶▶▶ P.157

04　根據多種資料預測新門市的銷售額 ▶▶▶▶▶▶▶▶▶▶▶ P.171

05　調查影響業績原因的影響力 ▶▶▶▶▶▶▶▶▶▶▶▶▶▶▶ P.185

06　透過天氣與星期預測銷售量 ▶▶▶▶▶▶▶▶▶▶▶▶▶▶ P.201

# 01 根據銷售實際成績預測 下一季的銷售額

即便高喊「無論如何，業績要破億！」這種口號，為此勉強訂立的銷售計劃只會造成無法回收費用與赤字的結果。鬥志雖然重要，但還是要根據現況與外在環境訂立合理的計劃。要執行合理的計劃，就必須重視預測業績的前提，因此，接下來要根據銷售成績預測下一季的銷售額。

## 導入 ▶▶▶

**實例** 「根據過去五年的銷售成績預測明年的銷售額」

在某間銷售公司擔任企劃部長的 H 先生正打算擬定下一季的銷售計劃。近年來，公司的業績隨著社會氛圍而水漲船高，但該把目標訂在何處卻令人傷透腦筋。因此在決定目標之前，H 先生先預測明年的銷售額，並製作了下圖的圖表。單以月份來看，業績雖然有所波動，但仍可看出是上升趨勢，若改以年度來看，也看得曲線向上攀升的趨勢。該怎麼做，才能更正確地預測銷售額呢？

● 過去五年的銷售額趨勢（月份）

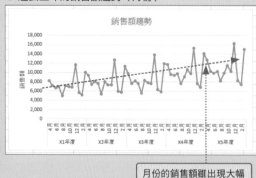

月份的銷售額雖出現大幅變動，但是仍呈上升趨勢

● 過去五年的銷售額趨勢（年度）

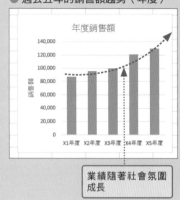

業績隨著社會氛圍成長

▶ 根據趨勢線的趨勢方程式計算

在圖「過去五年的銷售額趨勢（年度）」裡畫的紅線是用來表現趨勢成長的「心

情」。這是一邊觀察圖表，一邊畫條大概的線的標準法，若是使用 Excel，可畫出與實際值差異最小的趨勢線。

在圖表裡畫線代表以公式說明圖表的直軸與橫軸的關係。只要有公式，就能算出銷售額。

## ● 趨勢線的種類

Excel 內建了五種趨勢線，首先讓我們試用看看根據線性關係畫線的「線形趨勢線」。

● 趨勢線的種類

| 種類 | 用途 |
|---|---|
| 線性趨勢線 | 最先試用的趨勢線。可在實測值呈直線增加、減少的情況下使用。 |
| 多項式趨勢線 | 實際值的曲線呈上升時使用的趨勢線。可於判斷業績成長幅度明顯的強勢情況下使用。冪次最高可指定六次。 |
| 對數趨勢線 | 實際值雖呈增加趨勢，卻有慢慢攤平的走勢時的趨勢線。可在業績有可能停止成長的疲軟情況裡使用。此外，在實際值雖然出現減少的趨勢，但減少的比例漸漸縮小，有起死回生的情況下也可使用這種趨勢線。 |
| 乘冪趨勢線 | 實際值呈成長、攤平或下滑的情況都可使用，但基本上是取代對數趨勢線的趨勢線。由於會比對數趨勢線還早收斂，所以可以在早期就呈現成長或衰退的情況下使用。 |
| 指數趨勢線 | 指數趨勢線會呈幾何級數倍增或是下滑，所以只有在業績有可能會出現急遽成長或衰退時才可使用。 |

## ● 決定係數／貢獻率／R平方值

決定係數是說明與趨勢線實測值接近程度的指標，介於 0～1 的範圍裡。趨勢線也可稱為貢獻率，指的是以多少比例說明實際值。一般而言，當決定係數大於等於「0.5」，就可使用趨勢值。「0.5」指的是趨勢線能說明一半實測值的意思。若高於「0.8」，就代表精確度非常高。

另一個名稱為 R 平方值。決定係數就是相關係數（R）的平方。

## ● 擬訂銷售目標

若能畫出決定係數較高的趨勢線，業績預測的精確度也會提高，但仍不可直接將預測的業績當成銷售目標，因為這有可能會為了達成預測值而增設設備與增加行銷費用，所以預測值的增加意味著費用會跟著增加。此外，訂立銷售目標時，也需要綜觀世界情勢的變化與匯率變動這類外部因素，所以除了根據預測的業績預測之外，還得根據成本增加這類內部因素與外部因素再行訂立。

## 實踐 ▶▶▶

### ▶ 準備的業務資料

準備了 5～6 年份的年度銷售額資料。這次是先收集了多於年度資料的月份資料，再以年度為單位進行整理。此外，若出現因預期之外的外部因素造成業績明顯受影響的年度則視為偏離值，並排除在近似的實際值之外。這次準備了五年份的月份資料，並利用 SUM 函數整理成年度銷售額。

範例
4-01

● 過去五年的月份銷售額

| | A | B | C | D | E | F | G | H | I | J |
|---|---|---|---|---|---|---|---|---|---|---|
| 1 | 業績預測 | | | | | | | | | 預測年度 |
| 2 | 月份 | X1年度 | X2年度 | X3年度 | X4年度 | X5年度 | X6年度 | | X6年度 | 預測 |
| 3 | 4月 | 8,174 | 9,403 | 9,763 | 11,771 | 12,771 | | | 線性趨勢 | 普通 |
| 4 | 5月 | 7,247 | 7,422 | 7,622 | 9,532 | 10,223 | | | 多項式趨勢 | 強勢 |
| 5 | 6月 | 6,585 | 8,029 | 8,219 | 9,387 | 9,887 | | | 對數趨勢 | 疲軟 |
| 13 | 2月 | 5,155 | 5,774 | 5,799 | 6,822 | 7,412 | | | | |
| 14 | 3月 | 10,041 | 11,371 | 11,988 | 14,066 | 14,966 | | | | |
| 15 | 合計 | 87,249 | 96,082 | 100,487 | 121,336 | 129,840 | | ◀⋯⋯ 想預測的部分 | | |
| 16 | | | | | | | | | | |

↑ 年度銷售額

### ▶ Excel 的操作① ： 繪製年度銷售額走勢圖表

接著要插入橫軸為年度、直軸為年度銷售額的折線圖。到 X6 年度為止都是圖表的範圍。

插入折線圖

▶步驟❶的折線圖按鈕名稱會隨著 Excel 的版本而有不同，但是按鈕的設計卻是相同的。

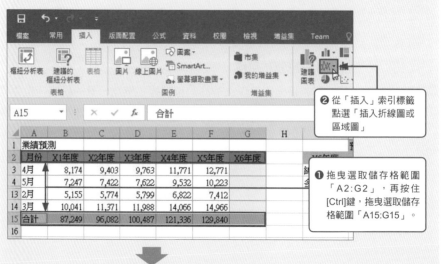

❷ 從「插入」索引標籤點選「插入折線圖或區域圖」

❶ 拖曳選取儲存格範圍「A2:G2」，再按住 [Ctrl]鍵，拖曳選取儲存格範圍「A15:G15」。

③ 點選「含有資料標記的折線圖」，
插入折線圖。

▶圖表標題與座標軸標
題可自行編輯。
編輯圖表→ P.41

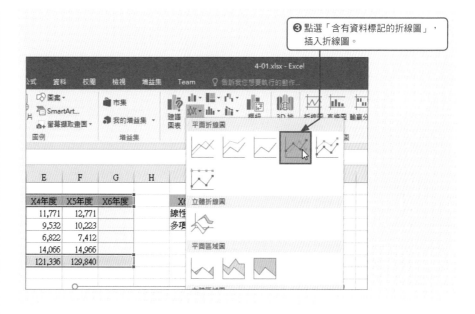

| | E | F | G | H | |
|---|---|---|---|---|---|
| | X4年度 | X5年度 | X6年度 | | X6 |
| | 11,771 | 12,771 | | | 線性 |
| | 9,532 | 10,223 | | | 多項 |
| | 6,822 | 7,412 | | | |
| | 14,066 | 14,966 | | | |
| | 121,336 | 129,840 | | | |

## ▶ Excel 的操作② ： 新增趨勢線

折線圖的橫軸雖然是字串，但仍可新增趨勢線。趨勢線的公式會以 X1 年度為 1、
X2 年度為 2 這種加上連續編號的方式進行內部處理，然後將年度以「x」、銷售
額以「y」標示。

這次繪製的是線性趨勢線、多項式趨勢線與對數趨勢線，公式與 R 平方值也一併
顯示。

### 繪製三種趨勢線

Excel2007/2010
▶步驟❷之後可於對話
框進行相同的操作。

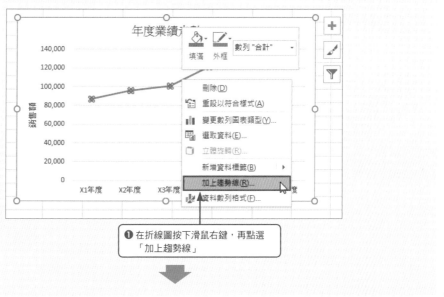

❶ 在折線圖按下滑鼠右鍵，再點選
「加上趨勢線」

▶橫軸的資料到 X6 年度為止，趨勢線也延伸至 X6 年度為止。

▶設定趨勢線後，完成步驟❺的操作再關閉設定畫面。若是不關閉設定畫面，直接點選「多項式趨勢線」，有可能會直接從線性趨勢線切換過來。

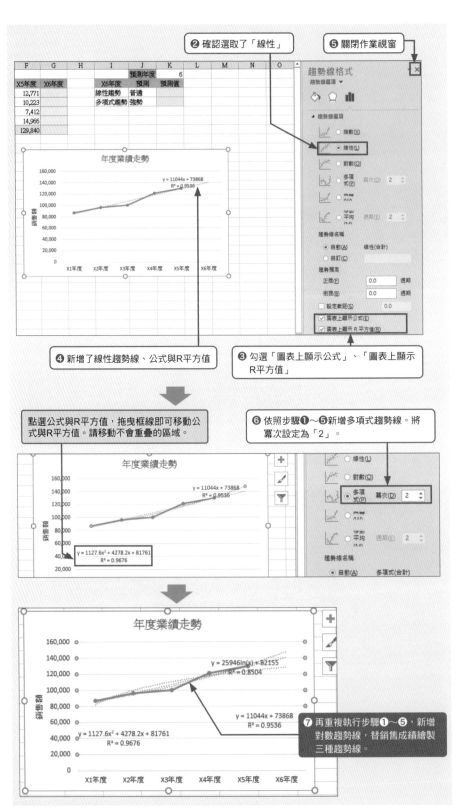

❷ 確認選取了「線性」

❺ 關閉作業視窗

❹ 新增了線性趨勢線、公式與R平方值

❸ 勾選「圖表上顯示公式」、「圖表上顯示R平方值」

點選公式與R平方值，拖曳框線即可移動公式與R平方值。請移動不會重疊的區域。

❻ 依照步驟❶～❺新增多項式趨勢線。將冪次設定為「2」。

❼ 再重複執行步驟❶～❺，新增對數趨勢線，替銷售成績繪製三種趨勢線。

▶ Excel 的操作③：預測明年的銷售額

三種趨勢線的決定係數（R 平方值）都超過「0.8」，屬於高精確度的情況。接下來要根據三種趨勢線的公式計算 X6 年度的預測值。

▶ LN 函數→ P.116

對數趨勢線的「ln(x)」可根據 Excel 的 LN 函數計算。

### 預測 X6 年度的業績預測

●在儲存格「K3」、「K4」、「K5」輸入的公式

| K3 | =11044*K1+73868 | K4 | =1127.6*K1^2+4278.2*K1+81761 |
|---|---|---|---|
| K5 | =25946*LN(K1)+82155 | | |

❶ 輸入趨勢線的公式，可利用三種趨勢求出 X6年度的業績預測值。

| G | H | I | J | K | L | M |
|---|---|---|---|---|---|---|
| | | | 預測年度 | 6 | | |
| X6年度 | | X6年度 | 預測 | 預測值 | | |
| | | 線性趨勢 | 普通 | 140,132 | | |
| | | 多項式趨勢 | 強勢 | 148,024 | | |
| | | 對數趨勢 | 疲軟 | 128,644 | | |
| | | | | | | |
| | | 年度業績預測 | | | | |

▶ 判讀結果

追加三種趨勢線之後的結果如下：

● 趨勢線與業績預測

| 趨勢線種類 | 決定係數 | X6年度的業績預測 |
|---|---|---|
| 線性趨勢線 | 0.9536 | 140,132 |
| 多項式趨勢線 | 0.9676 | 148,024 |
| 對數趨勢線 | 0.8504 | 128,644 |

▶ X7 年度可在儲存格「K1」輸入「7」計算。

如果以決定係數最高而選擇多項式趨勢線，有點言之過早。多項式趨勢線是在業績有可能強勢成長的情況下使用。若是在 X7 年度套用多項式趨勢線，會得出「166,961」的結果，與 X5 年度的「129,840」相較之下，2 年內約有 30% 的成長。所以有必要檢討這個目標是否有可能實現。

三種趨勢線的決定係數都高於極為趨近的「0.8」，所以根據每一種趨勢線訂立的目標都是有可能實現的，而且能不受決定係數的影響，以相同的等級操作，所以，到底該採用哪種模式呢？請考慮外部因素的影響與內部因素的情況再做出最終判斷。

此外，以標準法畫線時，請試著比較趨勢線的結果，藉此進行假設驗證，也能了解主觀的成份多寡。

## 發展 ▶▶▶

▶ Z 圖表的繪製方法
請參考 P.56

### ▶ 利用 Z 圖表預測業績

若是根據排除業績變動的 Z 圖表移動年次繪製趨勢線，就能將年度資料分解成月份資料，藉此算出近似值。移動年計可消弭變動，以直線呈現資料，所以可使用最簡單的線性趨勢線。

下圖是在 Z 圖表的移動年計追加線性趨勢線之後的結果。決定係數為 0.96，是高精確度的近似值。

公式：y（業績預測值）= 886.64×x（經過月數）+83,987

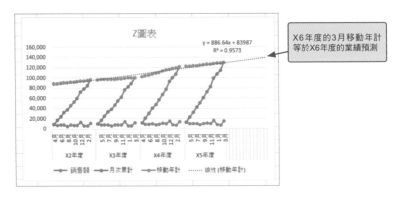

公式的「x」是將圖表橫軸開頭的 X2 年度 4 月當成「1」，所以 X6 年度的 3 月被編上「60」。將 X 設定為「60」後，算出的 X6 年度預測值是「137,185」。與利用年度銷售額計算的線性趨勢線的「140,132」相近，也比年度資料更為詳盡，所以也可值得信賴。

### ▶ 類似的分析範例

針對有可能熱賣的商品預測業績以及預測業績高峰時，都可使用趨勢線。若是會持續熱賣，可提高多項式趨勢線的冪次逼近。舉例來說，要預測有可能第三次熱賣的商品的業績時，可設定為 6 次多項式。

● 預測有可能第三次熱賣的趨勢線

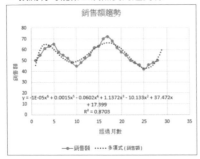

# 02 根據銷售額變動幅度訂立每月的銷售計劃

將年度目標銷售額打散為月份目標時,因為有些月份的業績較高,有的卻較低,所以不能直接除以 12 來分配金額。此時要使用所謂的季節指數,讓業績較高的月份設定較高的預算,業績較低的月份設定較低的月份,進行合理的預算分配。

## 導入 ▶ ▶ ▶

**實 例** 「將認年度目標銷售額分配至每個月」

H 先生服務的銷售公司根據 X1 年度到 X5 年度的五年銷售成績預測了業績之後,決定將下一季的業績目標設定為 140,000。H 先生準備根據年度業績目標擬定各月目標。H 先生的銷售公司的每個月業績都不同,所以不能直接將年度目標除以 12,均等地分配到每個月。該如何在考慮業績變動的因素下,設定每個月的預算呢?

● 近三年的業績走勢

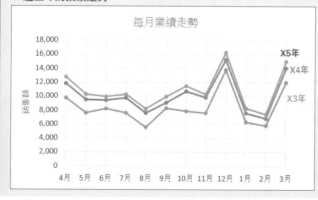

▶ 利用月份平均法將年度業績分配至每個月

月份平均法指的是以 3 年內的每月平均業績為基準,將較多的預算撥給業績高於基準的月份,以及將較少的預算撥給業績低於基準的月份。

● 季節指數與分配率

季節指數是以相對於複數年業績平均的每季業績比例定義，每季的業績是複數年同季業績平均。這次使用的是 3 年內的業績資料，而且是各月的平均業績。

$$季節指數 = \frac{3 \text{ 年內各月平均業績}}{3 \text{ 年內整體的月平均業績}}$$

此外，每月預算的分配率可利用下列的公式計算。

$$各月預算的分配率 = \frac{季節指數}{12}$$

$$各月預算 = 年度銷售目標 \times 分配率 = 年度銷售目標 \times \frac{季節指數}{12}$$

分配率的分母「12」是一整年的月數。假設要計算的是季，則可改成「4」，若是要計算的是上下半年，則可改成「2」。

● 調整資料

以季節指數除以各月資料後，就會算出消弭了變動的調整資料，原本無法比較季節差異的各月之間的業績也變得可以比較。

$$各月的調整資料 = \frac{各月的資料}{季節指數}$$

● 分配率的真面目

就結論而言，用來將年度業績目標分配至各月的分配率就是業績組成比例。若是忘記季節指數的定義與根據季節指數計算分配率的方法，可先計算業績組成比例再分配至各月即可。

所謂的平均，就是加總所有數值再除以加總的數值筆數所算出的值。在計算平均的過程中重新整理以季節指數定義的公式後，可得出下列的公式。三年內的各月銷售成績的筆數為 36 個（12 個月 ×3 年）。

▶除了「三年內 - 月份」也是一樣。「複數年－四季」、「複數年－上下半年」的各季預算分配率也是業績組成比例。

$$季節指數 = \frac{3 \text{ 年內各月平均業績}}{3 \text{ 年內整體各月平均業績}}$$

$$季節指數 = \frac{\dfrac{3 \text{ 年內各月業績合計}}{3}}{\dfrac{3 \text{ 年內整體業績合計}}{36}} = 12 \times \frac{3 \text{ 年內各月業績合計}}{3 \text{ 年內整體業績合計}}$$

讓我們根據上述的公式重新整理分配率。

$$各月預算分配率 = \frac{季節指數}{12} = \frac{12 \times \dfrac{3年內各月業績合計}{3年內整體業績合計}}{12} = \frac{3年內各月業績合計}{3年內整體業績合計}$$

由上述的公式可以得知，分配率就是業績組成比例。或許會有人覺得，既然就是業績組成比例，又何必額外定義季節指數來計算分配率。

▶業績組成比例的項目包含商品、各部門的獨立項目、上半年／下半年、季、月這類時間軸項目。

雖然就結論而言是相同的，但是觀點卻是不同的。業績組成比例是為了了解構成整體業績的項目業績而根據銷售額（業績合計）計算比率。另一方面，季節指數與分配率則是為了合理地分配預算，才根據弭平各月業績變動幅度的平均值計算比率。請將其看成是根據兩個不同目的，但所導出的結果卻剛好一樣的情況。

## 實踐 ▶▶▶

### ▶ 準備的業績資料

要計算同月平均，至少需要兩年份的各月銷售成績。這次準備的是 X3 年度～X5 年度的 3 年份各月銷售成績。

範例
4-02

● 近三年的各月銷售實績

| | A | B | C | D | E | F | G | H | |
|---|---|---|---|---|---|---|---|---|---|
| 1 | 各月銷售計劃 | | | | | 年度業績目標 | | 140,000 | |
| 2 | 月／年 | X3年 | X4年 | X5年 | 同月平均 | 季節指數 | 分配率 | X6年計劃 | 調整 |
| 3 | 4月 | 9,763 | 11,771 | 12,771 | | | | | |
| 4 | 5月 | 7,622 | 9,532 | 10,223 | | | | | |
| 5 | 6月 | 8,219 | 9,387 | 9,887 | | | | | |
| 6 | 7月 | 7,612 | 9,732 | 10,234 | | | | | |
| 7 | 8月 | 5,569 | 7,568 | 8,168 | | | | | |
| 8 | 9月 | 8,323 | 9,106 | 9,906 | | | | | |
| 9 | 10月 | 7,826 | 10,705 | 11,505 | | | | | |
| 10 | 11月 | 7,622 | 9,803 | 10,224 | | | | | |
| 11 | 12月 | 13,828 | 15,238 | 16,238 | | | | | |
| 12 | 1月 | 6,316 | 7,606 | 8,306 | | | | | |
| 13 | 2月 | 5,799 | 6,822 | 7,412 | | | | | |
| 14 | 3月 | 11,988 | 14,066 | 14,966 | | | | | |
| 15 | 平均 | | | | | | | | |
| 16 | | | 季節指數合計 | | | | | | |
| 17 | | | | | | | | | |

### ▶ Excel 的操作① ： 計算季節指數與分配率

讓我們試著將季節指數與分配率與業績組成比例比較看看。業績組成比例是以總合計除以各項目的小計，季節指數則是以整體平均除以三年內各月平均。

計算同月平均與整體平均

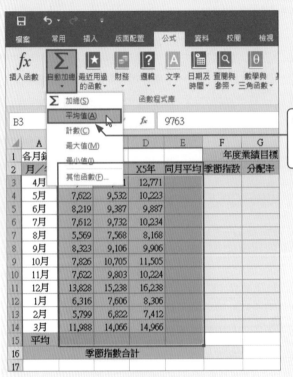

❶ 拖曳選取儲存格範圍「B3:E15」,再從「公式」索引標點選「自動加總」→「平均值」

| | A | B | C | D | E | F | G |
|---|---|---|---|---|---|---|---|
| 1 | 各月銷 | | | | | | 年度業績目標 |
| 2 | 月/年 | X3年 | X4年 | X5年 | 同月平均 | 季節指數 | 分配率 |
| 3 | 4月 | 9,763 | 11,771 | 12,771 | | | |
| 4 | 5月 | 7,622 | 9,532 | 10,223 | | | |
| 5 | 6月 | 8,219 | 9,387 | 9,887 | | | |
| 6 | 7月 | 7,612 | 9,732 | 10,234 | | | |
| 7 | 8月 | 5,569 | 7,568 | 8,168 | | | |
| 8 | 9月 | 8,323 | 9,106 | 9,906 | | | |
| 9 | 10月 | 7,826 | 10,705 | 11,505 | | | |
| 10 | 11月 | 7,622 | 9,803 | 10,224 | | | |
| 11 | 12月 | 13,828 | 15,238 | 16,238 | | | |
| 12 | 1月 | 6,316 | 7,606 | 8,306 | | | |
| 13 | 2月 | 5,799 | 6,822 | 7,412 | | | |
| 14 | 3月 | 11,988 | 14,066 | 14,966 | | | |
| 15 | 平均 | | | | | | |
| 16 | | | 季節指數合計 | | | | |
| 17 | | | | | | | |

| | A | B | C | D | E | F |
|---|---|---|---|---|---|---|
| 1 | 各月銷售計劃 | | | | | 年度業績 |
| 2 | 月/年 | X3年 | X4年 | X5年 | 同月平均 | 季節指數 分 |
| 3 | 4月 | 9,763 | 11,771 | 12,771 | 11,435 | |
| 4 | 5月 | 7,622 | 9,532 | 10,223 | 9,126 | |
| 5 | 6月 | 8,219 | 9,387 | 9,887 | 9,164 | |
| 6 | 7月 | 7,612 | 9,732 | 10,234 | 9,193 | |
| 7 | 8月 | 5,569 | 7,568 | 8,168 | 7,102 | |
| 8 | 9月 | 8,323 | 9,106 | 9,906 | 9,112 | |
| 9 | 10月 | 7,826 | 10,705 | 11,505 | 10,012 | |
| 10 | 11月 | 7,622 | 9,803 | 10,224 | 9,216 | |
| 11 | 12月 | 13,828 | 15,238 | 16,238 | 15,101 | |
| 12 | 1月 | 6,316 | 7,606 | 8,306 | 7,409 | |
| 13 | 2月 | 5,799 | 6,822 | 7,412 | 6,678 | |
| 14 | 3月 | 11,988 | 14,066 | 14,966 | 13,673 | |
| 15 | 平均 | 8,374 | 10,111 | 10,820 | 9,768 | |
| 16 | | 季節指數合計 | | | | |

❷ 算出同月平均與整體平均

▶整體平均就是各年平均的儲存格範圍「B15:D15」的平均值。

## 計算季節指數與分配率

●在儲存格「F3」與「G3」輸入的公式

| F3 | E3/$E$15 | G3 | =F3/12 |
|---|---|---|---|

| ◢ | A | B | C | D | E | F | G | |
|---|---|---|---|---|---|---|---|---|
| 1 | 各月銷售計劃 | | | | | 年度業績目標 | | 1 |
| 2 | 月／年 | X3年 | X4年 | X5年 | 同月平均 | 季節指数 | 分配率 | X6年 |
| 3 | 4月 | 9,763 | 11,771 | 12,771 | 11,435 | 1.170609 | 0.097551 | |
| 4 | 5月 | 7,622 | 9,532 | 10,223 | 9,126 | 0.934201 | 0.07785 | |
| 5 | 6月 | 8,219 | 9,387 | 9,887 | 9,164 | 0.93816 | 0.07818 | |
| 6 | 7月 | 7,612 | 9,732 | 10,234 | 9,193 | 0.94106 | 0.078422 | |
| 7 | 8月 | 5,569 | 7,568 | 8,168 | 7,102 | 0.727003 | 0.060584 | |
| 8 | 9月 | 8,323 | 9,106 | 9,906 | 9,112 | 0.932768 | 0.077731 | |
| 9 | 10月 | 7,826 | 10,705 | 11,505 | 10,012 | 1.024936 | 0.085411 | |
| 10 | 11月 | 7,622 | 9,803 | 10,224 | 9,216 | 0.943483 | 0.078624 | |
| 11 | 12月 | 13,828 | 15,238 | 16,238 | 15,101 | 1.545935 | 0.128828 | |
| 12 | 1月 | 6,316 | 7,606 | 8,306 | 7,409 | 0.758499 | 0.063208 | |
| 13 | 2月 | 5,799 | 6,822 | 7,412 | 6,678 | 0.683598 | 0.056966 | |
| 14 | 3月 | 11,988 | 14,066 | 14,966 | 13,673 | 1.399749 | 0.116646 | |
| 15 | 平均 | 8,374 | 10,111 | 10,820 | 9,768 | | | |
| 16 | 季節指數合計 | | | | | | | |

▶儲存格「F16」輸入了「=SUM(F3:F14)」，藉此算出季節指數的合計。在分配率的儲存格「G3」輸入「=F3/$F$16」也可算出同樣的結果。請參照下列Memo的說明。

❶ 在儲存格「F3」與「G3」輸入公式後，利用自動填滿功能複製到最後一列，算出各月的季節指數與分配率。

---

MEMO **季節指數的合計與分配率**

季節指數的合計就是計算季節指數的個數。累積 P.148 計算季節指數算式的分子「3 年內各月業績合計」（12 個月份），就算出分母的「3 年內整體業績合計」。因此，算式的分數將是 1，季節指數的合計將是 12。

$$各月季節指數的合計 = 12 \times \frac{3 \text{ 年內 12 個月的業績合計}}{3 \text{ 年內的整體業績合計}} = 12$$

相同的，季的季節指數為下列的公式，以季為基礎的季節指數合計為 4。

▶三年內的整體季平均業績就是整體業績合計除以 12（4 季 ×3 年）的值。

$$季的季節指數 = \frac{3 \text{ 年內的季平均業績}}{3 \text{ 年內的整體季平均業績}}$$

$$= \frac{\dfrac{3 \text{ 年內的季業績合計}}{3}}{\dfrac{3 \text{ 年內的整體業績合計}}{12}} = 4 \times \frac{3 \text{ 年內的季業績合計}}{3 \text{ 年內的整體業績合計}}$$

以相同的方式計算上下半年的季節指數合計之後，會算出 2 的結果。根據上述的算式可將分配率整理成下列的公式。

$$各期預算的分配率 = \frac{季節指數}{季節指數的合計}$$

CHAPTER 04

▶ Excel 的操作② ： 將次年度的業績目標分配至每個月份

根據分配率將 X6 年度的業績目標分配到每個月份。

### 計算 X6 年度的各月預算

● 在儲存格「H3」輸入的公式

| H3 | =$H$1*G3 |

> ❶ 在儲存格「H3」輸入公式，再利用自動填滿功能複製到儲存格結尾處，算出次年度各月預算。

| | A | B | C | D | E | F | G | H | I |
|---|---|---|---|---|---|---|---|---|---|
| 1 | 各月銷售計劃 | | | | | 年度業績目標 | | 140,000 | |
| 2 | 月／年 | X3年 | X4年 | X5年 | 同月平均 | 季節指數 | 分配率 | X6年計劃 | 調整X |
| 3 | 4月 | 9,763 | 11,771 | 12,771 | 11,435 | 1.170609 | 0.097551 | 13,657 | |
| 4 | 5月 | 7,622 | 9,532 | 10,223 | 9,126 | 0.934201 | 0.07785 | 10,899 | |
| 5 | 6月 | 8,219 | 9,387 | 9,887 | 9,164 | 0.93816 | 0.07818 | 10,945 | |
| 6 | 7月 | 7,612 | 9,732 | 10,234 | 9,193 | 0.94106 | 0.078422 | 10,979 | |
| 7 | 8月 | 5,569 | 7,568 | 8,168 | 7,102 | 0.727003 | 0.060584 | 8,482 | |
| 8 | 9月 | 8,323 | 9,106 | 9,906 | 9,112 | 0.932768 | 0.077731 | 10,882 | |
| 9 | 10月 | 7,826 | 10,705 | 11,505 | 10,012 | 1.024936 | 0.085411 | 11,958 | |
| 10 | 11月 | 7,622 | 9,803 | 10,224 | 9,216 | 0.943483 | 0.078624 | 11,007 | |
| 11 | 12月 | 13,828 | 15,238 | 16,238 | 15,101 | 1.545935 | 0.128828 | 18,036 | |
| 12 | 1月 | 6,316 | 7,606 | 8,306 | 7,409 | 0.758499 | 0.063208 | 8,849 | |
| 13 | 2月 | 5,799 | 6,822 | 7,412 | 6,678 | 0.683598 | 0.056966 | 7,975 | |
| 14 | 3月 | 11,988 | 14,066 | 14,966 | 13,673 | 1.399749 | 0.116646 | 16,330 | |
| 15 | 平均 | 8,374 | 10,111 | 10,820 | 9,768 | | | | |
| 16 | | 季節指數合計 | | | | 12 | | | |

▶ Excel 的操作③ ： 計算實際成績值與下年度預算的調整資料

接著要利用季節指數根據 X3 年～X5 年的銷售成績計算弭平業績變動的調整值與 X6 年度的各月預算調整值。X6 年度是透過算出的邏輯的預算分配，所以可確認弭平業績變動之後的調整值應該是每個月都是相同的值。此外，讓我們製作圖表，確認弭平變動的程度。

### 計算弭平變動之後的調整資料

● 在儲存格「I3」、「L3」輸入的公式

| I3 | =B3/$F3 | | L3 | =H3/F3 |

> ❶ 在儲存格「I3」輸入公式，再利用自動填滿功能複製到儲存格「K3」。

> ❷ 在儲存格「L3」輸入公式

| | A | B | F | G | H | I | J | K | L | M |
|---|---|---|---|---|---|---|---|---|---|---|
| 1 | 各月銷售計劃 | | 年度業績目標 | | 140,000 | | | | | |
| 2 | 月／年 | X3年 | 季節指數 | 分配率 | X6年計劃 | 調整X3年 | 調整X4年 | 調整X5年 | 調整X6年 | |
| 3 | 4月 | 9,763 | 1.170609 | 0.097551 | 13,657 | 8,340 | 10,055 | 10,910 | 11,667 | |
| 4 | 5月 | 7,622 | 0.934201 | 0.07785 | 10,899 | 8,159 | 10,203 | 10,943 | 11,667 | |
| 5 | 6月 | 8,219 | 0.93816 | 0.07818 | 10,945 | 8,761 | 10,006 | 10,539 | 11,667 | |
| 6 | 7月 | 7,612 | 0.94106 | 0.078422 | 10,979 | 8,089 | 10,342 | 10,875 | 11,667 | |
| 7 | 8月 | 5,569 | 0.727003 | 0.060584 | 8,482 | 7,660 | 10,410 | 11,235 | 11,667 | |
| 8 | 9月 | 8,323 | 0.932768 | 0.077731 | 10,882 | 8,923 | 9,762 | 10,620 | 11,667 | |
| 9 | 10月 | 7,826 | 1.024936 | 0.085411 | 11,958 | 7,636 | 10,445 | 11,225 | 11,667 | |
| 10 | 11月 | | | | | 8,079 | 10,390 | 10,836 | 11,667 | |
| 11 | 12月 | | | | | 8,945 | 9,857 | 10,504 | 11,667 | |
| 12 | 1月 | | | | | 8,327 | 10,028 | 10,951 | 11,667 | |
| 13 | 2月 | | | | | 8,483 | 9,980 | 10,843 | 11,667 | |
| 14 | 3月 | 11,988 | 1.399749 | 0.116646 | 16,330 | 8,564 | 10,049 | 10,692 | 11,667 | |
| 15 | 平均 | 8,374 | | | | | | | | |

> ❸ 拖曳選取儲存格「I3:L3」，再利用自動填滿功能複製到最後一列，算出調整資料

**繪製實際成績值與弭平變動之後的調整資料折線圖**

範例

4-02「圖表」工作表

▶「圖表」工作表的表格參照的是「操作」工作表算出的值。

❶ 拖曳選取「圖表」工作表的儲存格範圍「A2:D50」，再點選「插入」→「插入折線圖或區域圖」→「含有資料標記的折線圖」

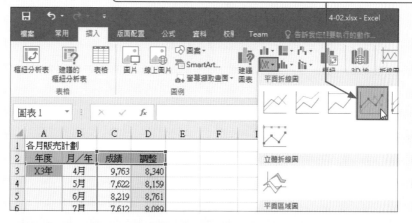

▶圖表標題與座標軸標籤可自行輸入。

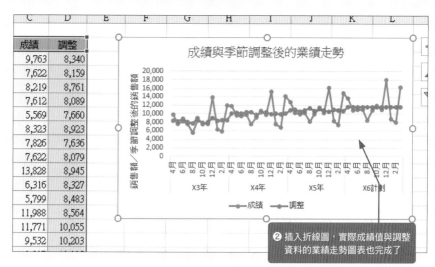

❷ 插入折線圖，實際成績值與調整資料的業績走勢圖表也完成了

▶ 判讀結果

透過各月平均法算出季節指數後，結果如下。

● 季節指數與X6年度各月銷售計劃

根據業績走勢圖表判讀最近 3 年內的業績狀況後，發現 2 月與 8 月是淡季，3 月與 12 月為旺季。根據季節指數分配的 X6 年計劃值在旺季的 3 月與 12 月的比重較高，在淡季的 2 月與 8 月的比重較低，的確是考慮業績變動之後算出的預算分配。

● **實際成績與調整資料**

根據實際成績與季節調整後的業績走勢圖表,調整資料的確已弭平了業績變動幅度。

下圖是 X5 年度的 7 月到 12 月的實際成績與調整資料的放大圖。

● X5 年度的實際成績與調整資料的放大圖

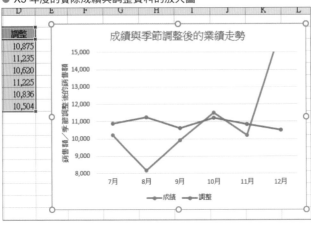

X5 年 8 月是淡季,所以實際業績不高,但是弭平季節變動之後的調整值,卻是 7 月～12 月之中最高的月份,因此可解釋成雖然是淡季,但業績仍算不錯。

## 發展 ▶ ▶ ▶

▶ **利用趨勢線計算每月預算**

下圖是在實際成績與季節調整後的業績走勢圖表畫出線性趨勢線的圖。

● 業績走勢圖表與趨勢線

▶趨勢線與 R 平方值
請參考 P.141。
趨勢方程式的「y」是
每月業績預測,「x」
是將 X3 年度 4 月編為
1 的經過月數。

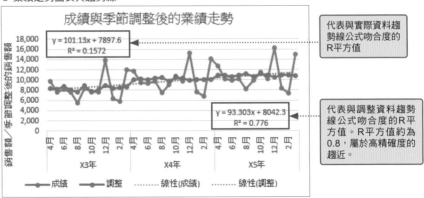

實際成績因為業績變動激烈的緣故，導致線性趨勢線的 R 平方值偏低，精確度也較差，趨勢方程式也無法使用，但是消除變動之後的調整資料就可使用趨勢方程式。根據趨勢方程式預測 X6 年度消除變動之後的各月調整值，再利用季節指數逆推，就能預測消除變動之前的各月業績，而這些預測的各月業績就可當成各月預算使用。

▶利用趨勢方程式預測後，年度合計為「144,222」（儲存格「I15」）。右圖 K 欄的年度銷售目標被調整為 140,000。

▶算出調整後預測值的趨勢方程式與季節指數會出現很多小數點的值，所以調整後的預測值合計與調整前的預測值合計會有誤差。

● 根據調整資料的趨勢線公式擬訂的各月銷售計劃

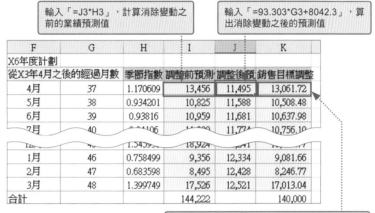

輸入「=J3*H3」，計算消除變動之前的業績預測值

輸入「=93.303*G3+8042.3」，算出消除變動之後的預測值

| F | G | H | I | J | K |
|---|---|---|---|---|---|
| X6年度計劃 | | | | | |
| 從X3年4月之後的經過月數 | 季節指數 | 調整前預測 | 調整後預 | 銷售目標調整 | |
| 4月 | 37 | 1.170609 | 13,456 | 11,495 | 13,061.72 |
| 5月 | 38 | 0.934201 | 10,825 | 11,588 | 10,508.48 |
| 6月 | 39 | 0.93816 | 10,959 | 11,681 | 10,637.98 |
| 7月 | 40 | | | 11,774 | 10,756.10 |
| 12月 | 45 | 1.545993 | 18,924 | 12,241 | |
| 1月 | 46 | 0.758499 | 9,356 | 12,334 | 9,081.66 |
| 2月 | 47 | 0.683598 | 8,495 | 12,428 | 8,246.77 |
| 3月 | 48 | 1.399749 | 17,526 | 12,521 | 17,013.04 |
| 合計 | | | 144,222 | | 140,000 |

輸入「=I3*140000/$I$15」，依照比例分配140,000的年度銷售目標

### ▶ 透過 Z 圖表計算每月預算

消除業績變動的方法之中，有如本節介紹的季節指數般，利用平均值消除的方法以及利用值的累積讓變動變得不明顯的方法，Z 圖表的移動年計就是以累積值的方式消除變動的範例。下列是利用 X3～X5 的實際成績製作 Z 圖表，再於移動年計畫出趨勢線，藉此預測各月的業績。

▶ Z 圖表 → P.56

▶各月的移動年計是該月與過去 11 個月的業績合計，所以各月的業績預測值就是從移動年計的預測值減去過去11 個月的業績合計的值。

▶使用趨勢方程式預測的年度合計為「144,144」（儲存格「E51」）。要將年度合計設定為銷售目標的140,000 時，可如上圖般調整。

● 根據 X3～X5 年的各月實際成績繪製的 Z 圖表與趨勢線

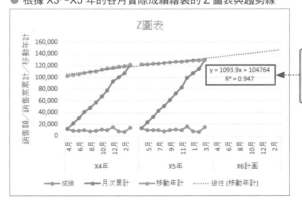

代表與移動年計趨勢線公式吻合度的R平方值。R平方值約為0.95，是精確度相當高的吻合度。

● 根據 Z 圖表的移動年計計算的各月業績預測

| ▲ | A | B | C | D | E | F | G | H |
|---|---|---|---|---|---|---|---|---|
| 39 | | 3月 | 14,966 | 129,840 | ▼129,840 | 從X4年4月開始的經過月數 | | |
| 40 | X6計劃 | 4月 | 15,043 | | 132,112 ◄┈┈ | 25 | | |
| 41 | | 5月 | 11,367 | | 133,205 | 26 | | |
| 42 | | 6月 | 10,981 | | 134,299 | 27 | | |
| 43 | | 7月 | 11,328 | | 135,393 | 28 | | |
| 44 | | 8月 | 9,262 | | 136,487 | 29 | | |
| 45 | | 9月 | 11,000 | | 137,581 | 30 | | |
| 46 | | 10月 | 12,599 | | 138,675 | 31 | | |
| 47 | | 11月 | 11,318 | | 139,769 | 32 | | |
| 48 | | 12月 | 17,332 | | 140,863 | 33 | | |
| 49 | | 1月 | 9,400 | | 141,957 | 34 | | |
| 50 | | 2月 | 8,506 | | 143,051 | 35 | | |
| 51 | | 3月 | 16,060 | | 144,144 ◄┈┈ | 36 | | |

E40 欄位公式：=1093.9*F40+104764

標註說明：
- 根據移動年計的趨勢方程式計算X6年4月的移動年計
- 輸入「=E40-SUM(C29:C39)」，根據算出的移動年計計算X6年4月的業績預測
- X6年的業績合計預測值

本節的實例使用與前一節相同的資料。P.146 也於 Z 圖表的移動年計繪製趨勢線，並且根據趨勢方程式算出 X6 年度業績預測值「137,185」。之所以與本節算出的年度業績預測值「144,144」不同，是因為用於預測的資料筆數不同。前一節使用的是 X1 年度到 X5 年度這五年的資料，本節卻是使用近 3 年份的資料計算。前一節的年度業績預測值之所以較低，是因為將業績較低的X1年度與X2年度納入計算。

▶ 類似的分析範例

● ①將各月預算分解成每日預算

仿照計算各月預算的方法，計算以各月預算為目標金額的每日預算。即便是同一個月，業績也會因為是平日、假日、活動日、發薪日前後而產生變動，所以可先考慮每日的業績變動再將目標打散至每一天。

此外，每個月的日數有 30 天、31 天或 28 天、29 天的差別，所以就算是包含了沒有31天的月份，為了能以2除出平均值，至少該準備三個月以上的每日銷售成績。

● ②製作商品的各月預算

計算商品或商品分類單位的各月預算（以下簡稱「商品」）。準備每件商品三年份的各月銷售成績資料計算季節指數與分配率，再打散商品的業績目標金額。

● ③根據商品的業績預測累積計算各月預算

▶ ABC 分析→ P.71

根據商品三個月以上的每日銷售成績或每週銷售成績計算調整資料與製作折線圖，並在圖表裡繪製趨勢線。利用趨勢線的趨勢方程式計算消除變動之後的業績預測值，再加總所有預測值，算出商品的每月業績預測。最後累計每件商品的每月業績預測值，藉此算出每月預算。

若是所有商品都計算，可是得耗費不少時間，所以可先利用 ABC 分析挑出佔業績七～八成的商品，再針對這些商品預測每月業績，然後讓算出來的業績預測合計放大二～三成，藉此設定各月預算。

# 03 預測新門市的銷售額

設立新門市時，預測可能的業績是非常重要的。若是已有地點條件類似的門市，以現有門市的銷售額為參考也是方法之一，但這次要將注意力放在地點條件與銷售額之間的關係，利用公式預測銷售額。

## 導入 ▶ ▶ ▶

**實 例** 「根據現有門市的銷售額與車站乘客數預測新門市的銷售額」

在連鎖餐廳企劃室服務的 K 先生正著手撰寫在站前設立新門市的計劃，希望在下次的會議報告新門市的業績預測。K 先生想要參考現有門市的業績，所以從現有門市之中挑出站前的門市，然後將銷售額與車站乘客數整理成表格。之所以蒐集車站乘客數資料是因為他覺得車站乘客數越高，業績也會跟著提高。
該如何說明車站乘客數與銷售額的關係，並根據車站乘客數預測銷售額呢？

● 現存門市的銷售額與車站乘客數

| | A | B | C | D | E | F | G |
|---|---|---|---|---|---|---|---|
| 1 | ▽現存門市資料 | | | | | | |
| 2 | 站前店 | 車站乘客數 | 銷售額 | | 站前店 | 車站乘客數 | 銷售額 |
| 3 | A | 93,261 | 48,600 | | C | 56,988 | 10,500 |
| 4 | B | 91,628 | 76,100 | | I | 68,224 | 42,900 |
| 5 | C | 56,988 | 10,500 | | L | 72,304 | 28,600 |
| 6 | D | 189,897 | 88,600 | | E | 75,839 | 16,500 |
| 7 | E | 75,839 | 16,500 | | K | 83,838 | 38,000 |
| 8 | F | 151,310 | 59,700 | | B | 91,628 | 76,100 |
| 9 | G | 161,454 | 63,300 | | A | 93,261 | 48,600 |
| 10 | H | 124,765 | 52,500 | | 新門市○ | 100,481 | |
| 11 | I | 68,224 | 42,900 | | M | 110,877 | 70,900 |
| 12 | J | 253,632 | 102,600 | | H | 124,765 | 52,500 |
| 13 | K | 83,838 | 38,000 | | F | 151,310 | 59,700 |
| 14 | L | 72,304 | 28,600 | | G | 161,454 | 63,300 |
| 15 | M | 110,877 | 70,900 | | D | 189,897 | 88,600 |
| 16 | 新門市○ | 100,481 | | | J | 253,632 | 102,600 |
| 17 | | | | | | | |

依照由低至高的順序排序車站乘客數

資料雖然有變動，但可以看出車站乘客數越多，銷售額也有增高的傾向

▶ **利用迴歸分析求出車站乘客數與銷售額之間的關係式**

在這次的題目裡，預設的是車站乘客數越多，銷售額就會越高，但是這個預設終究只是一種猜想，為了驗證這個預設，要將「車站乘客數」資料與「銷售額」資料的關係性化為合理的公式，再利用公式預測銷售額。迴歸分析就是一種將資料之間的關係式化為公式，再根據公式計算預測值的分析手法。

● **相關性與因果**

把迴歸分析說成是驗證預設的手法也可以，不過，迴歸分析是根據預設與經驗法則進行分析。換言之，就是在資料 A 產生變化時，資料 B 也會跟著變化，或是資料 B 產生變化時，資料 A 也跟著變化的這類情況下，從判讀資料之間的傾向開始分析。

就資料 A 與資料 B 而言，到底 A 是導致 B 產生變化的原因，還是 B 是導致 A 產生變化的原因，其實不太清楚，但是在能判讀兩種資料的關係性之後，就能解釋成資料 A 與資料 B 具有相關性。

相關性有正相關與負相關。

● **相關性**

| 相關性 | 資料A | 資料B |
|---|---|---|
| 正相關 | 增加（↑） | 增加（↑） |
| | 減少（↓） | 減少（↓） |
| 負相關 | 減少（↓） | 增加（↑） |
| | 增加（↑） | 減少（↓） |

▶即便在設立門市時造成話題，增加了乘客數，也無法解釋成業績上漲導致乘客數增加。因此可讀成乘客數（原因）→業績（結果）這種單向的關係。

這次的題目認為乘客數增加，業績就會跟著增加，所以「乘客數」與「銷售額」之間為正相關。此外，就經驗法則而言，乘客數的增加會導致來客數增加，所以業績會跟著上揚。在題目這種某種資料為原因，另一種資料為結果的情況下，這兩種資料之間就有所謂的因果關係。一旦因果關係成立，相關性也跟著成立。

● **散佈圖**

要判讀資料之間的傾向時，散佈圖是非常合適的。散佈圖繪製完成後，就能清楚讀出是往右上揚還是往右下垂的關係，或是隱約有線性的關係。若能清楚地判讀關係性，代表資料之間有「明顯的相關性」，若是無法清楚判讀，代表「相關性不明顯」。相關性的強弱稱為相關係數（r），這個係數的範圍介於 ±1，並以定量的方式呈現。

● 散佈圖與相關性的強度

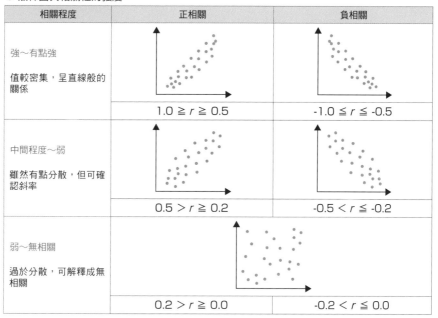

| 相關程度 | 正相關 | 負相關 |
|---|---|---|
| 強〜有點強<br><br>值較密集，呈直線般的關係 | $1.0 \geqq r \geqq 0.5$ | $-1.0 \leqq r \leqq -0.5$ |
| 中間程度〜弱<br><br>雖然有點分散，但可確認斜率 | $0.5 > r \geqq 0.2$ | $-0.5 < r \leqq -0.2$ |
| 弱〜無相關<br><br>過於分散，可解釋成無相關 | $0.2 > r \geqq 0.0$ | $-0.2 < r \leqq 0.0$ |

偏差值
▶明顯與其他資料不同，離得很遠的資料。在迴歸分析裡，會有許多讓分析結果錯亂的雜訊，所以若是發現這類雜訊，可在查明原因之後排除。

散佈圖除了可觀察相關性的有無，也可檢查是否有與其他資料明顯不同的資料。舉例來說，如下圖般發現偏差值時，可將滑鼠移到該偏差值確認資料內容與調查原因。之所以會出現偏差值，有可能是因為輸入錯誤或是有特別的原因與條件。如果判斷這筆資料不適合用於迴歸分析，可逕行刪除此筆資料。

● 透過散佈圖確認偏差

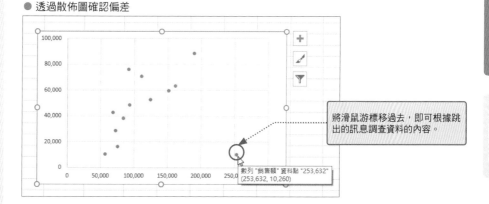

將滑鼠游標移過去，即可根據跳出的訊息調查資料的內容。

數列 "銷售額" 資料點 "253,632"
(253,632, 10,260)

● 迴歸方程式

迴歸方程式是代表資料關係性的公式，是以原因與結果呈直線般的關係為前提。由於是以原因說明結果的關係式，所以原因又稱為說明變數，結果則稱為目的變數。此外，直線般的關係又可稱為線性關係，若影響結果的原因只有一個，就可

159

稱為簡單迴歸。

$$y = ax+b \quad y: 結果 \quad x: 要因$$

以這次的題目而言，將新門市的乘客數輸入至迴歸方程式的 x，就能算出銷售額預測值的 y，這個結果比起「新門市與現存的○○門市擁有類似的條件，所以應該能創造相同的業績」這種不踏實的說法來得有說服力許多。

▶ 原因超過二個以上就稱為多元迴歸。
→ P.171

### ▶ 判斷迴歸方程式的適切性

代表資料關係的圖的直線稱為迴歸曲線。迴歸方程式是代表資料關係性的公式，所以就是迴歸曲線的公式。迴歸曲線會穿過資料的平均值，然後與散佈圖的每個資料點保持最小距離。使用 Excel 的時候，可追加「線性趨勢線」畫出迴歸曲線。不過，即便是保持最小距離，迴歸曲線的預測精準度仍受到相關性強弱的影響。因此，判斷迴歸方程式的適切性，也就是判斷迴歸方程式是否能用來預測的指標是必需的。

▶ 一如正方形與菱形是四方形的特殊形狀，直線也是曲線的特殊形狀，所以就算是直線也稱為迴歸曲線。

#### ● 相關係數

相關係數是以於 ±1 的範圍裡，以定量的方式代表相關性強度的值。負的相關性越強，就越接近 -1，正相關越明顯就越接近 +1。若無相關或是相關性極低時就會接近 0。即便以相關係數接近 0 的資料勉強繪製迴歸曲線，算出迴歸方程式，預測值的精確度也很低，也有可能低到無法參考。

▶ 相關係數可從決定係數換算，所以也可利用決定係數判斷迴歸方程式的適切性。

#### ● 決定係數（貢獻率）

決定係數（貢獻率）是代表迴歸方程式適切性的指標，通常介於 0～1 的範圍，越接近 1 代表迴歸公式越能說明資料。決定係數是相關係數的平方，所以也寫成 R 平方值。一般來說，決定係數高於 0.5（換算成相關係數大概是高於 0.7）的時候，代表迴歸方程式可用於計算預測值。此外，「0.5」的決定係數代表迴歸方程式可說明散佈圖裡一半以上的資料點。

▶ 要判斷迴歸方程式的適切性可觀察殘差。
→ P.167

## 實踐 ▶ ▶ ▶

### ▶ 準備的業務資料

範例
4-03

這次準備了現有門市的業績資料與最近車站的乘客數資料（參考→ P.157）。能參考的值越多，就越適合使用迴歸分析，但仍要視新門市的環境而定。這次預計要在站前設店，所以現有門市的資料也以站前的為準。假設能參考的現有門市較多，可收集靠近門市預定地，同規模、同業種的門市資料。

▶ Excel 的操作① ： 利用散佈圖調查相關係

根據車站乘客數與業績資料繪製散佈圖，再目視觀察相關性與偏差值。這次是根據經驗法則設定車站乘客數會對業績造成影響，所以散佈圖的橫軸設定為原因的車站乘客數，直軸設定為銷售額。

## 插入散佈圖

❶ 拖曳選取儲存格範圍「B2:C15」，再從「插入」索引標籤點選「插入XY散佈圖或泡泡圖」→「散佈圖」

❷ 插入散佈圖了。資料雖然有些散亂，但看得出是往右上揚升的關係性，也沒有發現偏差值。

▶ Excel 的操作② ： 在散佈圖繪製趨勢線

迴歸分析是以線性為前提，所以要在散佈圖繪製的趨勢線就是「線性趨勢線」。追加趨勢線的時候，可設定成在圖表裡顯示公式與 R 平方值。公式就是迴歸方程式，R 平方值就是決定係數。

## 追加線性趨勢線，顯示迴歸方程式與決定係數

▶可先設定適當的圖表標題與座標軸標籤。

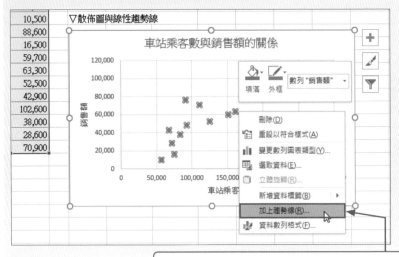

❶ 在散佈圖的資料點按下滑鼠右鍵，再點選「加上趨勢線」

❷ 在「趨勢線格式」作業視窗的「趨勢線選項」點選「線性」

Excel2007/2010
▶步驟❷、❸可在對話框裡執行。

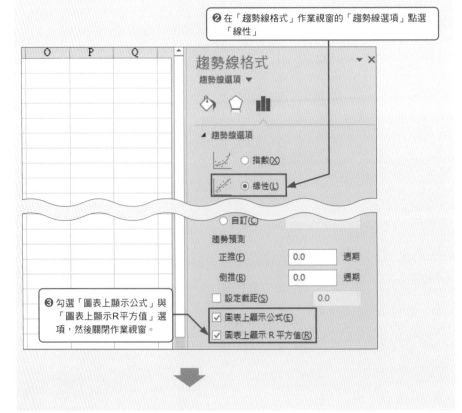

❸ 勾選「圖表上顯示公式」與「圖表上顯示R平方值」選項，然後關閉作業視窗。

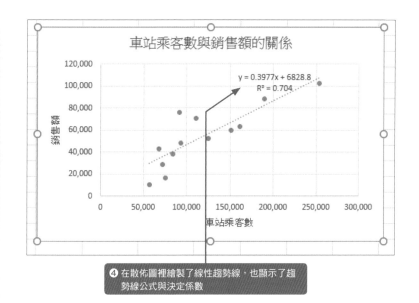

▶公式與 R 平方值可在點選後，拖曳框線移至方便閱讀的位置。此外，可利用「常用」索引標籤的「字型」功能表放大字型。

❹ 在散佈圖裡繪製了線性趨勢線，也顯示了趨勢線公式與決定係數

▶ Excel 的操作③： 算出新門市的銷售額

接著要根據剛剛在圖表新增的迴歸方程式計算新門市的銷售額預測值，確認預測值壓在趨勢線上，也要確認經過迴歸曲線規則的資料平均值。由於這次沒有新增計算平均值的欄位，所以使用空著的儲存格「B16」與「C16」計算。

### 根據車站乘客數預測新門市的業績

●在儲存格「G3」輸入的公式

| G3 | =0.3977*F3+6828.8 |
| --- | --- |

| | A | B | C | D | E | F | G |
| --- | --- | --- | --- | --- | --- | --- | --- |
| 1 | ▽現存門市資料 | | | | ▽業績預測 | | |
| 2 | 站前店 | 車站乘客數 | 銷售額 | | 門市 | 車站乘客數 | 銷售額預測 |
| 3 | A | 93,261 | 48,600 | | 新門市○ | 100,481 | 46,790 |
| 4 | B | 91,628 | 76,100 | | | | |
| 5 | C | 56,988 | 10,500 | | ▽散佈圖與線性趨勢線 | | |
| 6 | D | 189,897 | 88,600 | | | | |
| 7 | E | 75,839 | 16,500 | | | | |
| 8 | F | 151,310 | 59,700 | | | | |
| 9 | G | 161,454 | 63,300 | | | | |
| 10 | H | 124,765 | 52,500 | | | | |
| 11 | I | 68,224 | 42,900 | | | | |
| 12 | J | 253,632 | 102,600 | | | | |
| 13 | K | 83,838 | 38,000 | | | | |
| 14 | L | 72,304 | 28,600 | | | | |
| 15 | M | 110,877 | 70,900 | | | | |
| 16 | | | | | | | |
| 17 | | | | | | | |

❶ 在儲存格「G3」輸入公式，算出新門市的業績預測值

163

## 在圖表裡繪製預測值與平均值的點

●在儲存格「B16」輸入的公式

| B16 | =AVERAGE(B3:B15) |

❸點選「常用」索引標籤→「貼上▼」→「選擇性貼上」

❶拖曳選取儲存格「F3:G3」，再按下[Ctrl]+[C]鍵複製。

▶先在第 16 列建立平均值欄，於儲存格「B16」與「C16」計算平均值。在儲存格「B16」輸入 AVERAGE 函數之後，利用自動填滿功能複製到儲存格「C16」。

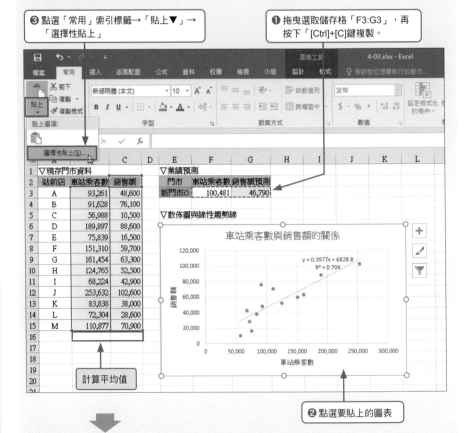

計算平均值

❷點選要貼上的圖表

▶這裡的首欄為儲存格「F3」的車站乘客數。「類別 X 值」指的是將數值設定為橫軸的意思。

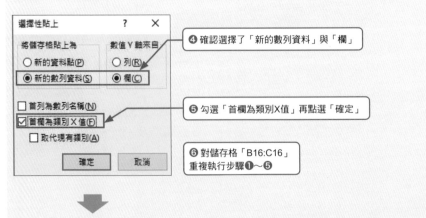

❹確認選擇了「新的數列資料」與「欄」

❺勾選「首欄為類別X值」再點選「確定」

❻對儲存格「B16:C16」重複執行步驟❶～❺

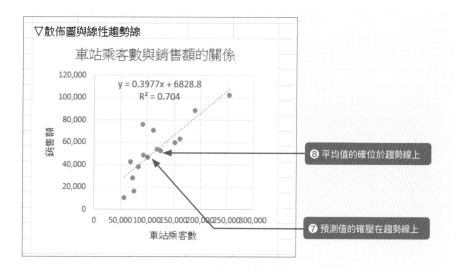

▽散佈圖與線性趨勢線

車站乘客數與銷售額的關係

$y = 0.3977x + 6828.8$
$R^2 = 0.704$

❽ 平均值的確位於趨勢線上

❼ 預測值的確壓在趨勢線上

▶ 判讀結果

假設車站乘客數會影響銷售額而進行迴歸分析之後，發現散佈圖呈右上揚升的正相關，所以也繪製了線性趨勢線，結果發現決定係數為「0.704」。

迴歸曲線經過資料的平均值，又能說明散佈圖裡七成的資料點，代表迴歸方程式可用於預測。

根據迴歸方程式計算預測值之後，新門市 O 的業績預測值為「46,790」。

● 與現存門市的比較

迴歸曲線雖可根據決定係數判斷可用於預測，但還是要比較新門市 O 與現有門市的銷售額。在 P.160 裡，光是與類似的現存門市比較有點不具說服力，不過在利用公式算出預測值之後，只要與現有門市的銷售額相同，就能用來佐證預測的精確度。

● 類似現有門市的銷售額與預測值的比較

| 站前店 | 車站乘客數 | 銷售額 |
|---|---|---|
| B | 91,628 | 76,100 |
| A | 93,261 | 48,600 |
| 新門市O | 100,481 | 46,790 |
| M | 110,877 | 70,900 |
| H | 124,765 | 52,500 |

根據上表可以發現，比起車站乘客數較少的 A 門市、B 門市，新門市 O 的業績預測值較低，無法完全替預測值的精確度佐證。此外，比起新門市 O 而言，車站乘客數多達 12 萬人的 H 門市業績又比其他門市低，車站乘客數沒什麼差距的 A 門市與 B 門市卻在業績有明顯差距。根據上述證據可判斷的是，除了車站乘客數之

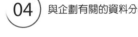

外，應該還有其他因素會影響業績。像這樣影響業績的原因或是說明業績的原因
有多個存在的情況，可實施多元迴歸分析。多元迴歸分析將於次節說明。

## 發展 ▶ ▶ ▶

### ▶ 利用函數判斷迴歸曲線的適切性，算出業績預測值

根據散佈圖確認相關性的有無與偏差值之後，接著可利用函數計算相關係數、決
定係數與預測值。

**CORREL 函數 ➡ 計算兩組資料的相關係數**

| 格 式 | = CORREL（陣列 1, 陣列 2） |
|---|---|
| 解 說 | 將兩組資料的儲存格範圍分別指定為陣列 1 與陣列 2，計算相關係數。 |
| 補充1 | 儲存格範圍裡的每個儲存格都是互相對應的，所以陣列 1 與陣列 2 必須是相同欄數 × 相同列數。 |
| 補充2 | 前提是不知道原因與結果的關係，所以陣列 1 與陣列 2 的儲存格範圍對調也會算出相同的結果。 |

**RSQ 函數 ➡ 計算線性趨勢線的決定係數**

▶已知的 x 可指定現存門市的車站乘客數，已知的 y 可指定現存門市的銷售額的儲存格範圍。

| 格 式 | = RSQ（已知的 y, 已知的 x） |
|---|---|
| 解 說 | 以已知的 y 與已知的 x 呈線性關係為前提，計算迴歸曲線的適切性，再於 0～1 的範圍呈現。這就是當已知的 x 產生變化，已知的 y 也會跟著受到影響的關係。 |

**FORECAST 函數 ➡ 計算線性趨勢線的預測值**

▶已知的 x 可指定現存門市的車站乘客數，已知的 y 可指定現存門市的銷售額的儲存格範圍，x 則可指定新門市的車站乘客數。

| 格 式 | = FORECAST（x, 已知的 y, 已知的 x） |
|---|---|
| 解 說 | 以已知的 y 與已知的 x 呈線性關係為前提，對指定的 x 計算 y。由於已知的 x 可說明已知的 y，所以 x 與已知的 x 是同一種資料，y 與已知的 y 是同一種資料。 |
| 補充1 | Excel2016 雖將此函數更名為 FORECAST.LINE，但仍然可使用 FORECAST 函數。 |

範例
4-03- 發展

### 利用函數計算相關係數、決定係數與預測值

●在儲存格「F2」、「F3」、「G7」輸入的公式

| F2 | =CORREL(B3:B15,C3:C15) | F3 | =RSQ(C3:C15,B3:B15) |
|---|---|---|---|
| G7 | =FORECAST(F7,C3:C15,B3:B15) | | |

▶迴歸方程式的業績預測值為「46,790」，比函數的結果高出「3」。出現這種差距的原因在於迴歸方程式的數值位數與函數內部使用的數值位數不同。

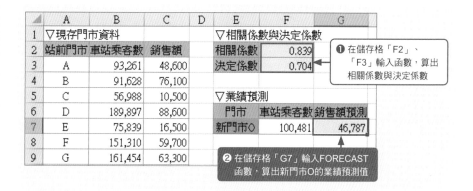

### ▶ 根據殘差判斷迴歸方程式的適切性

殘差指的是資料與迴歸曲線的距離。舉例來說，A 門市的車站乘客數為「93,261」，銷售額為「48,600」，但是根據迴歸方程式算出的銷售額為「0.3977×93.261+6828.8」，也就是「43,919」。因此業績殘差為「48,600-43,919」，也就是「4,681」。這類殘差出現在各現存門市的資料裡。

● 殘差

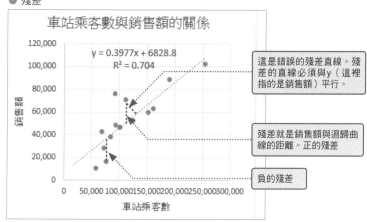

迴歸曲線不是為了好看才畫的直線，而是透過資料的平均值，讓各資料點的殘差縮至最小的直線。嚴格來說，殘差平方的合計就是最小的直線。將殘差乘以平方是為了只是加總殘差，會讓位於迴歸曲線上方的正殘差與位於下方的負殘差彼此抵銷，算出 0 的結果。此外，殘差合計為 0 就是代表迴歸曲線經過資料平均值的證據。

只要迴歸曲線有其適切性，殘差就具有下列的性質。

### ● 殘差的平均值為 0

只要迴歸曲線經過資料的平均值，殘差的合計應該會為 0。殘差的合計為 0 時，平均值也將為 0。

### ● 殘差與原因無相關

繪製殘差與要因資料的散佈圖，確認兩者之間有某種關係存在時，就代表無法利用原因說明結果。這次的殘差與車站乘客數不能說是無相關，所以代表無法以車站乘客數完整說明銷售額。

### ● 殘差呈常態分佈

殘差就是有點誤差的意思，所以誤差的分佈是呈常態分佈。之所以不能以誤差一語道盡，是因為迴歸曲線本身就不是能完美預測銷售額的線。誤差就是實測值與正確值（理論值）的差距。根據迴歸方程式算出來的值絕非正確解答。此外，若要確認是否為常態分佈，可繪製常態分佈圖表，確認殘差是否趨近直線。

一如 A 門市所示，殘差可利用「實際的資料－迴歸式的計算值」計算，但是若使用分析工具，就能同時輸出殘差、殘差與原因的散佈圖與常態機率圖。

常態分佈
▶各資料在資料的平均值周圍均等分佈的狀態。通常會是左右對稱的山形。

### 利用分析工具輸出殘差、殘差圖表與常態機率圖

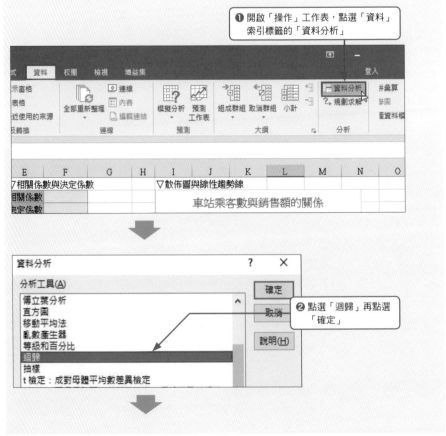

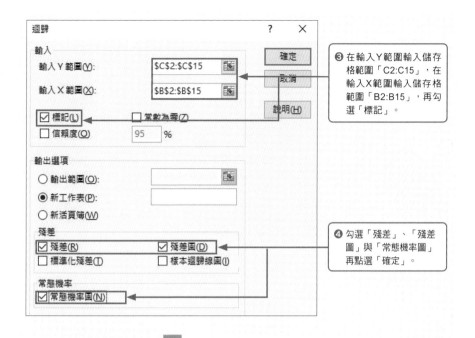

▶輸入 Y 範圍指定的是現存門市的銷售額儲存格範圍，輸入 X 範圍則是現存門市的車站乘客數儲存格範圍。指定時，會自動以絕對參照的方式指定。由於儲存格「C2」與儲存格「B2」都是項目名稱，所以需要勾選「標記」。

❸ 在輸入Y範圍輸入儲存格範圍「C2:C15」，在輸入X範圍輸入儲存格範圍「B2:B15」，再勾選「標記」。

❹ 勾選「殘差」、「殘差圖」與「常態機率圖」再點選「確定」。

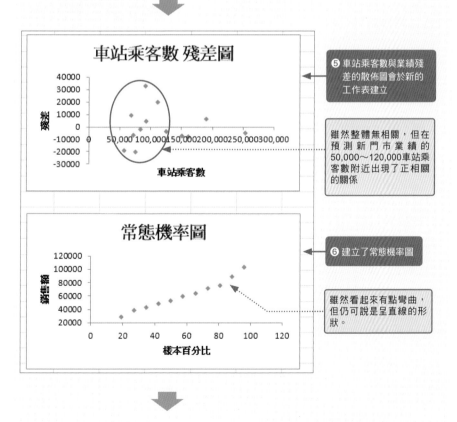

▶車站乘客數與業績殘差的散佈圖、常態機率圖會重疊，請將兩者適當地分開。

❺ 車站乘客數與業績殘差的散佈圖會於新的工作表建立

雖然整體無相關，但在預測新門市業績的50,000～120,000車站乘客數附近出現了正相關的關係

❻ 建立了常態機率圖

雖然看起來有點彎曲，但仍可說是呈直線的形狀。

| C38 | ▼ | : | × | ✓ | fx | =AVERAGE(C25:C37) |
|---|---|---|---|---|---|---|

| | A | B | C | D | E | F |
|---|---|---|---|---|---|---|
| 22 | 殘差輸出 | | | | 機率輸出 | |
| 23 | | | | | | |
| 24 | 觀察值 | 測為 銷售 | 殘差 | | 百分比 | 銷售額 |
| 25 | 1 | 43915.48 | 4684.521 | | 3.846154 | 10500 |
| 26 | 2 | 43266.09 | 32833.91 | | 11.53846 | 16500 |
| 27 | 3 | 29490.96 | -18991 | | 19.23077 | 28600 |
| 28 | 4 | 82344.28 | 6255.717 | | 26.92308 | 38000 |
| 29 | 5 | 36987.35 | -20487.4 | | 34.61538 | 42900 |
| 30 | 6 | 66999.56 | -7299.56 | | 42.30769 | 48600 |
| 31 | 7 | 71033.48 | -7733.48 | | 50 | 52500 |
| 32 | 8 | 56443.53 | -3943.53 | | 57.69231 | 59700 |
| 33 | 9 | 33959.13 | 8940.872 | | 65.38462 | 63300 |
| 34 | 10 | 107689.5 | -5089.49 | | 73.07692 | 70900 |
| 35 | 11 | 40168.28 | -2168.28 | | 80.76923 | 76100 |
| 36 | 12 | 35581.6 | -6981.6 | | 88.46154 | 88600 |
| 37 | 13 | 50920.75 | 19979.25 | | 96.15385 | 102600 |
| 38 | | 殘差平均 | 0 | | | |
| 39 | | | | | | |

❼ 在儲存格「C38」輸入「=AVERAGE(C25:C37)」，
計算殘差的平均值，確認計算結果為「0」。

▶ **類似的分析範例**

迴歸分析可於有相關的資料之間使用。此外，原因與結果的關係可根據經驗法則判斷。以下的⑥與⑦雖是「滿意」、「不滿意」、「晴天」、「雨天」這種定性資料，但只要經過量化就能於迴歸分析使用。使用定性資料進行的迴歸分析將於P.185 解說。

①來客數與銷售額的關係
②佈單廣告面積與商品銷售數量的關係
③停車場車位數與銷售額的關係
④門市面積與銷售額的關係
⑤氣溫與商品銷售數量的關係
⑥顧客滿意度與回頭客數量的關係
⑦天氣與銷售數量的關係

# 04 根據多種資料預測新門市的銷售額

要提升銷售額，大前提當然是商品與服務很有吸引力，但是門市的地點也會影響銷售額的高低。想知道車站乘客數這類資料能否說明業績時，可利用將重點放在說明資料關係的迴歸分析。這次要將說明業績的資料增加至兩種以上，藉此預測新門市的銷售額。

## 導入 ▶ ▶ ▶

**實 例** 「想透過影響業績的原因預測新門市的銷售額」

在連鎖餐廳企劃室服務的 K 先生想利用車站乘客數說明站前新門市的銷售額預測值，所以進行了迴歸分析，最後卻得到只有車站乘客數無法完整說明的結論（→ 4-03 節 P.165）。因此他收集了下列的資料，希望提升銷售額預測值的精確度。

收集的資料能否都用於預測銷售額呢？此外，銷售額預測值又是多少？

● 有可能會影響現存站前門市的銷售額與業績的資料

| | A | B | C | D | E | F | G | H |
|---|---|---|---|---|---|---|---|---|
| 1 | ▽現存門市的資料與原因資料 | | | | | | | |
| 2 | 站前門市 | 銷售額 | 車站乘客數 | 與車站的距離 | 午間人數 | 座位數 | 員工人數 | 門市坪數 |
| 3 | A | 48,600 | 93,261 | 80 | 92,625 | 28 | 6 | 20 |
| 4 | B | 76,100 | 91,628 | 50 | 428,025 | 36 | 7 | 30 |
| 5 | C | 10,500 | 56,988 | 150 | 87,750 | 16 | 4 | 10 |
| 6 | D | 88,600 | 189,897 | 55 | 316,750 | 42 | 8 | 40 |
| 7 | E | 16,500 | 75,839 | 200 | 59,475 | 22 | 5 | 20 |
| 8 | F | 59,700 | 151,310 | 40 | 150,150 | 32 | 6 | 30 |
| 9 | G | 63,300 | 161,454 | 70 | 228,175 | 38 | 7 | 30 |
| 10 | H | 52,500 | 124,765 | 55 | 281,350 | 34 | 6 | 30 |
| 11 | I | 42,900 | 68,224 | 90 | 194,300 | 28 | 5 | 22 |
| 12 | J | 102,600 | 253,632 | 30 | 278,550 | 48 | 9 | 42 |
| 13 | K | 38,000 | 83,838 | 100 | 212,125 | 30 | 6 | 28 |
| 14 | L | 28,600 | 72,304 | 125 | 153,575 | 20 | 4 | 18 |
| 15 | M | 70,900 | 110,877 | 45 | 200,100 | 30 | 6 | 28 |
| 16 | 新門市O | | 100,481 | 80 | 150,150 | 32 | 6 | 30 |
| 17 | | | | | | | | |

▶ **利用多元迴歸分析求出影響業績的原因與銷售額的關係式**

影響業績或是說明業績的資料只有一種時的分析稱為簡單迴歸分析，而說明的資料超過兩種時，則稱為多元迴歸分析。說明目的與目的的資料在多元迴歸分析之

中也呈線性，換言之，就是以直線的關係為前提。因此，迴歸方程式如下。

$$y = a_1 \times x_1 + a_2 \times x_2 + \cdots + a_n \times x_n + b \qquad y: 結果（目的）\quad x_n: 原因（說明）$$

### ● 找出多元迴歸分析裡的偏差值

要找出偏差值可先繪製橫軸為原因、直軸為目的的散佈圖，然後找出明顯與其他資料不同的點，但散佈圖是代表兩組資料的關係性的圖表。由多種原因與業績的關係整理而成的散佈圖不會顯示偏差值。因此，要根據每個原因與目的繪製多張散佈圖，再從中找出偏差值。這次的範例以車站乘客數與銷售額、車站距離與銷售額、午間人數與銷售額的模式收集了要因資料，所以可根據這些要因資料與銷售額繪製散佈圖，再從中確認是否出現了偏差值。找出偏差值的時候，可利用P.12、29、159 的方法進行後續的處理。

### ▶ 利用分析工具算出迴歸方程式

用於說明的資料若只有一種，可在散佈圖繪製線性趨勢線，顯示趨勢線的公式，就能得到迴歸方程式（P.162），但是當用於說明的資料超過兩種，就無法繪製散佈圖，所以就得利用分析工具得到迴歸方程式。

### ● 以分析工具的「迴歸」得到的值與值的判讀方法

以下的圖與表格都是針對車站乘客數與銷售額的關係，利用分析工具的「迴歸」分析所得的值以及值的判讀方法。此外，代表車站乘客數與銷售額關係的迴歸方程式與決定係數可利用散佈圖的趨勢線求得（P.163），所以請利用分析工具的結果與散佈圖的趨勢線進行比較。

● 分析工具「迴歸」的結果

| | A | B | C | D | E | F | G | H |
|---|---|---|---|---|---|---|---|---|
| 1 | 摘要輸出 | | | | | | | |
| 2 | | | | | | | | |
| 3 | 迴歸統計 | | | | | | | |
| 4 | R 的倍數 | 0.839036 | | | | | | |
| 5 | R 平方 | 0.703981 | | | | | | |
| 6 | 調整的 R 平方 | 0.67707 | | | | ❶ | | |
| 7 | 標準誤 | 15393.71 | | | | ❻ | | |
| 8 | 觀察值個數 | 13 | | | | | | |
| 9 | | | | | | | | |
| 10 | ANOVA | | | | | | | |
| 11 | | 自由度 | SS | MS | F | 顯著值 | | |
| 12 | 迴歸 | 1 | 6.2E+09 | 6.2E+09 | 26.15975 | 0.000336 | ❸ | |
| 13 | 殘差 | 11 | 2.61E+09 | 2.37E+08 | | | | |
| 14 | 總和 | 12 | 8.81E+09 | | | | | |
| 15 | | | | | | | | |
| 16 | | 係數 | 標準誤 | t統計 | P-值 | 下限 95% | 上限 95% | 下限 95.0%上 |
| 17 | 截距 | 6828.796 | 10119.38 | 0.674824 | 0.513721 | -15443.8 | 29101.4 | -15443.8 |
| 18 | 車站乘客數 | 0.397666 | 0.07775 | 5.11466 | 0.000336 | 0.226539 | 0.568792 | 0.226539 |

❷ ❹ ❺

▶ R 平方就是 P.163 的散佈圖裡的 $R^2$。

▶ 係數可讀為 y=0.3977666×x + 6828.796，x 指的是車站乘客數，與 P.163 的散佈圖的公式對應。

● 分析工具所得的重點值與值的判讀方法

| No | 指標名稱 | 內容 |
|---|---|---|
| ❶ | 調整的R平方 | 以0～1說明迴歸方程式的適切性。數值代表的是能以迴歸方程式說明的資料比例。假設調整的R為0.5，代表迴歸方程式可說明一半的實際資料。一般而言，隨著說明結果的原因種類增加，決定係數R也會更接近1，代表容易誤判。因此，多元迴歸分析才會以調整的R判斷迴歸方程式的適切性。 |
| ❷ | 係數 | 迴歸方程式的係數。與趨勢方程式的對應關係相同。 |
| ❸ | 顯著值 | 在了解分析結果有5%誤差的情況下使用時，可說成顯著水準5%或是風險率5%。顯著值若是低於0.05，在顯著水準5%的情況下可判斷為顯著結果。簡單迴歸分析的顯著值與原因的P值將會一致。 |
| ❹ | t統計 | 代表的是原因的影響度。正相關的時候此值為正，負相關的時候此值為負，所以t統計值只看大小（絕對值）。t統計值大於2的原因代表原因具有影響力。 |
| ❺ | P值 | 是各原因的顯示值。各原因的P可觀察是否低於顯著水準。設定顯著水準為5%時，原因的P值若高於0.05，代表此原因用來說明結果的風險率很高。 |
| ❻ | 標準差 | 殘差的標準差。值越小代表越少變動，精確度越佳。 |

▶❹：車站乘客數的t統計值約為大於2的5.11，代表對業績有很大的影響。

殘差
▶實際值與迴歸方程式求得的值的差距。

## ▶ 分辨可使用的原因與不可使用的原因

不管是簡單迴歸分析還是多元迴歸分析，都可透過決定係數確認迴歸方程式的適切性。簡單迴歸分析是確認決定係數（R平方值）是於高於0.5，而多元迴歸分析則是觀察「調整的R平方」這個決定係數是否高於0.5。

使用多元迴歸分析時，除了決定係數之外，還必須調整用於說明目的的各種原因是否會對迴歸分析造成不良的影響。多元迴歸分析的迴歸方程式是將原因 $x_1$～$x_n$ 視為不同的原因，而且彼此無關聯，所以，若是原因之間具有高度關聯，將會對分析造成不良影響。

▶要因資料是說明目的的資料，所以也被稱為說明變數，而原因1～原因n互無關係且彼此獨立，所以也稱為獨立變數。

$$y = a_1 \times x_1 + a_2 \times x_2 + \cdots + a_n \times x_n + b \qquad y: 結果（目的） \quad x_n: 原因（說明）$$

看似彼此不同的元素若是本質相同，或是上述的迴歸方程式「$y=n \times a_1 \times x_1 + b$」裡出現相同的原因，而且造成多重的影響，這種迴歸分析就失去可信度。

這種因為原因之間高度關聯而對分析造成不良影響的問題稱為多元共線性。要了解是否具有多元共線性，必須確認原因之間的相關係數。當相關係數高於0.9，就可判斷存在多元共線性，此時必須將某一項原因排除。若是其他原因也存在多元共線性，卻仍然進行迴歸分析，就會出現下列症狀：

· 原因明明是正（負）相關，係數的符號卻反轉
· 調整的R平方是正向的結果，t統計值卻過小
· 可使用的原因的P值超過5%

▶▶▶ 實踐

### ▶ 準備的業務資料

這次準備了多筆現存門市的業績資料與說明業績的要因資料,其中包含車站乘客數、與車站的距離、午間人數、座位數、員工人數、門市坪數(參考→ P.171)。多元迴歸分析可同時以來客數、代表距離的公尺、代表門市面積的坪數這種不同單位的資料進行分析,而且也能確認偏差值。

### ▶ Excel 的操作① : 對要因資料進行相關分析

為了確認是否出現多元共線性,所以要先計算原因之間的相關係數。利用「分析工具」的「相關係數」,即可同時算出原因之間的相關係數。

### 計算原因之間的相關係數

▶分析工具若顯示了於分析指定的儲存格或儲存格範圍,則啟用中儲存格可以是任意的儲存格。

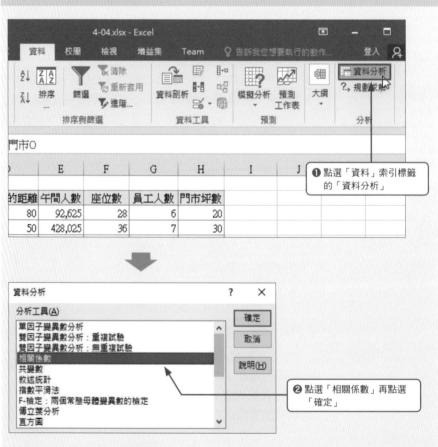

▶這次也要計算業績（目的）與各原因的相關係數，所以銷售額也納入「輸入範圍」之內。

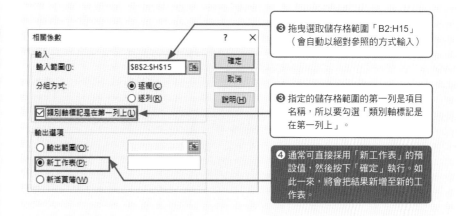

❸ 拖曳選取儲存格範圍「B2:H15」（會自動以絕對參照的方式輸入）

❸ 指定的儲存格範圍的第一列是項目名稱，所以要勾選「類別軸標記是在第一列上」。

❹ 通常可直接採用「新工作表」的預設值，然後按下「確定」執行。如此一來，將會把結果新增至新的工作表。

### ▶ 判讀結果① ：原因之間的相關係數

相關係數的計算結果如下。分析工具不會按照項目名稱的長度調整欄寬，建議先適當地調整欄寬。

● 銷售額與各原因的相關係數以及原因之間的相關係數

| | A | B | C | D | E | F | G | H |
|---|---|---|---|---|---|---|---|---|
| 1 | | 銷售額 | 車站乘客數 | 與車站的距離 | 午間人數 | 座位數 | 員工人數 | 門市坪數 |
| 2 | 銷售額 | 1 | | | | | | |
| 3 | 車站乘客數 | 0.839035606 | 1 | | | | | |
| 4 | 與車站的距離 | -0.869210142 | -0.651423596 | 1 | | | | |
| 5 | 午間人數 | 0.733200124 | 0.432600249 | -0.671456642 | 1 | | | |
| 6 | 座位數 | 0.938650198 | 0.886620945 | -0.782826266 | 0.7244433 | 1 | | |
| 7 | 員工人數 | 0.924386462 | 0.883349764 | -0.70774507 | 0.663704096 | 0.972487688 | 1 | |
| 8 | 門市坪數 | 0.914736736 | 0.874673777 | -0.746453198 | 0.707832055 | 0.962096899 | 0.930508216 | 1 |
| 9 | | | | | | | | |

顯示銷售額與各原因之間具有高度相關

座位數與車站乘客數的相關係數接近0.9

代表超過0.9以上的高度相關

### ● 目的與各原因的相關係數

假設會對銷售額（目的）與業績造成影響而收集的各種資料（原因）之間呈現高度相關，所以可解釋成收集到的資料都對業績產生影響。在收集資料之中，「與車站的距離」呈現負相關，代表門市離車站越遠，越會對業績造成負面影響。

### ● 原因之間的相關係數

座位數與員工人數、座位數與門市坪數、員工人數與門市坪數的相關係數都超過0.9，代表多元共線性存在。就經驗法則而言，門市的大小與座位數是呈正比的，座位數越多，通常員工人數也越多，所以才會出現所謂的多元共線性。門市的面積與人數雖然是不同的資料，但本質上卻是相同，所以這次只保留與銷售額最相

關的「座位數」，將「員工人數」與「門市坪數」排除自原因之外。

將注意力放在保留的「座位數」之後，會發現「座位數」與「車站乘客數」的相關係數接近 0.9，兩者之間有可能存在多元共線性，所以要一邊考慮排除其中之一，一邊進行多元迴歸分析。

### ▶ Excel 的操作② ： 進行多元迴歸分析

使用分析工具的「迴歸」功能的時候，於「輸入 X 範圍」指定的要因資料必須指定為連續範圍，無法分開範圍指定，所以若是要排除的原因夾在要指定的資料之間，可在分析之前先移動資料。這次要利用下列五種原因的模式進行迴歸分析。由於操作方法都一樣，所以只解說①的步驟，並將分析結果列在 P.177～179 裡。

> ▶④的「與車站的距離」與「座位數」的資料並不相鄰，建議將「座位數」移動至「午間人數」左側，形成連續的儲存格範圍。

① 「車站乘客數」、「與車站的距離」、「午間人數」、「座位數」
② 「車站乘客數」、「與車站的距離」、「午間人數」
③ 「與車站的距離」、「午間人數」、「座位數」
④ 「與車站的距離」、「座位數」
⑤ 「與車站的距離」、「車站乘客數」

### 利用分析工具進行多元迴歸分析

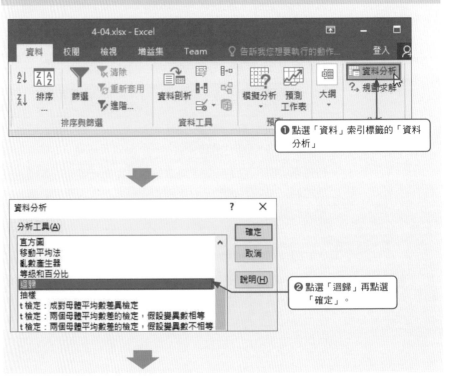

❶ 點選「資料」索引標籤的「資料分析」

❷ 點選「迴歸」再點選「確定」。

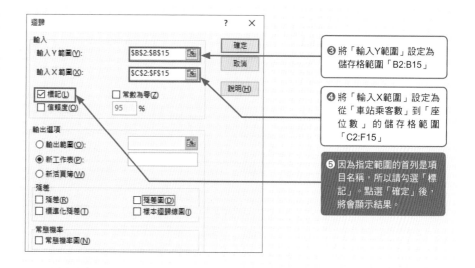

❸ 將「輸入Y範圍」設定為儲存格範圍「B2:B15」

❹ 將「輸入X範圍」設定為從「車站乘客數」到「座位數」的儲存格範圍「C2:F15」

❺ 因為指定範圍的首列是項目名稱，所以請勾選「標記」。點選「確定」後，將會顯示結果。

▶ 分析結果將自動新增至新的工作表，並從新增的工作表的儲存格「A1」開始顯示。

▶ 判讀結果② ： 決定能解釋銷售額的原因

五種模式的分析結果如下。

● ①「車站乘客數」、「與車站的距離」、「午間人數」、「座位數」

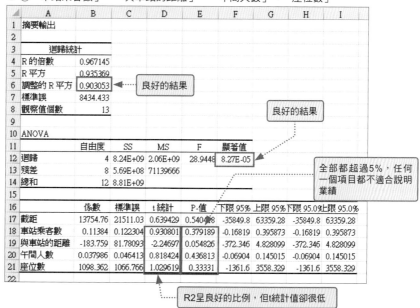

良好的結果

良好的結果

全部都超過5%，任何一個項目都不適合說明業績

R2呈良好的比例，但t統計值卻很低

調整的 R 平方代表的是極佳的適切性，但 t 統計值很低，每個原因的 P 值都超過 5%，代表發生了多元共線性。「車站乘客數」與「座位數」的相關係數過度就是發生多元共線性的原因。在發生多元共線性的狀態下進行迴歸分析，就會導致於簡單迴歸分析使用的「車站乘客數」也被視為不適切的原因。

● ②以「車站乘客數」、「與車站的距離」、「午間人數」為原因的情況

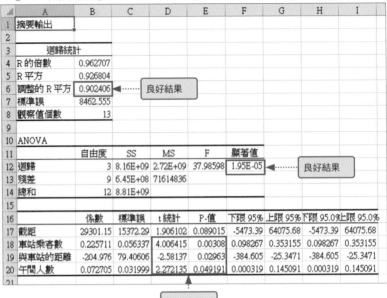

調整的 R 平方為 0.9，代表適切性極高，t 統計值也大於 2，P 值也全部低於 5%。此外，顯著值也低於 5%，代表迴歸方程式具有顯示性，也代表「車站乘客數」、「與車站的距離」、「午間人口」可用來解釋業績。

● ③以「與車站的距離」、「午間人數」、「座位數」為原因的情況

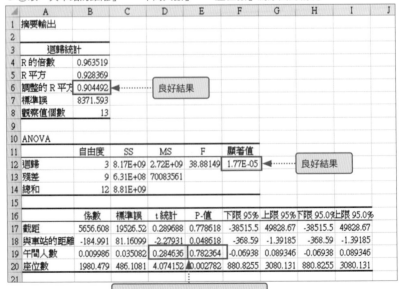

以「與車站的距離」、「午間人數」、「座位數」為原因時，「午間人數」不適合作為解釋業績的原因，若想將「午間人數」當成解釋業績的原因使用時，可套用②的模式。

● ④以「車站乘客數」、「與車站的距離」為原因的情況

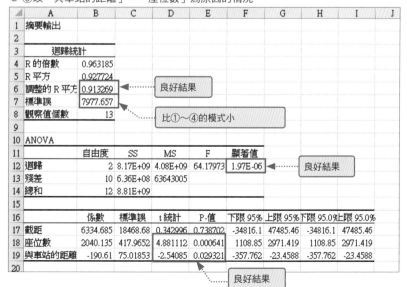

| | A | B | C | D | E | F | G | H | I |
|---|---|---|---|---|---|---|---|---|---|
| 1 | 摘要輸出 | | | | | | | | |
| 2 | | | | | | | | | |
| 3 | | 迴歸統計 | | | | | | | |
| 4 | R 的倍數 | 0.940647 | | | | | | | |
| 5 | R 平方 | 0.884818 | | | | | | | |
| 6 | 調整的 R 平方 | 0.861781 | | 良好結果 | | | | | |
| 7 | 標準誤 | 10071.01 | | | | | | | |
| 8 | 觀察值個數 | 13 | | | | | | | |
| 9 | | | | | | | | | |
| 10 | ANOVA | | | | | | | | |
| 11 | | 自由度 | SS | MS | F | 顯著值 | | | |
| 12 | 迴歸 | 2 | 7.79E+09 | 3.9E+09 | 38.40939 | 2.03E-05 | 良好結果 | | |
| 13 | 殘差 | 10 | 1.01E+09 | 1.01E+08 | | | | | |
| 14 | 總和 | 12 | 8.81E+09 | | | | | | |
| 15 | | | | | | | | | |
| 16 | | 係數 | 標準誤 | t統計 | P-值 | 下限 95% | 上限 95% | 下限 95.0% | 上限 95.0% |
| 17 | 截距 | 53052.22 | 13413.38 | 3.955172 | 0.002708 | 23165.35 | 82939.09 | 23165.35 | 82939.09 |
| 18 | 車站乘客數 | 0.224618 | 0.067043 | 3.35036 | 0.007361 | 0.075237 | 0.373998 | 0.075237 | 0.373998 |
| 19 | 與車站的距離 | -307.749 | 77.66871 | -3.96233 | 0.002676 | -480.805 | -134.692 | -480.805 | -134.692 |

良好結果

調整的 R 平方、顯著值、t 統計值、P 值都為良好結果，代表「車站乘客數」、「與車站的距離」都可用來解釋業績。決定係數有原因越多，越接近 1 的傾向。調整的 R 之所以比①②③的模式還低，應該是作為原因的資料數減少所導致。

● ⑤以「與車站的距離」、「座位數」為原因的情況

| | A | B | C | D | E | F | G | H | I | J |
|---|---|---|---|---|---|---|---|---|---|---|
| 1 | 摘要輸出 | | | | | | | | | |
| 2 | | | | | | | | | | |
| 3 | | 迴歸統計 | | | | | | | | |
| 4 | R 的倍數 | 0.963185 | | | | | | | | |
| 5 | R 平方 | 0.927724 | | | | | | | | |
| 6 | 調整的 R 平方 | 0.913269 | | 良好結果 | | | | | | |
| 7 | 標準誤 | 7977.657 | | | | | | | | |
| 8 | 觀察值個數 | 13 | | 比①～④的模式小 | | | | | | |
| 9 | | | | | | | | | | |
| 10 | ANOVA | | | | | | | | | |
| 11 | | 自由度 | SS | MS | F | 顯著值 | | | | |
| 12 | 迴歸 | 2 | 8.17E+09 | 4.08E+09 | 64.17973 | 1.97E-06 | 良好結果 | | | |
| 13 | 殘差 | 10 | 6.36E+08 | 63643005 | | | | | | |
| 14 | 總和 | 12 | 8.81E+09 | | | | | | | |
| 15 | | | | | | | | | | |
| 16 | | 係數 | 標準誤 | t統計 | P-值 | 下限 95% | 上限 95% | 下限 95.0% | 上限 95.0% | |
| 17 | 截距 | 6334.685 | 18468.68 | 0.342996 | 0.738702 | -34816.1 | 47485.46 | -34816.1 | 47485.46 | |
| 18 | 座位數 | 2040.135 | 417.9652 | 4.881112 | 0.000641 | 1108.85 | 2971.419 | 1108.85 | 2971.419 | |
| 19 | 與車站的距離 | -190.61 | 75.01853 | -2.54085 | 0.029321 | -357.762 | -23.4588 | -357.762 | -23.4588 | |
| 20 | | | | | | | | | | |

良好結果

「與車站的距離」、「座位數」可用來解釋業績。於上述五種模式實施多元迴歸分析之後,可用來解釋業績的模式為②④⑤。其中,調整的 R 平方最佳的模式是⑤,也就是以「車站乘客數」與「座位數」為原因的情況。此外,⑤的標準差也比起其他模式低,所以可利用⑤預測業績。

---

> MEMO　**說明目的的資料數**
>
> 這次覺得只用一種資料說明業績不充分,所以才準備了六種要因資料,但又因為多元共線性而減少了原因。此外,於五種模式進行多元迴歸分析之後,比起使用三種原因的模式,反而採用了只使用兩種原因的模式。與設店地點有關的資料太多是減少要因資料的理由,但是,兩種原因比三種原因還好的判斷也恰恰證明說明目的的原因不一定越多越好。現在是只要想收集資料,不管多少都能收集的時代,所以,若已取得很多資料,資料的取捨也就相形重要。

---

▶ **Excel 的操作③:預測新門市的業績**

接著根據模式⑤的係數預測業績。迴歸方程式如下:

業績預測值 ＝ 2040.135× 座位數－190.61× 與車站的距離＋ 6334.685

**計算新門市 O 的業績預測值**

●在儲存格「B16」輸入的公式

| B16 | =2040.135*E16-190.61*D16+6334.685 |

▶為了實施模式⑤的多元迴歸分析,所以將座位數與午間人數的資料對調,所以指定座位數時,必須指定儲存格「E16」。

| | A | B | C | D | E | F | G |
|---|---|---|---|---|---|---|---|
| 1 | ▽現存門市的資料與原因資料 | | | | | | |
| 2 | 站前門市 | 銷售額 | 車站乘客數 | 與車站的距離 | 座位數 | 午間人數 | 員工人數 |
| 16 | 新門市O | 56,370 | 100,481 | 80 | 32 | 150,150 | 6 |
| 17 | | | | | | | |

❶ 在儲存格「B16」輸入迴歸方程式,算出新門市的業績預測

▶ **判讀結果③ : 統整**

在進行簡單迴歸分析時,我們根據「車站乘客數與銷售額」的迴歸方程式預測到新門市 O 的業績為「46,790」,但是以「與車站的距離」以及「座位數」這兩個原因預測新門市的業績之後,卻得到「56,370」的結果。若是依照銷售額由高至低的順序排序門市,會得到下列的結果。

● 由高至低排序銷售額

| | A | B | C | D | E | F | G | |
|---|---|---|---|---|---|---|---|---|
| 1 | ▽現存門市的資料與原因資料 | | | | | | | |
| 2 | 站前門市 | 銷售額 | 車站乘客數 | 與車站的距離 | 座位數 | 午間人數 | 員工人數 | 門市 |
| 3 | J | 102,600 | 253,632 | 30 | 48 | 278,550 | 9 | |
| 4 | D | 88,600 | 189,897 | 55 | 42 | 316,750 | 8 | |
| 5 | B | 76,100 | 91,628 | 50 | 36 | 428,025 | 7 | |
| 6 | M | 70,900 | 110,877 | 45 | 30 | 200,100 | 6 | |
| 7 | G | 63,300 | 161,454 | 70 | 38 | 228,175 | 7 | |
| 8 | F | 59,700 | 151,310 | 40 | 32 | 150,150 | 6 | |
| 9 | 新門市O | 56,370 | 100,481 | 80 | 32 | 150,150 | 6 | |
| 10 | H | 52,500 | 124,765 | 55 | 34 | 281,350 | 6 | |
| 11 | A | 48,600 | 93,261 | 80 | 28 | 92,625 | 6 | |
| 12 | I | 42,900 | 68,224 | 90 | 28 | 194,300 | 5 | |
| 13 | K | 38,000 | 83,838 | 100 | 30 | 212,125 | 6 | |
| 14 | L | 28,600 | 72,304 | 125 | 20 | 153,575 | 4 | |
| 15 | E | 16,500 | 75,839 | 200 | 22 | 59,475 | 5 | |
| 16 | C | 10,500 | 56,988 | 150 | 16 | 87,750 | 4 | |
| 17 | | | | | | | | |

車站乘客數雖然低於10萬，但是業績卻不錯

車站乘客數無法解釋業績

一開始以為「車站乘客數」可用來解釋業績，整體而言，車站乘客數越多，業績的確有越高的傾向，但是，也出現了相反的情況。相較於「車站乘客數」，「與車站的距離」反而是更為強烈的因素，距離車站越遠，越會對業績造成負面影響，此外也清楚地看出「座位數」越多，對業績越會造成正面的影響，所以屬於正面因素。

現存門市的「I」、「K」、「L」、「E」雖然無法以「車站乘客數」說明業績，但是「與車站的距離」以及「座位數」的傾向卻是一致，此外B門市的車站乘客數雖然低於10萬，但是若能加上距離車站較近、座位數這兩種原因，就能更清楚地解釋業績。

承上，只要加上「與車站的距離」以及「座位數」這兩種因素，對於新門市的解釋就不會與現有門市的業績產生矛盾，「56,370」也可作為新門市O的業績標準使用。

## 發展 ▶ ▶ ▶ ▶

▶ 確認殘差圖表

▶殘差圖表的輸出發法
→ P.168

「與車站的距離」以及「座位數」的殘差圖表如下。請與 P.169 的「車站乘客數」的殘差圖表比較。從中可以發現「與車站的距離」與「座位數」比「車站乘客數」更無相關。與其利用「車站乘客數」說明業績，「與車站的距離」與「座位數」更能說明業績才對。

● 與車站的距離與殘差的關係以及座位數與殘差的關係

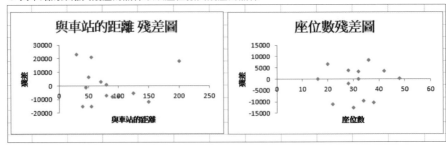

▶ 找出偏差值

散佈圖可直接以肉眼找到偏差值，但有時資料會包含可能是偏差值的微妙數值，不一定能直接利用散佈圖判斷。

因此可在分析工具的「迴歸」對話框勾選「標準化殘差」，輸出殘差的標準化資料，就能利用數值判斷偏差值。殘差是資料與迴歸方程式的距離，殘差越大，代表資料離迴歸方程式越遠。標準化殘差後，將算出平均值「0」與標準差「1」的結果。標準化資料的絕對值越大，殘差也越大，代表越可能是偏差值。

一般來說，判斷是否為偏差值的臨界值是 ±2 的標準化殘差，但有時會設定為 ±3，有時則會以高於 ±2 的資料數比例判斷。此外，單一原因的資料筆數若低於 30，就很容易會出現超過 ±2 的資料，所以可將臨界值設定為 ±2.5。

▶單一原因的資料筆數越多，誤差也將縮小，但是資料筆數太少，誤差也會跟著放大，也就很容易出現 ±2 的資料。

● 勾選「標準化殘差」

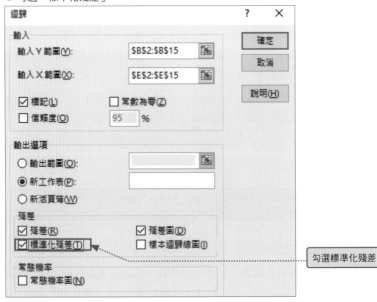

勾選標準化殘差

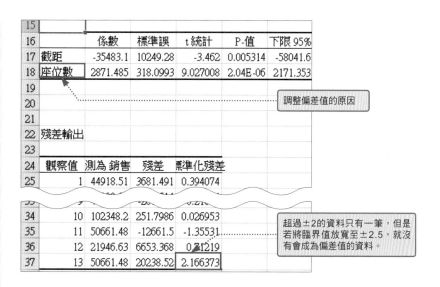

| | 係數 | 標準誤 | t統計 | P-值 | 下限 95% |
|---|---|---|---|---|---|
| 15 | | | | | |
| 16 | | | | | |
| 17 截距 | -35483.1 | 10249.28 | -3.462 | 0.005314 | -58041.6 |
| 18 庫位數 | 2871.485 | 318.0993 | 9.027008 | 2.04E-06 | 2171.353 |
| 19 | | | | | |
| 20 | | | | | |
| 21 | | | | | |
| 22 殘差輸出 | | | | | |
| 23 | | | | | |
| 24 觀察值 | 測為 銷售 | 殘差 | 標準化殘差 | | |
| 25 | 1 | 44918.51 | 3681.491 | 0.394074 | |

調整偏差值的原因

| 34 | 10 | 102348.2 | 251.7986 | 0.026953 |
| 35 | 11 | 50661.48 | -12661.5 | -1.35531 |
| 36 | 12 | 21946.63 | 6653.368 | 0.71219 |
| 37 | 13 | 50661.48 | 20238.52 | 2.166373 |

超過±2的資料只有一筆，但是若將臨界值放寬至±2.5，就沒有會成為偏差值的資料。

## Column 常態分佈與偏差值

一如 P.68 所述，殘差會呈常態分佈。所謂的常態分佈是指如左右對稱的山形分佈方式。常態分佈是一種機率分佈情況，代表的是資料會是該值的機率。資料會是不同的值，但在常態分佈的情況下，每種資料位於平均值附近的機率較高，遠離平均值的機率較低，而偏差值就是位於常態分佈邊緣的值。

為了與標準化殘差對應，而繪製了下圖這種平均值為「0」、標準差為「1」的常態分佈圖。此外，平均值「0」、標準差「1」的常態分佈又稱標準常態分佈。

●標準常態分佈與機率

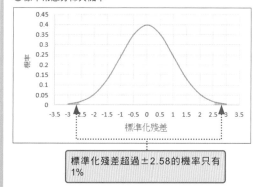

標準化殘差超過±2.58的機率只有 1%

常態分佈的橫軸就是標準化殘差。標準化殘差超過 ±1.96 的機率，正負兩側為 5%。此外，標準化殘差超過 ±2.58 的機率為 1%，超過 ±3 之後，機率更只有 0.3%。1% 與 0.3% 這種幾乎不會出現的資料通常可看成是偏差值，而這也是標準化殘差判斷值的根據。再者，本書將 1.96 與 2.58 改成 2 與 2.5 這類較為整齊的數字（→ P.203）。

## Column 要因資料數較少的情況

P.168 提到，殘差幾乎就是誤差，誤差的分佈會呈常態分佈，但要呈常態分佈，作為要因資料的筆數至少需要 30 筆。像範例這種只有 13 筆的情況，會使用與常態分佈極為類似的 t 分佈。t 分佈的資料筆數達 30 筆的時候，形態幾乎與常態分佈相同，低於 30 筆的時候，則比常態分佈略為扁平。

利用分析工具的「迴歸」算出的「標準化殘差」是能套入平均值為 0、標準差為 1 的常態分佈的標準化資料，也稱為「z 值」。比較 z 值與判斷值 ±2，確認是否為偏差值就是上述的方法。

使用 t 分佈時，可計算與「z 值」對應的「t 值」以及對應常態分佈判斷值 ±2（以機率來說是 4.6%）的 t 分佈的判斷值。t 值可利用標準差除以殘差求得。標準差會由「迴歸」功能輸出，並於儲存格「B7」顯示。以只有 13 筆資料的範例而言，t 分佈的判斷值會是減掉 1 的 12，也就是被視為是自由度的 4.6% 的 t 統甫。這個值可利用 TINV 函數算出。

● 利用t值判斷

判斷呈 t 分佈之後，t 值會比 z 值（標準殘差）還小，判斷值也會從 ±2 放寬至 ±2.23。所以，要因資料的筆數不足時，若要根據標準差確認是否有偏差值，才會建議設定比 ±2 還要寬鬆的判斷值。

# 05 調查影響業績原因的影響力

您是否也有想去買東西，卻因為下雨而放棄的經驗？銷售端的確認為下雨是造成來客數減少，業績下滑的因素。如果是不耐放的商品，就有可能會需要報廢。接下來就讓我們針對會影響業績原因的影響力吧！

## 導入 ▶ ▶ ▶

**實 例** 「想了解影響業績的原因有多少影響力」

在零售店負責管理日常用品的 L 先生認為商品的銷售數量不僅受到價格影響，也受星期與天氣影響，所以收集了一年分的商品單日業績資料與天氣資料。天氣資料是從網路找到的，也已依照日照時間與天氣概況分成「晴天」、「陰天」、雨天」這三種模式。

L 先生認為影響銷售數量的原因包含星期、假日、特賣日、天氣與價格，不過，該如何才能得知這些原因的影響力呢？

公休日為每年的 1 月 1 日與 6 月 15 日。特賣日為每週的星期二。商品的價格則介於 148 元～208 元之間。此外，沒有季節性的商品。

● 業績資料

| | A | B | C | D | E | F | G |
|---|---|---|---|---|---|---|---|
| 1 | ▽資料 | | | | | | |
| 2 | 日期 | 星期 | 假日 | 特賣日 | 價格 | 銷售數量 | 天氣 |
| 3 | 2015/1/1 | 週四 | 元旦 | | 178 | 0 | 陰天 |
| 4 | 2015/1/2 | 週五 | | | 178 | 192 | 晴天 |
| 5 | 2015/1/3 | 週六 | | | 198 | 248 | 晴天 |
| 6 | 2015/1/4 | 週日 | | | 178 | 277 | 晴天 |
| 364 | 2015/12/28 | 週一 | | | 178 | 186 | 晴天 |
| 365 | 2015/12/29 | 週二 | | ○ | 148 | 228 | 晴天 |
| 366 | 2015/12/30 | 週三 | | | 178 | 191 | 晴天 |
| 367 | 2015/12/31 | 週四 | | | 178 | 182 | 晴天 |
| 368 | | | | | | | |

185

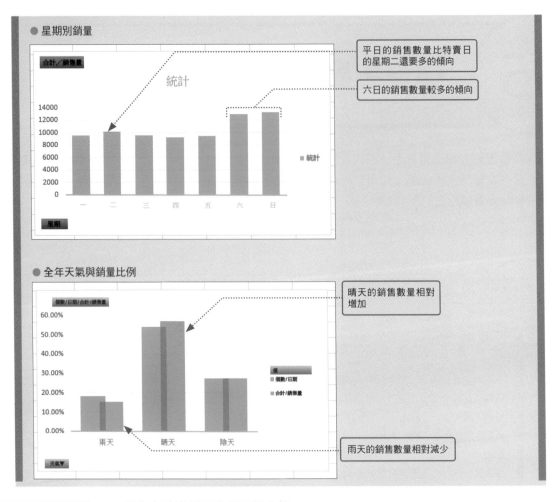

● 星期別銷量

平日的銷售數量比特賣日的星期二還要多的傾向

六日的銷售數量較多的傾向

● 全年天氣與銷量比例

晴天的銷售數量相對增加

雨天的銷售數量相對減少

▶ 量化定性資料再進行迴歸分析

▶定性資料定量化
→ P.14

資料的冗長性
▶也就是排除多餘的資料，讓資料變得更簡潔的意思。當資料只有「有」與「無」的時候，只要是「有」，就一定不是「無」，只要是「無」就一定不是「有」，所以不需要同時列出「有」與「無」兩欄，只需要保留一欄即可。

在這次使用的原因中，只有價格資料是定量資料，其他如星期、天氣都是定性資料。定性資料可利用定性資料的元素名稱建立欄項目，再以 1 與 0 表現是否為元素名稱，藉此量化定性資料。此外，為了避免資料變得冗長，可將各原因的元素名稱逐一排除。確認偏差值與多元共線性的問題之後，可進行「迴歸分析」，再利用 P 值與 t 值確認原因的影響力。迴歸分析除了可根據迴歸方程式計算預測值，也可分析原因的影響力。

MEMO　正式的分析名稱與用語

解釋目的的資料為定量資料時稱為多元迴歸分析，但是將定性資料量化為 1 與 0 來解釋目的時，就稱為數量化理論一類。分析名稱會隨著解釋目的的資料是定量資料或定性資料而不同，但分析方法同樣是迴歸分析。
此外，星期的「週一」、「週二」、「週三」這種元素名稱稱為水準或是分類，為了將定性資料量化為 1 與 0 而使用的各水準稱為虛擬變數。

MEMO 　**可指定為原因的數量最多16個**

分析工具的「迴歸」功能所能指定的原因個數最多 16 個。一般而言這已經夠用,但是在量化定性資料的情況下,原因個數通常很多,有時就會出現不夠用的情況。舉例來說,以日期的「月」作為解釋目的的原因時,元素共有 12 個月,排除冗長性也還有 11 個,如果再追加「星期」、「假日」、「活動日」,光是與日期有關的原因就超過 16 個了。若是可設定的原因個數不夠用,可如 P.186 般繪製目的與原因的圖表,並觀察圖表的特徵,然後根據特徵將星期設定為平日與六日兩種,將月份設定為旺季與淡季兩種,藉此調整原因的數量。

如果很難統整或取捨原因,可根據每種原因進行迴歸分析,再觀察調整的 R 平方、P 值、t 值來取捨原因或是另外追加原因。舉例來說,以「月份」進行迴歸分析後,接著以可用的月數與「星期」進行迴歸分析。取捨原因後,然後再增加「活動日」這項原因,然後再進行迴歸分析。此外,除了利用「月」進行迴歸分析,也可針對「星期」進行迴歸分析,以宏觀的角度取捨原因。

## 實踐 ▶ ▶ ▶

### ▶ 準備的業務資料

這次準備了業績資料與解釋業績的要因資料。定性資料已將原因的元素名稱列為欄項目。此外,為了能在進行迴歸分析時,選擇連續的原因儲存格範圍,所以讓「價格」資料與量化之後的定性資料相鄰。

範例
4-05

● 迴歸分析使用的要因資料

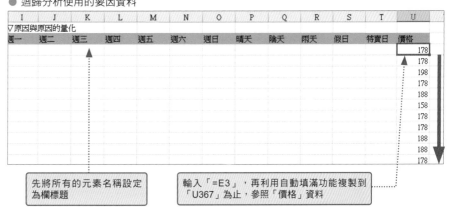

先將所有的元素名稱設定為欄標題

輸入「=E3」,再利用自動填滿功能複製到「U367」為止,參照「價格」資料

### ▶ Excel 的操作①:確認偏差值

▶利用散佈圖找出偏差值→ P.159

這次要利用篩選功能確認價格與銷售數量有無異常值。如果找到異常值就確認內容,再視情況刪除或移動整列資料。

## 設定篩選功能，確認價格與銷售數量

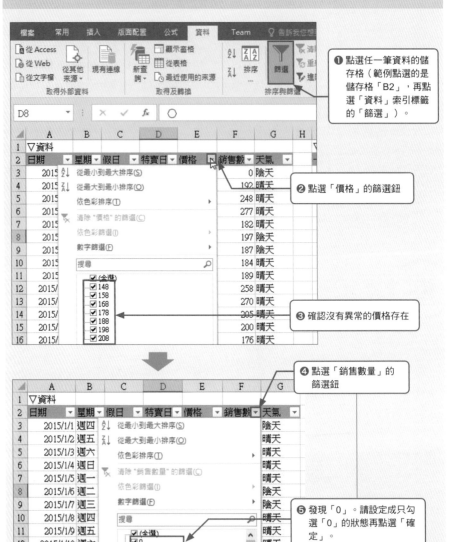

❶ 點選任一筆資料的儲存格（範例點選的是儲存格「B2」，再點選「資料」索引標籤的「篩選」）。

❷ 點選「價格」的篩選鈕

❸ 確認沒有異常的價格存在

▶步驟❺可先勾選「全選」，再勾選「0」會比較有效率完成。

❹ 點選「銷售數量」的篩選鈕

❺ 發現「0」。請設定成只勾選「0」的狀態再點選「確定」。

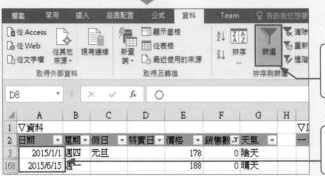

❼ 點選「資料」索引標籤的「篩選」，解除篩選。

❻ 發現出現「0」是因為混入了公休日的資料。

▶移動時，可點選第3
列的列編號，然後按下
[Ctrl]+[X] 鍵，再在要
貼上的列編號按下滑鼠
右鍵，選擇「插入複製
的 儲 存 格 」。
「2015/6/15」的列也
進行相同的操作。

❽將找到的資料移動
至距離資料結尾處1
列以上的位置，當
作偏差值排除。

### ▶ Excel 的操作② ： 量化定性資料， 排除冗長資料

量化定性資料可利用 IF 函數處理。星期與天氣可在元素名稱一致時設定為 1，假
日與特賣日可在儲存格不為空白時設定為 1。

天氣與星期都有一個要排除的元素，這次的特賣日為每週的星期二，所以即便排除
星期二的資料，特賣日也一樣是星期二，所以無法從星期裡排除冗長的資料，所以
要再多排除一個星期別。這次排除的是「陰天」與「星期二」、「星期三」。

▶量化天氣資訊
→ P.15

▶排除冗長的資料
→ P.17

### 將定性資料量化為 1 與 0

●在儲存格「I3」、「P3」、「S3」輸入的公式

| I3 | =IF($B3=I$2,1,0) | P3 | =IF($G3=P$2,1,0) | S3 | =IF(C3<>"",1,0) |

❶ 在儲存格「I3」輸入以星期為
條件的IF函數

❷ 將儲存格「I3」的公式以自動填滿功
能複製到儲存格「O365」為止。

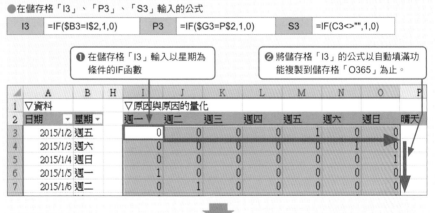

▶步驟❹利用自動填滿
功能複製到「R3」之
後 ， 雙 點 儲 存 格
「R3」的自動填滿控
制點，就能將公式複製
到資料的最後一列。

❸ 在儲存格「P3」輸入以天氣為
條件的IF函數。

❹ 將儲存格「P3」的公式以自動填滿
功能複製到儲存格「R365」為止。

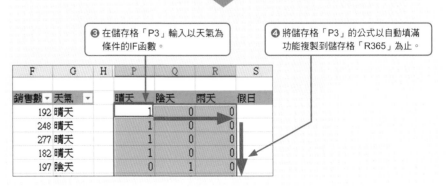

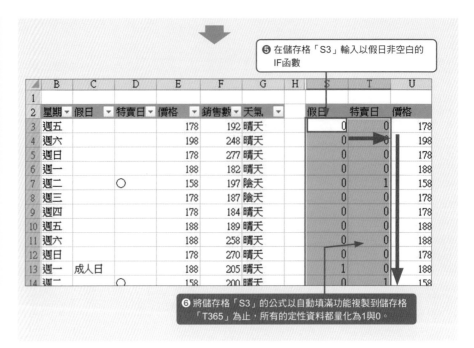

❺ 在儲存格「S3」輸入以假日非空白的 IF 函數

❻ 將儲存格「S3」的公式以自動填滿功能複製到儲存格「T365」為止，所有的定性資料都量化為1與0。

## 移動冗長的資料

❶ 拖曳選取欄編號「J」、「K」，按下[Ctrl]+[X]

❷ 在距離最後欄一欄以上的位置（範例是在W欄）按下滑鼠右鍵，點選「插入剪下的儲存格」

▶選擇「插入剪下的儲存格」之後，剛剛剪下的「週二」、「週三」欄位就會往左靠。

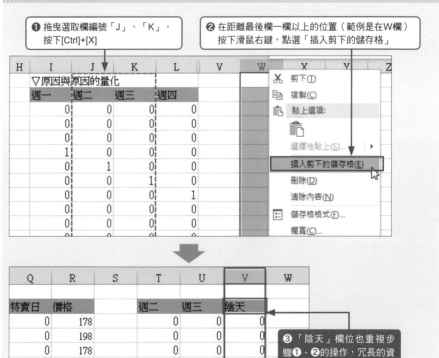

❸ 「陰天」欄位也重複步驟❶、❷的操作，冗長的資料就全數移動完畢。

▶ Excel 的操作③： 確認多元共線性

接著要利用資料分析的「相關係數」確認多元共線性的問題。多元共線性雖然只能確認元素之間的相關性，但這次要連同目標變數的「銷售數量」與元素一併確認。因此，請暫時將「銷售數量」複製到 S 欄」。

### 求出各原因之間的相關性

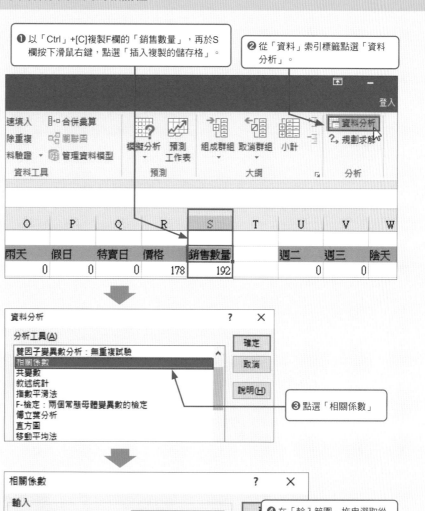

▶步驟❹可先點選儲存格「I2」，按住 [Ctrl] + [Shift] + [→] 鍵，再按下 [Ctrl] + [Shif] + [↓] 鍵選取。

▶銷售數量與星期六、日、下雨有中等程度的相關性。元素的部分，則以特賣日（星期二）與價格略為明顯的相關性，晴天則與雨天有略為明顯的相關性，但仍不到可以刪除元素的強度。

▶將「操作」工作表裡，暫時複製的「S」欄刪除。

| | A | B | C | D | E | F | G | H | I | J | K | L |
|---|---|---|---|---|---|---|---|---|---|---|---|---|
| 1 | | 週一 | 週四 | 週五 | 週六 | 週日 | 晴天 | 雨天 | 假日 | 特賣日 | 價格 | 銷售數 |
| 2 | 週一 | 1 | | | | | | | | | | |
| 3 | 週四 | -0.16532 | 1 | | | | | | | | | |
| 4 | 週五 | -0.16532 | -0.1672 | 1 | | | | | | | | |
| 5 | 週六 | -0.16532 | -0.1672 | -0.1672 | 1 | | | | | | | |
| 6 | 週日 | -0.16532 | -0.1672 | -0.1672 | -0.1672 | 1 | | | | | | |
| 7 | 晴天 | -0.01078 | -0.0824 | 0.012306 | 0.028091 | -0.00348 | 1 | | | | | |
| 8 | 雨天 | -0.04931 | -0.03239 | 0.008152 | -0.01212 | 0.028422 | -0.51829 | 1 | | | | |
| 9 | 假日 | 0.15504 | -0.08489 | -0.08489 | -0.04539 | -0.04539 | 0.079447 | -0.02742 | 1 | | | |
| 10 | 特賣日 | -0.16532 | -0.1672 | -0.1672 | -0.1672 | -0.1672 | 0.028091 | 0.028422 | -0.00588 | 1 | | |
| 11 | 價格 | 0.06483 | 0.061049 | 0.042855 | 0.333966 | 0.242994 | -0.02058 | -0.03281 | -0.02197 | -0.78196 | 1 | |
| 12 | 銷售數量 | -0.18278 | -0.29902 | -0.23665 | 0.494557 | 0.558816 | 0.303381 | -0.41762 | 0.108172 | -0.10163 | 0.189426 | |
| 13 | | | | | | | | | | | | |

❻ 新增工作表後，就算出元素與目的的相關係數。範例將超過±0.2的資料標記了顏色。

## ▶ Excel 的操作④ ： 調整元素的影響力

這次要以量化之後的定性資料與價格資料為要因，針對銷售數量進行迴歸分析，接著從分析結果確認調整的 R 與各要因的 P 值與 t 統計值，再將 t 統計值繪製成圖表，以便一眼看出各要因的影響力。

### 執行迴歸分析

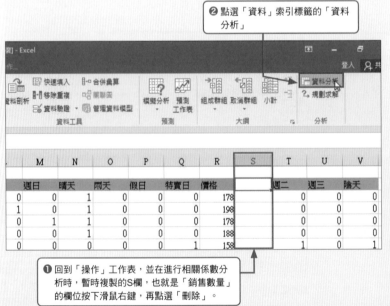

❷點選「資料」索引標籤的「資料分析」

| | M | N | O | P | Q | R | S | | T | U | V |
|---|---|---|---|---|---|---|---|---|---|---|---|
| | 週日 | 晴天 | 雨天 | 假日 | 特賣日 | 價格 | | | 週二 | 週三 | 陰天 |
| | 0 | 0 | 1 | 0 | 0 | 178 | | | 0 | 0 | 0 |
| | 1 | 0 | 1 | 0 | 0 | 198 | | | 0 | 0 | 0 |
| | 0 | 1 | 0 | 0 | 0 | 178 | | | 0 | 0 | 0 |
| | 0 | 0 | 1 | 0 | 0 | 188 | | | 0 | 0 | 0 |
| | 0 | 0 | 0 | 0 | 1 | 158 | | | 1 | 0 | 1 |

❶回到「操作」工作表，並在進行相關係數分析時，暫時複製的S欄，也就是「銷售數量」的欄位按下滑鼠右鍵，再點選「刪除」。

❸ 點選「迴歸」

▶迴歸分析結果的判讀
將於 P.194 解說。

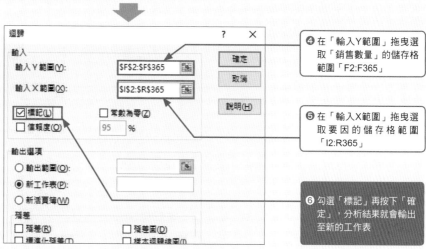

❹ 在「輸入Y範圍」拖曳選
取「銷售數量」的儲存格
範圍「F2:F365」

❺ 在「輸入X範圍」拖曳選
取要因的儲存格範圍
「I2:R365」

❻ 勾選「標記」再按下「確
定」，分析結果就會輸出
至新的工作表

## 繪製 t 統計值的長條圖

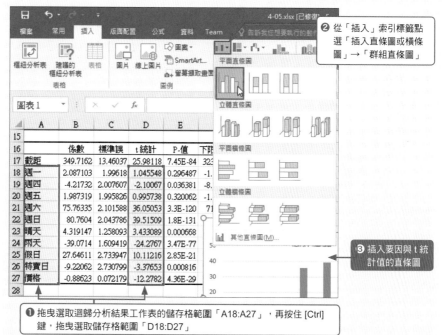

❷ 從「插入」索引標籤點
選「插入直條圖或橫條
圖」→「群組直條圖」

❸ 插入要因與 t 統
計值的直條圖

|  | 係數 | 標準誤 | t統計 | P-值 | 下限 |
|---|---|---|---|---|---|
| 17 截距 | 349.7162 | 13.46037 | 25.98118 | 7.45E-84 | 323 |
| 18 週一 | 2.087103 | 1.99618 | 1.045548 | 0.296487 | -1. |
| 19 週四 | -4.21732 | 2.007607 | -2.10067 | 0.036381 | -8. |
| 20 週五 | 1.987319 | 1.995826 | 0.995738 | 0.320062 | -1. |
| 21 週六 | 75.76335 | 2.101588 | 36.05053 | 3.3E-120 | 71 |
| 22 週日 | 80.7604 | 2.043786 | 39.51509 | 1.8E-131 |  |
| 23 晴天 | 4.319147 | 1.258093 | 3.433089 | 0.000668 |  |
| 24 雨天 | -39.0714 | 1.609419 | -24.2767 | 3.47E-77 |  |
| 25 假日 | 27.64611 | 2.733947 | 10.11216 | 2.85E-21 |  |
| 26 特賣日 | -9.22062 | 2.730799 | -3.37653 | 0.000816 |  |
| 27 價格 | -0.88623 | 0.072179 | -12.2782 | 4.36E-29 |  |

❶ 拖曳選取迴歸分析結果工作表的儲存格範圍「A18:A27」，再按住 [Ctrl]
鍵，拖曳選取儲存格範圍「D18:D27」

▶ 判讀結果

迴歸分析的結果如下。一如相關係數分析的銷售數量與各要因的相關係數結果，星期六日與雨天的係數以及 t 統計值較大，代表對銷售的確產生影響。

● 迴歸分析結果（模式①）

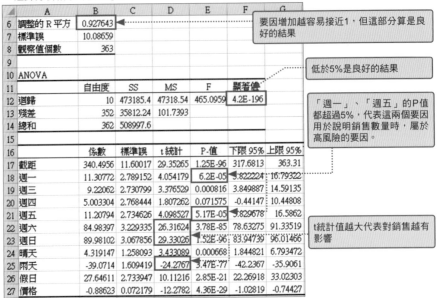

| | A | B | C | D | E | F | G |
|---|---|---|---|---|---|---|---|
| 6 | 調整的 R 平方 | 0.927643 | | | | | |
| 7 | 標準誤 | 10.08659 | | | | | |
| 8 | 觀察值個數 | 363 | | | | | |
| 9 | | | | | | | |
| 10 | ANOVA | | | | | | |
| 11 | | 自由度 | SS | MS | F | 顯著值 | |
| 12 | 迴歸 | 10 | 473185.4 | 47318.54 | 465.0959 | 4.2E-196 | |
| 13 | 殘差 | 352 | 35812.24 | 101.7393 | | | |
| 14 | 總和 | 362 | 508997.6 | | | | |
| 15 | | | | | | | |
| 16 | | 係數 | 標準誤 | t 統計 | P-值 | 下限 95% | 上限 95% |
| 17 | 截距 | 340.4956 | 11.60017 | 29.35265 | 1.25E-96 | 317.6813 | 363.31 |
| 18 | 週一 | 11.30772 | 2.789152 | 4.054179 | 6.2E-05 | 5.822224 | 16.79322 |
| 19 | 週三 | 9.22062 | 2.730799 | 3.376529 | 0.000816 | 3.849887 | 14.59135 |
| 20 | 週四 | 5.003304 | 2.768444 | 1.807262 | 0.071575 | -0.44147 | 10.44808 |
| 21 | 週五 | 11.20794 | 2.734626 | 4.098527 | 5.17E-05 | 5.829678 | 16.5862 |
| 22 | 週六 | 84.98397 | 3.229335 | 26.31624 | 3.78E-85 | 78.63275 | 91.33519 |
| 23 | 週日 | 89.98102 | 3.067856 | 29.33026 | 1.52E-96 | 83.94739 | 96.01466 |
| 24 | 晴天 | 4.319147 | 1.258093 | 3.433089 | 0.000668 | 1.844821 | 6.793472 |
| 25 | 雨天 | -39.0714 | 1.609419 | -24.2767 | 5.47E-77 | -42.2367 | -35.9061 |
| 26 | 假日 | 27.64611 | 2.733947 | 10.11216 | 2.85E-21 | 22.26918 | 33.02303 |
| 27 | 價格 | -0.88623 | 0.072179 | -12.2782 | 4.36E-29 | -1.02819 | -0.74427 |

要因增加越容易接近1，但這部分算是良好的結果

低於5%是良好的結果

「週一」、「週五」的P值都超過5%，代表這兩個要因用於說明銷售數量時，屬於高風險的要因。

t統計值越大代表對銷售越有影響

平日的週一與週五的 P 值都超過 5%，代表這兩個要因不適合用來說明銷售數量。不過，就週一與週五的係數來看，兩者都只在「2」的程度，所以不需要排除「週一」與「週五」的資料，重新進行迴歸分析。

各要因與要因影響力的 t 統計值關係圖如下。星期六日是影響銷售數量的重大正面影響，雨天則是重大負面因素。假日則因預期的人潮而屬於正面要因，價格上升則會出現銷售數量下滑的趨勢，所以是負面要因。

● 要因的影響力

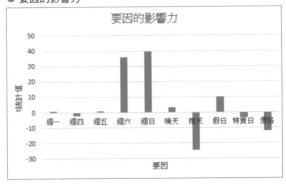

不過，特賣日卻是負面因素。一般來說，特賣日的業績都不錯，所以應該屬於正面因素，但在 P.192 的相關係數分析裡，價格與特賣日的相關性較強，所以這兩個因素之間有可能存在多元共線性。因此，讓我們排除特賣日，並將週三列為要因，再重新執行迴歸分析。

● 排除特賣日，納入週三資料的情況（模式②）

| | A | 係數 | 標準誤 | t統計 | P-值 | 下限 95% | 上限 95% |
|---|---|---|---|---|---|---|---|
| 17 | 截距 | 340.4956 | 11.60017 | 29.35265 | 1.25E-96 | 317.6813 | 363.31 |
| 18 | 週一 | 11.30772 | 2.789152 | 4.054179 | 6.2E-05 | 5.822224 | 16.79322 |
| 19 | 週三 | 9.22062 | 2.730799 | 3.376529 | 0.000816 | 3.849887 | 14.59135 |
| 20 | 週四 | 5.003304 | 2.768444 | 1.807262 | 0.071575 | -0.44147 | 10.44808 |
| 21 | 週五 | 11.20794 | 2.734626 | 4.098527 | 5.17E-05 | 5.829678 | 16.5862 |
| 22 | 週六 | 84.98397 | 3.229335 | 26.31624 | 3.78E-85 | 78.63275 | 91.33519 |
| 23 | 週日 | 89.98102 | 3.067856 | 29.33026 | 1.52E-96 | 83.94739 | 96.01466 |
| 24 | 晴天 | 4.319147 | 1.258093 | 3.433089 | 0.000668 | 1.844821 | 6.793472 |
| 25 | 雨天 | -39.0714 | 1.609419 | -24.2767 | 3.47E-77 | -42.2367 | -35.9061 |
| 26 | 假日 | 27.64611 | 2.733947 | 10.11216 | 2.85E-21 | 22.26918 | 33.02303 |
| 27 | 價格 | -0.88623 | 0.072179 | -12.2782 | 4.36E-29 | -1.02819 | -0.74427 |

雖然星期四的 P 值變高，t 統計值也低於 2，但其他的星期仍可使用。星期六日對銷售數量是重要的正面要因，雨天是重大的負面要因傾向，假日與價格的要因傾向皆不變。

讓我們將有特賣日資料的情況視為模式①，並將排除特賣日，納入週三資料的情況視為模式②來觀察。

### ● 採用模式①的情況

特賣日在平日的星期二實施，賣的是價格彈性較低的日常用品。與其他幾天的平日一樣，特賣日的效果都被需要價格彈性較高的商品搶走，所以特賣日反而是日常用品的負面因素。星期二的銷售數量之所以能高於其他幾天的平日，主要是因為比平常便宜的價格，此時的價格為抵消特賣日這項負面要因的正面要因，所以整體而言呈正面影響。

### ● 採用模式②的情況

特賣日的價格介於「148～168」之間，特賣日以外的價格介於「178～208」之間。所謂特賣日，就是價格介於「148～168」的意思，所以出現了相同的影響，也等於發生了多元共線性的問題。週二與特賣日雖然都被排除在要因之外，但是比平常便宜的價格卻也代表週二與特賣日這兩個要因，所以可利用價格要因解釋。

就目前而言，模式②優於模式①，模式①不予採用。如果要採用模式①，就至少得根據需要價格彈性較高的商品進行相同的迴歸分析，找出對特賣日產生重大正

需要價格彈性
▶於價格變化時，數量變化的指標。一般而言，奢侈品若是價格下滑，銷售數量就會成長。這種情況就可形容成需要價格具有彈性或是彈性較高。→ P.105

面影響的要因。此外,需要價格彈性較高的商品與日常用品的業績佔整體業績的比例,在特賣日與平日之間是否有差距,也得一併算出來。

模式①、②主要的差異在於是否納入特賣日,但整體的傾向是相同的。讓我們重新再整理一次結論。

> 對銷售數量產生影響的主要因素
>
> 正面要因:星期六、日(週末)與假日
>
> 負面要因:雨天與價格調漲

## 發展 ▶ ▶ ▶

### ▶ 將網路資料匯入工作表

官方網頁也提供了 Excel 格式的資料,可直接下載使用。其他如列表格式的表格也可透過「從網站取得資料」匯入。這次要以日本氣象廳官方網頁(http://www.jma. go.jp/jma/index.html)為例,介紹將列表格式的資料匯入 Excel 的方法。

### 複製網頁的網址

▶以 2016 年 1 月 11 日的頁面資料為基準。

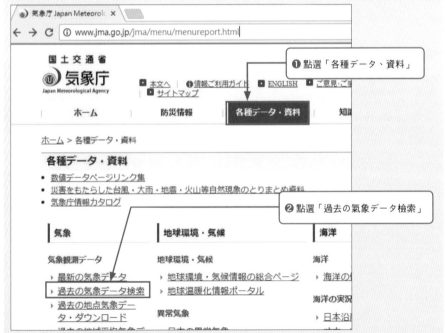

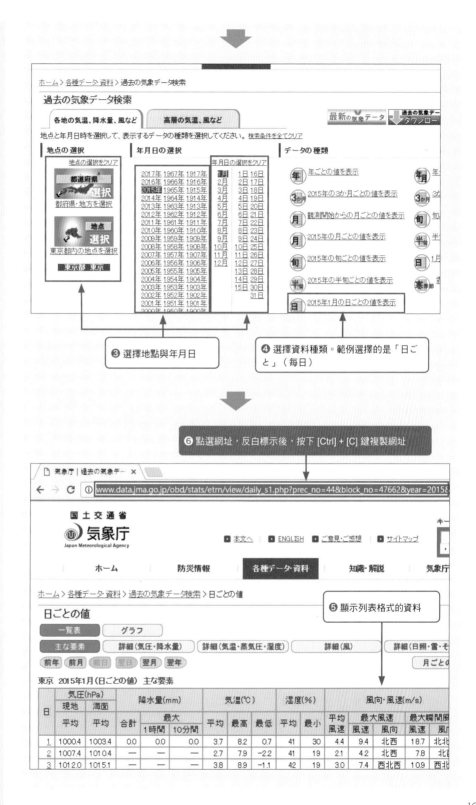

❸ 選擇地點與年月日

❹ 選擇資料種類。範例選擇的是「日ごと」（每日）

❻ 點選網址，反白標示後，按下 [Ctrl] + [C] 鍵複製網址

❺ 顯示列表格式的資料

將資料匯入 Excel

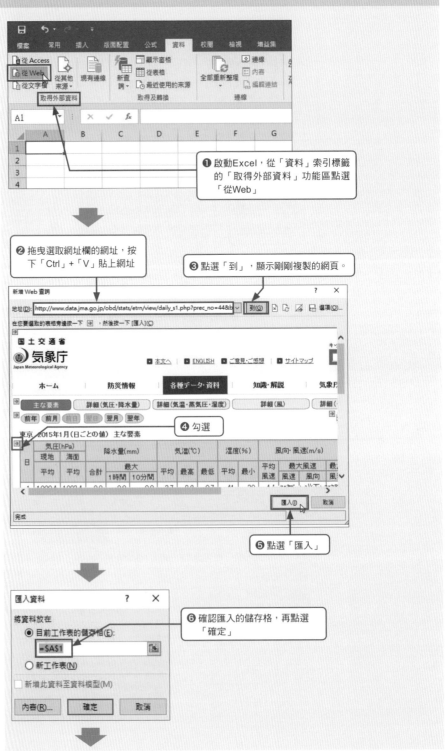

❶ 啟動Excel，從「資料」索引標籤的「取得外部資料」功能區點選「從Web」

❷ 拖曳選取網址欄的網址，按下「Ctrl」＋「V」貼上網址

❸ 點選「到」，顯示剛剛複製的網頁。

❹ 勾選

❺ 點選「匯入」

❻ 確認匯入的儲存格，再點選「確定」

| ▲ | A | B | C | D |
|---|---|---|---|---|
| 25 | 日 | 気圧(hPa) | | 降水量(mm) |
| 26 | | 現地 | 海面 | |
| 27 | | 平均 | 平均 | 合計 |
| 28 | | | | |
| 29 | 1 | 1000.4 | 1003.4 | 0 |
| 30 | 2 | 1007.4 | 1010.4 | -- |
| 31 | 3 | 1012 | 1015.1 | -- |
| 32 | 4 | 1010.4 | 1013.4 | -- |
| 33 | 5 | 1014.6 | 1017.5 | -- |
| 34 | 6 | 1000.6 | 1003.5 | 6.5 |
| 35 | 7 | 1000.5 | 1003.4 | -- |

❼ 資料匯入工作表了

---

MEMO **將資料匯入Excel 2016**

Excel 2016 可從「資料」索引標籤的「新查詢」匯入網頁資料。此外，Excel2010／2013 若安裝了 PowerQuery 增益集，可利用「POWERQUERY」索引標籤的「從 Web」按鈕進行相同的操作。操作方法如下。請先複製要匯入的網頁的網址，再啟動 Excel。

Excel2010/2013
▶ PowerQuery 增益集可從微軟下載中心下載，但是 Excel 2010 必須是「Microsoft Office 2010 Professional Plus」的版本。

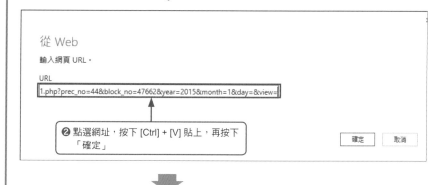

❶ 從「資料」索引標籤的「新查詢」點選「從其他來源」→「從Web」

❷ 點選網址，按下 [Ctrl] + [V] 貼上，再按下「確定」

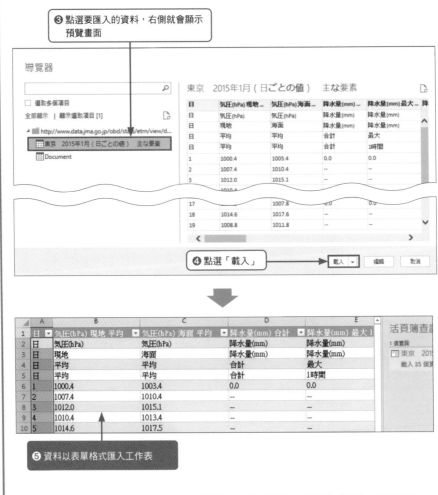

❸ 點選要匯入的資料，右側就會顯示
　預覽畫面

❹ 點選「載入」

❺ 資料以表單格式匯入工作表

要在 Excel2010／2013 安裝 PowerQuery 增益集，可於「檔案」標籤的「選項」開啟「Excel 選項」對話框，再從中點選「增益集」。點選畫面下方的「管理」的「▼」，再點選「COM 增益集」，然後點選「執行」鈕。從可使用的增益集之中勾選「Microsoft Power Query for Excel」再點選「確定」，即可顯示「POWER QUERY」索引標籤。

# 06 透過天氣與星期預測銷售量

業績是透過多種交織而成的要因說明。這次要利用前一節解釋銷售數量的要因影響力預測銷售數。預測值是以迴歸方程式算出之餘，連帶說明迴歸方程式的適切性。迴歸方程式可透過散佈圖的傾向、決定係數與顯著值觀察，但這次要說明的是透過迴歸方程式與實測值的差距檢驗適切性的方法。

## 導入 ▶ ▶ ▶

**實 例** 「想預測明天的銷售數量」

在零售店擔任日常用品管理的 L 先生已根據迴歸分析的結果得知，銷售數量容易受到星期六、日與雨天影響，假日與價格也有一定程度的影響。L 先生希望接下來利用迴歸分析的結果算出銷售數量的預測值，但他很在意迴歸方程式的適切性。

該如何在驗證迴歸方程式的適切性之後算出預測值呢？

● 要因的影響力

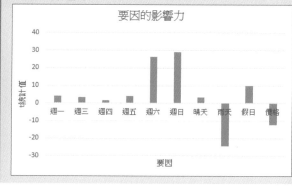

▶ 利用量化定性資料的迴歸方程式算出預測值

使用定性資料時，通常會將要因的元素名稱視為新要因，並以元素名稱為條件，將定性資料量化為 1 與 0，然後再進行迴歸分析。使用定性資料進行迴歸分析的結果如下。P 值超過 5% 的週四若當成迴歸方程式的要因使用，是一種高風險的要

因,但是刪除後,不需要重新進行迴歸分析。P 值高出 5% 不多,t 統計值也小於 2 這兩點,代表週四這個要因對銷售數量的影響不大。

● 迴歸分析的結果

| 16 | | 係數 | 標準誤 | t 統計 | P-值 | 下限 95% |
|---|---|---|---|---|---|---|
| 17 | 截距 | 340.4956 | 11.60017 | 29.35265 | 1.25E-96 | 317.6813 |
| 18 | 週一 | 11.30772 | 2.789152 | 4.054179 | 6.2E-05 | 5.82 |
| 19 | 週三 | 9.22062 | 2.730799 | 3.376529 | 0.000816 | 3.849667 |
| 20 | 週四 | 5.003304 | 2.768444 | 1.807262 | 0.071575 | 0:4 |
| 21 | 週五 | 11.20794 | 2.734626 | 4.098527 | 5.17E-05 | 5.829678 |
| 22 | 週六 | 84.98397 | 3.229335 | 26.31624 | 3.78E-85 | 78.63275 |
| 23 | 週日 | 89.98102 | 3.067856 | 29.33026 | 1.52E-96 | 83.94739 |
| 24 | 晴天 | 4.319147 | 1.258093 | 3.433089 | 0.000668 | 1.844821 |
| 25 | 雨天 | -39.0714 | 1.609419 | -24.2767 | 3.47E-77 | -42.2367 |
| 26 | 假日 | 27.64611 | 2.733947 | 10.11216 | 2.85E-21 | 22.26918 |
| 27 | 價格 | -0.88623 | 0.072179 | -12.2782 | 4.36E-29 | -1.02819 |
| 28 | | | | | | |

迴歸方程式的係數

週四的t統計值與P值

迴歸方程式如下。n 為辨識元素名稱的附加字,m 為元素名稱的數量。Σ 為加總的意思。下列的公式將價格資料分開來記載,但只要使用 SUMPRODUCT 函數,就能加總所有的價格資料,藉此算出銷售數量預測值。

$$銷售數量預測值 = \sum_{n=1}^{m} 元素名稱 n 的係數 \times (1 \text{ or } 0) + 價格的係數 \times 商品價格 + 截距$$

### ▶ 透過殘差說明迴歸方程式的適切性

迴歸方程式的適切性可觀察調整的 R 平方與顯著值,然後於散佈圖觀察相關性的有無與偏差值得知。不過,若是要因多為定性資料或是因為多數的要因而使得相關性成立時,利用一個要因與目的繪製散佈圖,也只能看出銷售數量為 0 這種明顯異常的偏差值,而且也看不出相關性。

▶判斷迴歸方程式是否適切
→ P.160、173

● 要因與目的的散佈圖與線性趨勢線

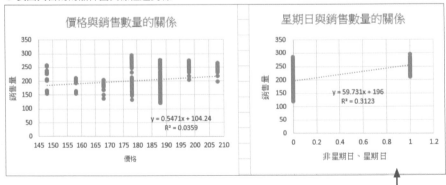

將定性資料繪製成散佈圖也沒有任何意義

因此，我們利用實測值與迴歸方程式的距離判斷迴歸分析的適切性。本書將迴歸方程式算出的銷售數量與實際的銷售數量的乖離程度稱為「標準化殘差」，並且以這個數值與臨界值比較，藉此判斷迴歸分析的適切性。判斷的方法如下。標準化殘差可利用分析工具的「迴歸」輸出。殘值就是實測值與迴歸方程式的距離，幾乎等於是誤差。

▶利用殘差驗證迴歸方程式的適切性
→ P.167

### ● 判斷方法

標準化殘差 ≥ 2、標準化殘差 ≤ -2 的個數佔所有資料數的 5% 之內

標準化殘差 ≥ 2.5、標準化殘差 ≤ -2.5 的個數佔所有資料數的 1% 之內

發現有標準化殘差 ≥ 3、標準化殘差 ≤ -3 的資料就排除

殘差越大代表實測值與迴歸方程式的乖離程度越大，意味著實測值有可能就是偏差值。利用殘差驗證迴歸方程式的適切性，可確認偏差值的比例以及偏差值的數量是否在容差範圍之內。

## 實踐 ▶ ▶ ▶

### ▷ 準備的業務資料

這次準備了業績資料與解釋業績的要因資料。定性資料已先量化為 1 與 0，也已排除冗長的資料與確認多元共線性。

### ● 迴歸分析使用的資料

範例
4-06

| | A | B | C | F | G | H | I | J | K | L | M | N | O | P | Q | R | S | T | U |
|---|---|---|---|---|---|---|---|---|---|---|---|---|---|---|---|---|---|---|---|
| 1 | ▽資料 | | | | | | ▽要因及要因的量化 | | | | | | | | | | | ▽排除的要因 | |
| 2 | 日期 | 星期 | 假日 | 銷售數 | 天氣 | | 週一 | 週三 | 週四 | 週五 | 週六 | 週日 | 晴天 | 雨天 | 假日 | 價格 | | 週二 | 特賣日 |
| 3 | 2015/1/2 | 週五 | | 192 | 晴天 | | 0 | 0 | 0 | 1 | 0 | 0 | 1 | 0 | 0 | 178 | | 0 | 0 |
| 4 | 2015/1/3 | 週六 | | 248 | 晴天 | | 0 | 0 | 0 | 0 | 1 | 0 | 1 | 0 | 0 | 198 | | 0 | 0 |
| 5 | 2015/1/4 | 週日 | | 277 | 晴天 | | 0 | 0 | 0 | 0 | 0 | 1 | 1 | 0 | 0 | 178 | | 0 | 0 |
| 6 | 2015/1/5 | 週一 | | 182 | 晴天 | | 1 | 0 | 0 | 0 | 0 | 0 | 1 | 0 | 0 | 188 | | 0 | 0 |
| 7 | 2015/1/6 | 週二 | | 197 | 陰天 | | 0 | 0 | 0 | 0 | 0 | 0 | 0 | 0 | 0 | 158 | | 1 | 1 |
| 8 | 2015/1/7 | 週三 | | 187 | 陰天 | | 0 | 1 | 0 | 0 | 0 | 0 | 0 | 0 | 0 | 178 | | 0 | 0 |
| 9 | 2015/1/8 | 週四 | | 184 | 晴天 | | 0 | 0 | 1 | 0 | 0 | 0 | 1 | 0 | 0 | 178 | | 0 | 0 |
| 10 | 2015/1/9 | 週五 | | 189 | 晴天 | | 0 | 0 | 0 | 1 | 0 | 0 | 1 | 0 | 0 | 188 | | 0 | 0 |
| 11 | 2015/1/10 | 週六 | | 258 | 晴天 | | 0 | 0 | 0 | 0 | 1 | 0 | 1 | 0 | 0 | 188 | | 0 | 0 |
| 12 | 2015/1/11 | 週日 | | 270 | 晴天 | | 0 | 0 | 0 | 0 | 0 | 1 | 1 | 0 | 0 | 178 | | 0 | 0 |
| 13 | 2015/1/12 | 週一 | 成人日 | 205 | 晴天 | | 1 | 0 | 0 | 0 | 0 | 0 | 1 | 0 | 1 | 188 | | 0 | 0 |
| 14 | 2015/1/13 | 週二 | | 200 | 晴天 | | 0 | 0 | 0 | 0 | 0 | 0 | 1 | 0 | 0 | 158 | | 1 | 1 |

### ▷ Excel 的操作①：計算偏差值的個數，判斷迴歸方程式的適切性

接著要使用分析工具的「迴歸」，算出「標準化殘差」的資料大於等於 +2、小於等於 -2 的個數。要判斷的是是否大於 2，與正負值無關，所以會利用 ABS 函數將

標準化殘差轉換成絕對值。COUNTIF 函數的計數條件會指定成「>=2」與「>=2.5」，求得符合條件的殘差的個數。

偏差值的個數與判斷則利用迴歸分析的空白儲存格計算。

### ABS 函數 ➡ 計算數值的絕對值

| 格 式 | = ABS（數值） |
|---|---|
| 解 說 | 計算指定數值的絕對值。絕對值是無關正負符號的數值。 |

### COUNTIF 函數 ➡ 計算符合條件的儲存格的個數

| 格 式 | = COUNTIF（範圍，搜尋條件） |
|---|---|
| 解 說 | 於指定範圍內以搜尋條件搜尋，算出符合條件的儲存格的個數。搜尋條件可使用儲存格裡含有比較運算子的條件。 |

### 實施迴歸分析

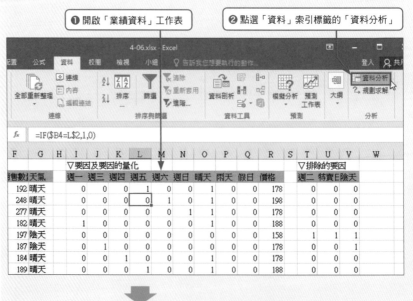

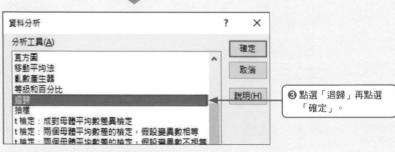

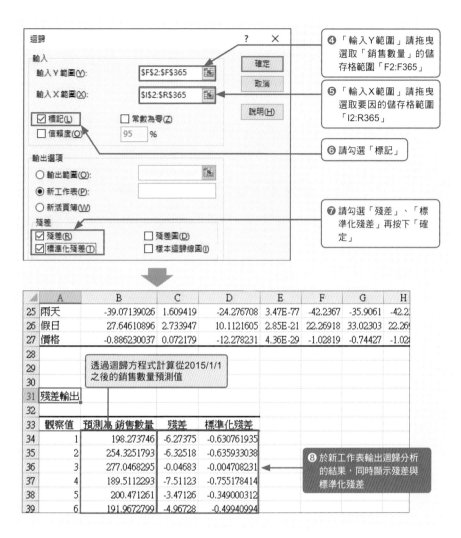

④「輸入Y範圍」請拖曳選取「銷售數量」的儲存格範圍「F2:F365」

⑤「輸入X範圍」請拖曳選取要因的儲存格範圍「I2:R365」

⑥ 請勾選「標記」

⑦ 請勾選「殘差」、「標準化殘差」再按下「確定」

▶ 殘差輸出的「觀察值」與指定範圍開頭至結尾的資料對應。

透過迴歸方程式計算從2015/1/1之後的銷售數量預測值

⑧ 於新工作表輸出迴歸分析的結果，同時顯示殘差與標準化殘差

### 計算標準殘差的絕對值

●在儲存格「E34」輸入的公式

| E34 | =ABS(D34) |
|---|---|

▶ 範例在儲存格「E33」輸入了「絕對值」這個項目名稱。

▶ 發現大於等於3的絕對值時，確認觀察值，排除對應的資料。

|  | A | B | C | D | E |
|---|---|---|---|---|---|
| 31 | 殘差輸出 |  |  |  |  |
| 32 |  |  |  |  |  |
| 33 | 觀察值 | 預測為 銷售數量 | 殘差 | 標準化殘差 | 絕對值 |
| 34 | 1 | 198.273746 | -6.27375 | -0.6307619 | 0.630762 |
| 35 | 2 | 254.3251793 | -6.32518 | -0.635933 | 0.635933 |
| 36 | 3 | 277.0468295 | -0.04683 | -0.0047084 | 0.004708 |
| 37 | 4 | 189.5112293 | -7.51123 | -0.7551784 | 0.755178 |
| 38 | 5 | 200.471261 | -3.47126 | -0.3490003 | 0.349 |
| 39 | 6 | 191.9672799 | -4.96728 | -0.4994099 | 0.49941 |

❶ 在輸出殘差的工作表的儲存格「E34」輸入ABS函數

❷ 以自動填滿功能將公式複製到「E396」，算出標準化殘差的絕對值

### 計算偏差值的個數與比例

●在儲存格「H34」、「I34」輸入的公式

| H34 | =COUNTIF($E$34:$E$396,G34) | I34 | =H34/$B$8 |

❶ 在儲存格「H34」輸入COUNTIF函數，並在儲存格「I34」輸入計算比例的公式。

▶ 範例從儲存格「G33」繪製了計算偏差值的個數與比例的表格。

▶計算比例的公式的儲存格「B8」就是資料筆數。範例排除了365天裡的2天，所以要除以363。

| | A | B | C | D | E | F | G | H | I |
|---|---|---|---|---|---|---|---|---|---|
| 31 | 殘差輸出 | | | | | | | | |
| 32 | | | | | | | ▽偏差值的個數與比例 | | |
| 33 | 觀察值 | 測為 銷售數 | 殘差 | 標準化殘差 | 絕對值 | | 條件 | 個數 | 比例 |
| 34 | 1 | 198.2737 | -6.27375 | -0.63076 | 0.630762 | | >=2 | 14 | 0.038567 |
| 35 | 2 | 254.3252 | -6.32518 | -0.63593 | 0.635933 | | >=2.5 | 3 | 0.008264 |
| 36 | 3 | 277.0468 | -0.04683 | -0.00471 | 0.004708 | | >=3 | 0 | 0 |
| 37 | 4 | 189.5112 | -7.51123 | -0.75518 | 0.755178 | | | | |
| 38 | 5 | 200.4713 | -3.47126 | -0.349 | 0.349 | | | | |

❷ 利用自動填滿功能將儲存格範圍「H34:I34」的公式複製到資料結尾處，算出偏差值的個數與比例。

判讀結果：絕對值大於等於2的比例低於5%，大於等於2.5的比例低於1%，也沒有大於等於3的資料，代表此迴歸方程式為適切。

### ▶ Excel 的操作② ： 計算銷售數量的預測值

接下來要利用迴歸分析輸出的係數計算銷售數量的預測值。範例檔案「4-06」的「操作」工作表為要預測的資料以及預測值建立了表格，請將迴歸分析算出的係數複製到這裡，並將要預測的資料量化。

● 計算銷售數量預測值的表格

| | A | B | C | D | E | F |
|---|---|---|---|---|---|---|
| 1 | ▽用於預測的 資料 | | | | | |
| 2 | 日期 | 星期 | 天氣 | 假日 | 特賣日 | 價格 |
| 3 | 2016/1/12 | 週二 | 雨天 | | ○ | 148 |
| 4 | | | | | | |
| 5 | ▽預測值計算 | | | | ▽銷售數量預測 | |
| 6 | | 係數 | 預測用虛擬變數 | | 預測值 | |
| 7 | | | | | | |
| 8 | | | | | ▽業績預測 | |
| 9 | | | | | 預測值 | |
| 10 | | | | | | |
| 11 | | | | | | |
| 12 | | | | | | |
| 13 | | | | | | |
| 14 | | | | | | |
| 15 | | | | | | |
| 16 | | | | | | |
| 17 | | | | | | |

將迴歸分析的係數複製到儲存格範圍「A7:B17」

利用SUMPRODUCT函數計算預測值，再根據價格×銷售數量預測值算出業績預測值。

量化與參照用於預測的資料

要讓係數與量化的資料在相乘後加總可使用 SUMPRODUCT 函數。

SUMPRODUCT 函數 ➡ 讓對應的儲存格相乘再加總
----
| 格　式 | = SUMPRODUCT（陣列 1, 陣列 2） |
| --- | --- |
| 解　說 | 陣列可指定為儲存格範圍，陣列 1 與陣列 2 位置對應的儲存格會在相乘後加總。 |

複製的係數不包含具冗長性與多元共線性的要因。這次要追加這些排除的要因，並在係數輸入「0」，呈現與預測的資料的整合性。

### 複製／貼上迴歸分析的係數

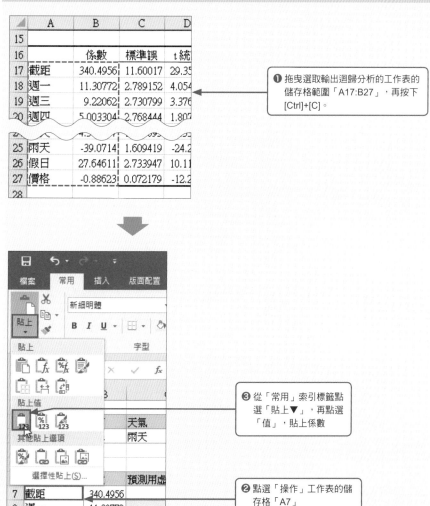

**❶** 拖曳選取輸出迴歸分析的工作表的儲存格範圍「A17:B27」，再按下 [Ctrl]+[C]。

**❸** 從「常用」索引標籤點選「貼上▼」，再點選「值」，貼上係數

**❷** 點選「操作」工作表的儲存格「A7」

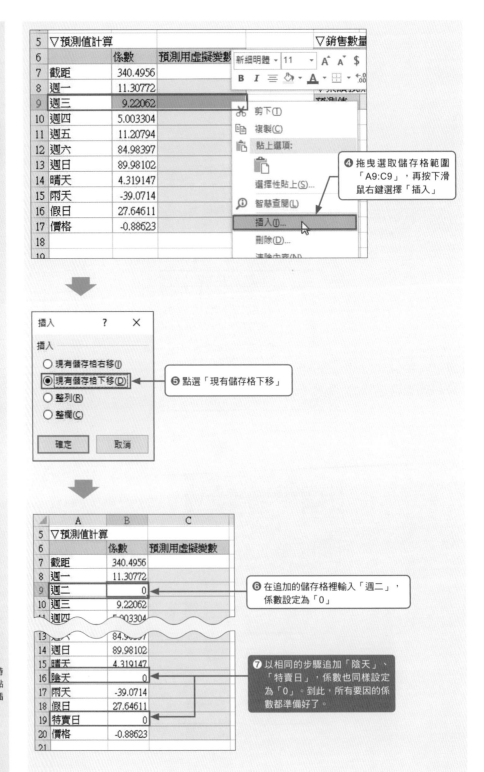

▶步驟❹插入列之後，輸入業績預測值的儲存格「E9」會位移，所以要進行「插入儲存格」的操作。

❹ 拖曳選取儲存格範圍「A9:C9」，再按下滑鼠右鍵選擇「插入」

❺ 點選「現有儲存格下移」

❻ 在追加的儲存格裡輸入「週二」，係數設定為「0」

▶插入「陰天」、「特賣日」能以滑鼠右鍵點選列編號，選擇「插入」插入整列。

❼ 以相同的步驟追加「陰天」、「特賣日」，係數也同樣設定為「0」。到此，所有要因的係數都準備好了。

量化要預測的資料

●在儲存格「C8」、「C15」、「C18」、「C19」、「C20」輸入的公式

| 儲存格 | 公式 | 儲存格 | 公式 |
|---|---|---|---|
| C8 | =IF($B$3=A8,1,0) | C15 | =IF($C$3=A15,1,0) |
| C18 | =IF(D3<>"",1,0) | C19 | =IF(E3<>"",1,0) |
| C20 | =F3 | | |

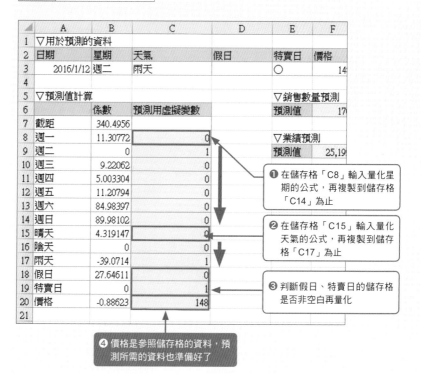

●❶ 在儲存格「C8」輸入量化星期的公式，再複製到儲存格「C14」為止

❷ 在儲存格「C15」輸入量化天氣的公式，再複製到儲存格「C17」為止

❸ 判斷假日、特賣日的儲存格是否非空白再量化

❹ 價格是參照儲存格的資料，預測所需的資料也準備好了

計算銷售數量與業績的預測值

●在儲存格「F6」、「F9」輸入的公式

| 儲存格 | 公式 | 儲存格 | 公式 |
|---|---|---|---|
| F6 | =SUMPRODUCT(B8:B20,C8:C20)+B7 | F9 | =F3*F6 |

| | A | B | C | D | E | F |
|---|---|---|---|---|---|---|
| 4 | | | | | | |
| 5 | ▽預測值計算 | | | | ▽銷售數量預測 | |
| 6 | | 係數 | 預測用虛擬變數 | | 預測值 | 170 |
| 7 | 截距 | 340.4956 | | | | |
| 8 | 週一 | 11.30772 | 0 | | ▽業績預測 | |
| 9 | 週二 | 0 | 1 | | 預測值 | 25,199 |
| 10 | 週三 | 9.22062 | 0 | | | |

❶ 在儲存格「F6」、「F9」輸入公式，算出銷售數量與業績的預測值

▶ 判讀結果

迴歸分析的殘差輸出結果、偏差值的個數都在容差範圍之內。於迴歸方程式輸入

209

要預測的資料後，就能算出銷售數量與業績的預測值。下列的圖是輸入其他資料之後的預測值。從中可以發現，預測值與要因的影響力成正比，而且不同的資料有不同的預測值。

● 週六晴天以 178 元銷售

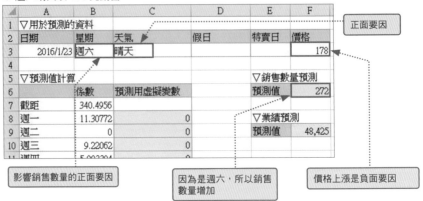

變更價格後，銷售數量與業績的預測值產生了變化。業績目標訂在大於等於「50000」的時候，可調整價格確認兩者的變化。下列是將價格設定為「198」之後的結果。價格上漲雖是影響銷售數量的負面要因，但週六的影響力還是比較強，業績還是上漲。

● 週六晴天以 198 元銷售

| ▲ | A | B | C | D | E | F | |
|---|---|---|---|---|---|---|---|
| 1 | ▽用於預測的資料 | | | | | | |
| 2 | 日期 | 星期 | 天氣 | 假日 | 特賣日 | 價格 | |
| 3 | 2016/1/23 | 週六 | 晴天 | | | 198 | |
| 4 | | | | | | | |
| 5 | ▽預測值計算 | | | | | ▽銷售數量預測 | |
| 6 | | 係數 | 預測用虛擬變數 | | | 預測值 | 254 |
| 7 | 截距 | 340.4956 | | | | | |
| 8 | 週一 | 11.30772 | 0 | | | ▽業績預測 | |
| 9 | 週二 | 0 | 0 | | | 預測值 | 50,356 |
| 10 | 週三 | 9.22062 | 0 | | | | |
| 11 | 週四 | 5.003304 | 0 | | | | |

若以 198 元銷售，業績可能突破五萬元

### ● 內插法與外插法

迴歸方程式是利用實測的資料計算。內插法是在實測值的範圍內，外插法是在實測值的範圍外。這次的範例以下列的條件為前提。

· 特賣日為週二
· 特賣日的價格介於 148 元～168 元
· 平日價格為 178 元～208 元

為了達成業績目標，在週二之外的日期設定特賣價格，或是設定超過平日價格的價格計算預測值，就等於是以超過實測值範圍的外插法計算。Excel 無法得知是否是以外插法計算，所以雖然算出結果，但預測值的可信度不高。以其他資料試算時，建議還是以內插法計算。

## 發展 ▶ ▶ ▶

### ▶ 以函數計算迴歸方程式的係數

分析工具的「迴歸」功能雖然能一次輸出各種值，但輸出的都是單純的值，一旦原始資料有所修正，就必須重頭操作一次。假設原始資料常常需要修改，改以函數計算才會更方便。

LINEST 函數可計算迴歸方程式的係數與決定係數。這個函數會以特殊的格式顯示結果，建議先建立一張表格，決定輸出結果的位置，才會比較方便。

LINEST 函數 ➡ 計算多元迴歸分析的係數與常數項
- - - - - - - - - - - - - - - - - - - - - - - - - - - - - - - - - - - - - - -

| 格 式 | = LINEST（已知的 y, 已知的 x, 常數, 修正） |
|---|---|
| | = LINEST（已知的 y, 已知的 x, TRUE, TRUE） |
| 解 說 | 已知的 y 為目的資料的儲存格範圍，已知的 x 為解釋目的的要因儲存格範圍，常數與修正則可都設定為 TRUE，藉此算出截距與常數項。 |
| 補 充1 | 於陣列公式裡輸入要因的數量 + 截距的欄數 ×5 列的範圍。 |
| 補 充2 | 要因的係數會以相反於已知的 x 的順序顯示。舉例來說，要因以「週一」、「週三」、「週四」的順序排列時，LINEST 函數的係數將會以「週四」、「週三」、「週一」的順序顯示。 |
| 補 充3 | 未能顯示結果的儲存格將顯示為「#N/A」。 |

範例
4-06「LINEST 函數」工作表確認內容

▶ F 值代表的是相對於迴歸分析顯著值的機率變數的值，也是迴歸分析的「觀察所得的變異數比」（於顯著值左側儲存格輸出的值）。

● LINST 函數的結果對應表與結果

| Y9 | fx | {=LINEST(F3:F365,I3:R365,TRUE,TRUE)} | | | | | | | | | |

| | X | Y | Z | AA | AB | AC | AD | AE | AF | AG | AH | AI |
|---|---|---|---|---|---|---|---|---|---|---|---|---|
| 1 | | ▽LINEST函數的輸出內容 | | | | | | | | | | |
| 2 | 係數 | 價格 | 假日 | 雨天 | 晴天 | 週日 | 週六 | 週五 | 週四 | 週三 | 週一 | 截距 |
| 3 | 標準誤 | 價格 | 假日 | 雨天 | 晴天 | 週日 | 週六 | 週五 | 週四 | 週三 | 週一 | 截距 |
| 4 | | 決定係數 | 迴歸方程式的標準誤 | #N/A | #N/A | #N/A | #N/A | #N/A | #N/A | #N/A | #N/A | #N/A |
| 5 | | 顯著值 | 殘差的自由度 | #N/A | #N/A | #N/A | #N/A | #N/A | #N/A | #N/A | #N/A | #N/A |
| 6 | | 迴歸方程式的偏差平方和 | 殘差平方和 | #N/A | #N/A | #N/A | #N/A | #N/A | #N/A | #N/A | #N/A | #N/A |
| 7 | | | | | | | | | | | | |
| 8 | | ▽LINEST函數的結果 | | | | | | | | | | |
| 9 | | -0.88623004 | 27.64610896 | -39.0714 | 4.319147 | 89.98102 | 84.98397 | 11.20794 | 5.003304 | 9.22062 | 11.30772 | 340.4956 |
| 10 | | 0.072178968 | 2.733946812 | 1.609419 | 1.258093 | 3.067856 | 3.229335 | 2.734626 | 2.768444 | 2.730799 | 2.789152 | 11.60017 |
| 11 | | 0.929641633 | 10.08659093 | #N/A | #N/A | #N/A | #N/A | #N/A | #N/A | #N/A | #N/A | #N/A |
| 12 | | 465.0958629 | 352 | #N/A | #N/A | #N/A | #N/A | #N/A | #N/A | #N/A | #N/A | #N/A |
| 13 | | 473185.3528 | 35812.23947 | #N/A | #N/A | #N/A | #N/A | #N/A | #N/A | #N/A | #N/A | #N/A |
| 14 | | | | | | | | | | | | |

# 練習問題

CHAPTER 01
CHAPTER 02
CHAPTER 03
CHAPTER 04
CHAPTER 05

**實 例** 「預測不動產價格」

準備購買不動產的 M 先生正於台北郊外尋找中古房屋。M 先生收集到的資料如下。他希望根據這些資料預測不動產價格，與自己期望的價格進行比較。

● M先生的理想房屋

| | A | B | C | D | E | F | G |
|---|---|---|---|---|---|---|---|
| 1 | ▽理想房屋 | | | | | | |
| 2 | 最近車站 | 與車站距離 | 土地面積 | 建物面積 | 年數 | 隔間 | 價格（百萬元） |
| 3 | 雙連 | 800 | 100 | 80 | 10 | 3LDK | 58 |
| 4 | | | | | | | |

● 不動產資料

| | A | B | C | D | E | F | G | H | I | J |
|---|---|---|---|---|---|---|---|---|---|---|
| 1 | ▽不動產資料 | | | | | | | | | |
| 2 | No | 最近車站 | 類別 | 與車站距離 | 土地面積 | 建物面積 | 格局 | 房間數 | 客廳 | 客室 |
| 3 | 1 | 龍山寺站 | 徒步 | 430 | 120 | 100 | 3LDK | 3 | ○ | |

**共通問題** 請將要排除的要因與資料移動到其他位置而不是刪除。

**問 題 ❶** 請完成迴歸分析的事前作業。請將定性資料量化，也排除冗長的資料。此外，這次預備了從「格局」分解而來的「客廳」、「客室」、「飯廳」資料，所以格局的資料未量化。

**問 題 ❷** 確認多元共線性，再視情況排除要因。

**問 題 ❸** 進行迴歸分析，再視情況排除要因，重複執行迴歸分析。

**問 題 ❹** 根據調整的 R 平方、顯著值、殘差確認迴歸方程式的適切性。

**問 題 ❺** 將影響房屋價格的要因繪製成圖表。

**問 題 ❻** 在「預測」工作表算出 M 先生的理想房屋價格預測值。

**範例**
練習: 4-renshu
完成: 4-kansei

▶「No」不是迴歸分析的對象。

▶要因的元素名稱可利用篩選功能挑選。

# 有關顧客的資料分析

本章將介紹以顧客為焦點的分析實例。雖說是顧客分析，但幾乎沒有什麼是沒見過的分析手法，很多都已在前面的章節使用過。不過，將焦點放在顧客之後，會讓人覺得是全新的分析方式。資料分析的運用不一定只能套用在特定情況，只要改變切入點，就能套用至其他實例應用，還請大家務必從本章體會這點。

01　快速替顧客排名 ▶▶▶▶▶▶▶▶▶▶▶▶▶▶▶▶▶▶▶▶▶▶▶▶▶▶▶ P.214

02　找出優良顧客 ▶▶▶▶▶▶▶▶▶▶▶▶▶▶▶▶▶▶▶▶▶▶▶▶▶▶▶▶ P.222

03　利用問卷具體呈現需要改善的項目 ▶▶▶▶▶▶▶▶▶▶▶ P.239

04　抓住消費者的心理 ▶▶▶▶▶▶▶▶▶▶▶▶▶▶▶▶▶▶▶▶▶▶▶ P.253

05　得到目標客群青睞的是哪邊？ ▶▶▶▶▶▶▶▶▶▶▶▶▶▶ P.274

# 01 快速替顧客排名

顧客固然重要,但是將不太消費與大量消費的人當成相同的顧客管理,卻是成本面所不樂見的。一如商品需要 ABC 分析,顧客也需要 ABC 分析。這次要介紹的是根據購買金額將顧客分成 10 個群組管理的十分法分析。

## 導入 ▶ ▶ ▶ ▶

**實 例** ── 「想更靈活地管理顧客」──

創業之後的 X 年,N 公司的業績順利成長,顧客資料庫約有一萬人註冊。在此之前,都會將活動簡介直接寄給所有顧客,但是當顧客人數成長至一萬人,簡介的廣告費用與寄送費用就變成一種負擔。N 公司的 P 先生為了降低直接郵寄的成本而希望徹底進行顧客管理,不過忙碌的他沒時間仔細分析顧客。該如何才能快速完成顧客管理呢?

● 顧客業績資料

| | A | B | C | D | E |
|---|---|---|---|---|---|
| 1 | | 統計期間:2015年4月~2016年3月 | | | |
| 2 | | ▽顧客資料 | | | |
| 3 | 順位 | 顧客ID | 購買金額 | | |
| 4 | | P00001 | 147,020 | | |
| 5 | | P00002 | 68,300 | | |
| 6 | | P00003 | 55,500 | | |
| 7 | | P00004 | 53,570 | | |
| 10000 | | P09997 | 12,240 | | |
| 10001 | | P09998 | 75,410 | | |
| 10002 | | P09999 | 57,980 | | |
| 10003 | | P10000 | 21,100 | | |

▶ 進行將顧客分成十等分的十分法分析

十分法分析的十分法就是 10 等分的意思,也就是將顧客依照購買金額較高的順序排列後,將顧客人數分成十等分。下圖是將 29 名顧客分組的情況。顧客人數不是以 10 分組這點不用太在意,一樣可依照由高至低的購買金額,將顧客分成每三人一組。就結論而言,最後一組是重要度較低,可輕鬆管理的群組。即便人數不足三人也沒關係。

群組名稱是從金額較高開始命名,一開始是「等分 1」、「等分 2」,最後則是「等分 10」。

● 十分法分析

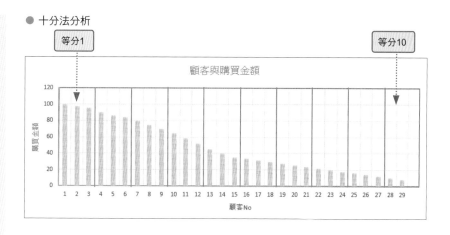

▶增加商品管理的彈性
→ P.71

要將哪些等分當成重點管理的思維與商品的 ABC 分析是相同的思維。下表是 ABC 分析所使用的管理基準與管理臨界值。十分法分析則是將評價「A」、「B」、「C」的部分換成群組名稱。

▶管理臨界值充其量僅供參考，所以將組成比例累計的 30% 當成特別管理的部分，自訂特殊的基準也是可行的做法。

● ABC 分析的管理基準與臨界值

| 評價 | 管理基準 | 管理臨界值 |
|------|----------|------------|
| A | 重點管理 | 組成比例累計≦80% |
| B | 標準管理 | 80%＜組成比例累計≦90% |
| C | 寬鬆管理 | 90%＜組成比例累計≦100% |

十分法分析會把這部分換成群組名稱

柏拉圖
▶→ P.72

### ● 利用柏拉圖具體呈現群組的業績貢獻度

統計每個群組的購買金額，再累計各群組的購買比率，然後根據這些資料繪製折線圖，再將折線圖新增至上述的長條圖之後，就能看在哪些等分之前的群組對業績的貢獻度。圖表與商品 ABC 分析的時候一樣都是柏拉圖，重點管理的管理臨界值可利用在第幾等分之前的群組確認。

● 等分群組單位的柏拉圖

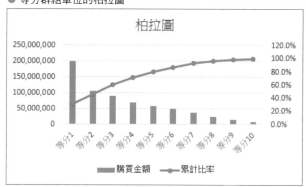

實踐 ▶ ▶ ▶

▶ 準備的業務資料

這次準備了每位顧客的業績資料。由於將顧客 ID 從 P00001 排序到 P10000,所以就算之後以購買金額排序,也能恢復原本的排序。Excel 沒有內建還原排序的功能,所以建議大家視情況追加編號的欄位。

此外,也建立了順位欄位,以便根據由高至低的購買金額排序 1～10000 的資料。這次共有一萬人的資料,所以建立了能將這一萬人分成以 1000 人為單位的群組,再以群組進行統計的表格。1～1000 的順位為等分 1,1001～2000 為等分 2,分組的方式就以此類推。

● 顧客業績資料與十分法分析表

範例
5-01

| | A | B | C | D | E | F | G | H | I | J |
|---|---|---|---|---|---|---|---|---|---|---|
| 1 | | 統計期間:2015年4月~2016年3月 | | | | | | | | |
| 2 | | ▽顧客資料 | | | ▽十分法分析 | | | | | |
| 3 | 順位 | 顧客ID | 購買金額 | | 順位 | | 等分 | 購買金額 | 購買比率 | 累計比率 |
| 4 | | P00001 | 147,020 | | 1 | 1000 | 等分1 | | | |
| 5 | | P00002 | 68,300 | | 1001 | 2000 | 等分2 | | | |
| 6 | | P00003 | 55,500 | | 2001 | 3000 | 等分3 | | | |
| 7 | | P00004 | 53,570 | | 3001 | 4000 | 等分4 | | | |
| 8 | | P00005 | 134,280 | | 4001 | 5000 | 等分5 | | | |
| 9 | | P00006 | 115,390 | | 5001 | 6000 | 等分6 | | | |
| 10 | | P00007 | 134,270 | | 6001 | 7000 | 等分7 | | | |
| 11 | | P00008 | 17,500 | | 7001 | 8000 | 等分8 | | | |
| 12 | | P00009 | 63,020 | | 8001 | 9000 | 等分9 | | | |
| 13 | | P00010 | 112,040 | | 9001 | 10000 | 等分10 | | | |
| 14 | | P00011 | 222,240 | | | 合計 | | | | |
| 15 | | P00012 | 98,450 | | | | | | | |

▶ Excel 的操作① : 統計各群組的購買金額

依照由高至低的購買金額排序後,在順位欄位輸入 1～1000 的順位,再以 1000 人為單位統計購買金額。要建立順位大於 1、小於 1000、大於 1001 小於 2000 的條件時可使用 SUMIFS 函數。

SUMIFS 函數 ➡ 建立多種條件再加總數值

| 格 式 | = SUMIFS(加總目標範圍,條件範圍,條件 1,條件範圍 2,條件 2,…) |
|---|---|
| 解 說 | 在條件範圍搜尋條件,再加總符合所有條件的加總目標範圍的數值。 |
| 補 充1 | 條件範圍與條件必須成對指定,而且加總目標範圍與條件範圍指定的儲存格範圍的欄數 × 列數必須相同。 |
| 補 充2 | 條件可指定為比較運算子與字串運算子組成的比較公式。例如以「≦ -2」(-2 於儲存格「A1」輸入)為條件時,可指定為「"<="&A1」。 |

## 由高至低排序購買金額

❶ 點選「購買金額」的任何一個儲存格

❷ 點選「資料」索引標籤的「從最大到最小排序」

▶步驟❷也可點選「常用」索引標籤→「排序與篩選」→「從最大到最小排序」。

| | A | B | C | D | E | F | G | H | I | J | K |
|---|---|---|---|---|---|---|---|---|---|---|---|
| 1 | | 統計期間：2015年4月~2016年3月 | | | | | | | | | |
| 2 | | ▽顧客資料 | | | ▽十分法分析 | | | | | | |
| 3 | 順位 | 顧客ID | 購買金額 | | 順位 | 等分 | 購買金額 | 購買比率 | 累計比率 | | |
| 4 | | P00001 | 147,020 | | 1 | 1000 | 等分1 | | | | |
| 5 | | P00002 | 68,300 | | 1001 | 2000 | 等分2 | | | | |
| 6 | | P00003 | 55,500 | | 2001 | 3000 | 等分3 | | | | |
| 7 | | P00004 | 53,570 | | 3001 | 4000 | 等分4 | | | | |
| 8 | | P00005 | 134,280 | | 4001 | 5000 | 等分5 | | | | |
| 9 | | P00006 | 115,390 | | 5001 | 6000 | 等分6 | | | | |
| 10 | | P00007 | 134,270 | | 6001 | 7000 | 等分7 | | | | |
| 11 | | P00008 | 17,500 | | 7001 | 8000 | 等分8 | | | | |
| 12 | | P00009 | 63,020 | | 8001 | 9000 | 等分9 | | | | |
| 13 | | P00010 | 112,040 | | 9001 | 10000 | 等分10 | | | | |
| 14 | | P00011 | 222,240 | | | | 合計 | | | | |
| 15 | | P00012 | 98,450 | | | | | | | | |

❸ 購買金額由高至低排序

| | A | B | C | D | E | F | G | H | I | J |
|---|---|---|---|---|---|---|---|---|---|---|
| 1 | | 統計期間：2015年4月~2016年3月 | | | | | | | | |
| 2 | | ▽顧客資料 | | | ▽十分法分析 | | | | | |
| 3 | 順位 | 顧客ID | 購買金額 | | 順位 | 等分 | 購買金額 | 購買比率 | 累計比率 | |
| 4 | 1 | P01236 | 355,000 | | 1 | 1000 | 等分1 | | | |
| 5 | 2 | P07851 | 354,980 | | 1001 | 2000 | 等分2 | | | |
| 6 | | 437 | 354,840 | | 2001 | 3000 | 等分3 | | | |
| 7 | | P07460 | 354,800 | | 3001 | 4000 | 等分4 | | | |
| 8 | | P07952 | 354,710 | | 4001 | 5000 | 等分5 | | | |
| 9 | | P00634 | 354,650 | | 5001 | 6000 | 等分6 | | | |
| 10 | | P06769 | 354,630 | | 6001 | 7000 | 等分7 | | | |
| 11 | | P06608 | 354,550 | | 7001 | 8000 | 等分8 | | | |
| 12 | | P07969 | 354,530 | | 8001 | 9000 | 等分9 | | | |
| 13 | | P08861 | 354,530 | | 9001 | 10000 | 等分10 | | | |
| 14 | | P01134 | 354,450 | | | | 合計 | | | |
| 15 | | P00244 | 354,410 | | | | | | | |

❹ 在儲存格「A4」、「A5」輸入「1」、「2」，再拖曳選取儲存格範圍「A4:A5」，然後將滑鼠游標移至自動填滿控制點，再雙按滑鼠左鍵輸入順位。

### 以 1000 人為單位加總購買金額

●在儲存格「H4」輸入的公式

| H4 | =SUMIFS($C$4:$C$10003,$A$4:$A$10003,">="&E4,$A$4:$A$10003,"<="&F4) |

▶點選指定範圍的開頭儲存格，按住 [Ctrl]+[Shift]+[↓]，然後按下 [F4] 可更有效率地選取範圍。

這部分要當成搜尋順位的條件使用，可指定為大於1、小於1000

❶ 在儲存格「H4」輸入SUMIFS函數，再利用自動填滿功能將公式複製到儲存格「H13」為止，以等分群組為單位計算購買金額。

▶ SUMIFS 函數必須指定成對的條件範圍與條件，所以，即便條件範圍是相同的，也不能省略指定。

| | A | B | C | D | E | F | G | H | I | J |
|---|---|---|---|---|---|---|---|---|---|---|
| 1 | | 統計期間：2015年4月~2016年3月 | | | | | | | | |
| 2 | | ▽顧客資料 | | | ▽十分法分析 | | | | | |
| 3 | 順位 | 顧客ID | 購買金額 | | 順位 | 等分 | | 購買金額 | 購買比率 | 累計比率 |
| 4 | 1 | P01236 | 355,000 | | 1 | 1000 | 等分1 | 200,154,370 | | |
| 5 | 2 | P07851 | 354,980 | | 1001 | 2000 | 等分2 | 105,656,460 | | |
| 6 | 3 | P01437 | 354,840 | | 2001 | 3000 | 等分3 | 89,157,780 | | |
| 7 | 4 | P07460 | 354,800 | | 3001 | 4000 | 等分4 | 69,866,990 | | |
| 8 | 5 | P07952 | 354,710 | | 4001 | 5000 | 等分5 | 58,828,390 | | |
| 9 | 6 | P00634 | 354,650 | | 5001 | 6000 | 等分6 | 48,250,770 | | |
| 10 | 7 | P06769 | 354,630 | | 6001 | 7000 | 等分7 | 37,207,510 | | |
| 11 | 8 | P06608 | 354,550 | | 7001 | 8000 | 等分8 | 24,275,150 | | |
| 12 | 9 | P07969 | 354,530 | | 8001 | 9000 | 等分9 | 15,296,350 | | |
| 13 | 10 | P08861 | 354,530 | | 9001 | 10000 | 等分10 | 8,404,570 | | |
| 14 | 11 | P01134 | 354,450 | | | | 合計 | | | |
| 15 | 12 | P00244 | 354,410 | | | | | | | |

搜尋順位的範圍

### 計算購買比率與購買比率累計

●在儲存格「H14」、「I4」、「J4」輸入的公式

| H14 | =SUM(H4:H13) | | I4 | =H4/$H$14 | | J4 | =SUM($I$4:I4) |

| D | E | F | G | H | I | J | K |
|---|---|---|---|---|---|---|---|
| ~2016年3月 | | | | | | | |
| | ▽十分法分析 | | | | | | |
| | 順位 | | 等分 | 購買金額 | 購買比率 | 累計比率 | |
| | 1 | 1000 | 等分1 | 200,154,370 | 30.5% | 30.5% | |
| | 1001 | 2000 | 等分2 | 105,656,460 | 16.1% | 46.5% | |
| | 2001 | 3000 | 等分3 | 89,157,780 | 13.6% | 60.1% | |
| | 3001 | 4000 | 等分4 | 69,866,990 | 10.6% | 70.7% | |
| | 4001 | 5000 | 等分5 | 58,828,390 | 9.0% | 79.7% | |
| | 5001 | 6000 | 等分6 | 48,250,770 | 7.3% | 87.0% | |
| | 6001 | 7000 | 等分7 | 37,207,510 | 5.7% | 92.7% | |
| | 7001 | 8000 | 等分8 | 24,275,150 | 3.7% | 96.4% | |
| | 8001 | 9000 | 等分9 | 15,296,350 | 2.3% | 98.7% | |
| | 9001 | 10000 | 等分10 | 8,404,570 | 1.3% | 100.0% | |
| | | | 合計 | 657,098,340 | 100.0% | | |

❷ 在儲存格「I4」與「J4」輸入計算比率與累計的公式

▶儲存格「I14」設定為「百分比」的格式。

❶ 在儲存格「H14」輸入加總購買金額的函數，再利用自動填滿功能將公式複製到儲存格「I14」為止

❸ 拖曳選取儲存格範圍「I4:J4」，再利用自動填滿功能將公式複製到第13列為止，算出等分群組單位的購買比率與購買比率累計

▶ Excel 的操作② ：繪製柏拉圖

柏拉圖的繪製方法與 P.76 一樣。Excel 2013／2016 可直接利用組合圖繪製柏拉圖。柏拉圖完成後，可依照由小至大的順序排序顧客 ID，讓業績資料還原成原本的排序。SUMIFS 函數是用來觀察順位的值，所以即便排序改變，統計的資料也不會改變。

### 利用組合圖繪製柏拉圖　Excel2013/2016

❶ 拖曳選取儲存格範圍「G3:H13」，再按住 [Ctrl]鍵拖曳選取儲存格範圍「J3:J13」

同時選取多個儲存格範圍
▶拖曳選取第一個儲存格範圍後，按住 [Ctrl] 鍵選取第二個之後的儲存格範圍。

❷ 從「插入」索引標籤點選「插入組合式圖表」→「群組直條圖−折線圖與副座標軸」

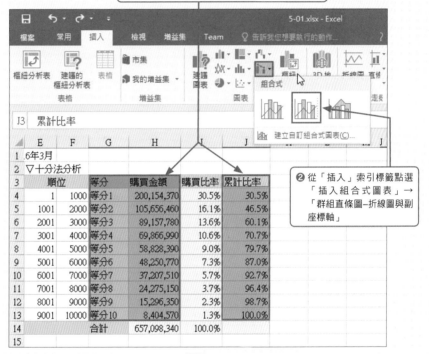

▶ Excel2007/2010 可參考 P.76 的方式繪製圖表。

▶圖表標題、座標軸標題可適度修改。圖表的編輯方法請參考 P.41。

❹ 插入了堆疊直條圖

❸ 柏拉圖完成了

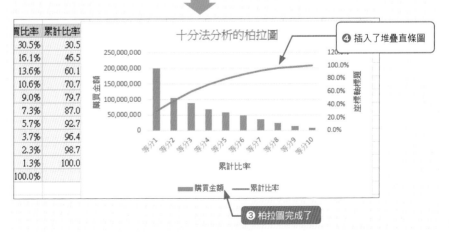

依照顧客 ID 的順序排序

❶ 點選「顧客ID」的任何一個儲存格

❷ 點選「資料」索引標籤的「從A到Z排序」，還原成原來的排序

▶步驟❷也可點選「常用」索引標籤→「排序與篩選」→「從最大到最小排序」。

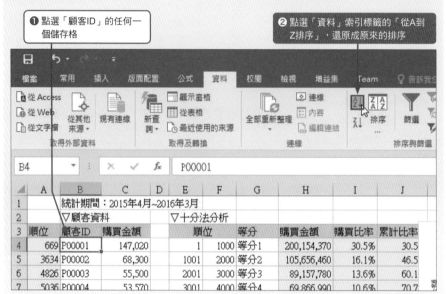

▶ 判讀結果

從購買比率累計與柏拉圖可以發現，購買比率累計為 80% 的群組為等分 1〜等分 5。到等分 5 之前的意思就是 1000 人 ×5 群組，也就是 5000 人。需要重點管理的人數也等於少了一半。

此外，順位欄位代表的是每個顧客的購買等級。舉例來說，顧客 ID「P00001」的順位為整體的「669」，所以屬於等分 1 的群組。

● 十分法分析的問題

十分法分析只將焦點放在顧客的購買金額，但是，就算購買金額很高，也不代表就一定是常客，有可能剛好是在統計期間常來店裡的顧客，而且有些業界一拉長統計期間，原本該放棄的顧客反而會納入前段班的群組。解決方法之一是縮短統計期間。例如，只統計最近一個月的資料，如此一來就能排除只來過一次的顧客。

其他的解決方案就是除了將焦點放在購買金額外，還加入最近來店日期與來店次數的因素。利用來店日期、來店次數與購買金額這三個因素進行的分析稱為 RFM 分析。RFM 分析將於次節說明。次節將使用 VLOOKUP 函數，第一次使用這個函數的讀者請務必詳讀「發展」的內容。

## 發展 ▶▶▶

### ▶ 顯示顧客所屬的群組名稱

要根據顧客的順位顯示所屬的等分群組名稱可使用 VLOOKUP 函數。VLOOKUP 函數就像是型錄搜尋般，通常會用於取得與商品 No『一致』的商品名稱，但也很適合用於搜尋順位 1～1000 為等分 1 的這種範圍。

#### VLOOKUP 函數 ➡ 顯示接近搜尋的值

| 格　式 | = VLOOKUP（搜尋值，範圍，欄編號） |
|---|---|
| 解　說 | 於範圍搜尋搜尋值，再顯示距離搜尋值最近以及不超過搜尋值的範圍的欄編號。 |
| 補　充 | 搜尋搜尋值的資料可於範圍最左端的欄位輸入，而範圍必須先依由小至大的順序排序。範例的最左端欄位則被視為第一欄。 |

範例
5-01「發展完成」工作表可確認 VLOOKUP 函數的內容。

● 顯示等分群組

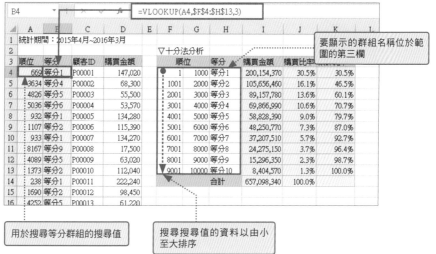

上圖在 B 欄新增了顯示等分群組名稱的項目，並在儲存格「B4」輸入了 VLOOKUP 函數。儲存格「A4」的順位「669」是在範圍最左端欄位的儲存格範圍「F4:F13」裡搜尋。最接近「669」，卻又不超過「669」的是儲存格「F4」的「1」。與儲存格「F4」的「1」對應的群組名稱為「等分 1」。

# 02 找出優良顧客

依照購買金額較高的順序將顧客分成十組進行管理的十分法分析雖然可以輕鬆地篩選出重要的顧客,卻無法分辨誰是常客。這次要說明的是除了購買金額外,還另外加入最終來店日期、來店次數這兩項觀點進行的 RFM 分析。

## 導入 ▶ ▶ ▶

**實 例** 「想找出常來店裡,購買金額又高的優良顧客」

N 公司的 P 先生希望透過徹底管理顧客的手段減少直接郵寄的成本,所以進行了十分法分析。但是,若另外根據來店次數與最終來店日期分析,就會發現需要重點管理的顧客裡,摻雜了過去只來過 1、2 次的顧客。到底該怎麼篩選出常來店裡,購買金額又高的顧客呢?

● 顧客業績、來店日期、來店次數資料

| | A | B | C | D | E | F | |
|---|---|---|---|---|---|---|---|
| 1 | ▽顧客資 | 統計期間:2015年4月~2016年3月 | | | | 2016/4/1 ◀ | 統計日期 |
| 2 | | | | | | | |
| 3 | 順位 ▼ | 等分 ▼ | 最終來店 ▼ | 來店次數 ▼ | 顧客ID ▼ | 購買金額 ▼ | |
| 201 | 1004 | 等分2 | 2015/9/14 | 1 | P00198 | 116,630 | |
| 203 | 1089 | 等分2 | 2015/9/14 | 1 | P00200 | 115,550 | |
| 224 | 1335 | 等分2 | 2015/9/14 | 5 | P00221 | 112,400 | |
| 241 | 1228 | 等分2 | 2015/9/14 | 5 | P00238 | 113,830 | |
| 283 | 1422 | 等分2 | 2015/9/14 | 5 | P00280 | 111,350 | |
| 602 | 1182 | 等分2 | 2015/9/28 | 1 | P00599 | 114,330 | |

從統計日期開始到半年之前只來過一次的顧客分類為等分2

▶ 進行以購買日期、購買次數、購買金額排名的 RFM 分析

RFM 是 Recency、Frequency、Monetary 這三個英文單字的首字所組成的詞彙。RFM 分析是找出最近曾來消費、常來消費、以及花大錢消費的顧客的分析手法。

● Recency

這是從最後購買日期起算的經過日數。如果距離最後一次購買的日數太長,有可能這位顧客搬家了,或是喜歡去別家店了。即便都是顧客,Recency 可用來判斷哪些是最近才來店裡的顧客,提醒我們要重視這些顧客。

● Frequency

這是統計期間的來店次數。比起偶爾才來店裡的顧客，常常來店裡的顧客更需要重視，而 Frequency 就是用來分辨這些顧客的材料。

● Monetary

這是於統計期間，每位顧客的購買金額。總之，花大錢的顧客當然值得重視。P.214 實施的十分法分析就是將焦點放在 Monetary。

根據上述三種判斷材料，可將常來店裡、願意花大錢的顧客定義為優良顧客。我們將透過下列的評價基準找出優良顧客。

● RFM分析的評價方法

評價的方法當然不只這些，但大致來說，可將各判斷材料分成 3～5 階段評價。下圖就是範例的評價基準。雖然評價是以 A～E 標記，但也可改以數字標記，判斷基準的內容也可根據要分析的資料調整。不過，不太建議超過五階段的評價，因為，光是五個階段，經過日數就有五種評價模式，來店次數與購買數也有五種模式，而這三種判斷材料綜合而成的評價就有 AAA～EEE=5×5×5=125 種組合。

● RFM 分析的評價範例

| | A | B | C | D |
|---|---|---|---|---|
| 1 | ▽RFM分析的評價基準範例 | | | |
| 2 | 評價 | 經過日數（R） | 來店次數（F） | 購買金額（M） |
| 3 | A | 低於30天 | 12次以上 | 高於20萬元 |
| 4 | B | 高於30天低於60天 | 高於9次低於12次 | 高於15萬元低於20萬元 |
| 5 | C | 高於60天低於90天 | 高於6次低於9次 | 高於10萬元低於15萬元 |
| 6 | D | 高於90天低於120天 | 高於3次低於6次 | 高於5萬元低於10萬元 |
| 7 | E | 高於120天以上 | 低於3次 | 低於5萬元 |

● 利用樞紐分析表找出優良顧客

整理成五階段評價後，雖然會產生 125 種組合的評價模式，但只要使用樞紐分析表，就能輕鬆篩選出評價「AAA」這種 3A 優良顧客。範例的目的在於找出優良顧客，但只要建立樞紐分析表，連 3E 這種背離的顧客也能找出來，對於顧客資料的整理非常有幫助。

實踐 ▶ ▶ ▶ ▶

▶ 準備的業務資料

這次準備了每個顧客的業績、最終來店日期、來店次數的資料。由於要以一年內的資料為統計對象，所以我們設定經過日數為最終來店日期到 2016/4/1 為止的日數。也基於五階段評價基準建立了評價表以及顯示 RFM 的三種評價的評價欄位。

範例 5-02

● 顧客業績、最終來店日期、來店次數的資料以及 RFM 分析表

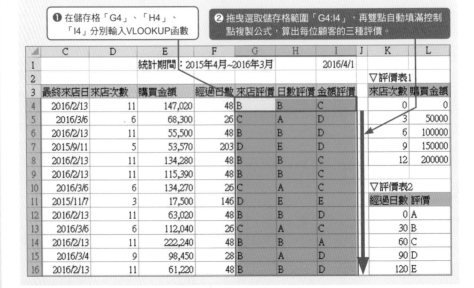

| | A | B | C | D | E | F | G | H | I | J | K | L |
|---|---|---|---|---|---|---|---|---|---|---|---|---|
| 1 | ▽顧客資料 | | | | | 統計期間：2015年4月~2016年3月 | | | | 2016/4/1 | | |
| 2 | | | | | | | | | | | ▽評價表1 | |
| 3 | 順位 | 顧客ID | 最終來店日 | 來店次數 | 購買金額 | 經過日數 | 來店評價 | 日數評價 | 金額評價 | | 來店次數 | 購買金額 |
| 4 | 669 | P00001 | 2016/2/13 | 11 | 147,020 | 48 | | | | | 0 | 0 |
| 5 | 3634 | P00002 | 2016/3/6 | 6 | 68,300 | 26 | | | | | 3 | 50000 |
| 6 | 4826 | P00003 | 2016/2/13 | 11 | 55,500 | 48 | | | | | 6 | 100000 |
| 7 | 5036 | P00004 | 2015/9/11 | 5 | 53,570 | 203 | | | | | 9 | 150000 |
| 8 | 932 | P00005 | 2016/2/13 | 11 | 134,280 | 48 | | | | | 12 | 200000 |
| 9 | 1107 | P00006 | 2016/2/13 | 11 | 115,390 | 48 | | | | | | |
| 10 | 933 | P00007 | 2016/3/6 | 6 | 134,270 | 26 | | | | | ▽評價表2 | |
| 11 | 8167 | P00008 | 2015/11/7 | 3 | 17,500 | 146 | | | | | 經過日數 | 評價 |
| 12 | 4089 | P00009 | 2016/2/13 | 11 | 63,020 | 48 | | | | | 0 | A |
| 13 | 1373 | P00010 | 2016/3/6 | 6 | 112,040 | 26 | | | | | 30 | B |
| 14 | 238 | P00011 | 2016/2/13 | 11 | 222,240 | 48 | | | | | 60 | C |
| 15 | 1690 | P00012 | 2016/3/4 | 9 | 98,450 | 28 | | | | | 90 | D |
| 16 | 4252 | P00013 | 2016/2/13 | 11 | 61,220 | 48 | | | | | 120 | E |

▶ A 欄的順位是十分法分析的結果。
→ P.217

依照由小至大的順序排序要搜尋評價的資料。
來店次數與購買金額也以相同的順序排序。

▶ Excel 的操作①：求出 RFM 的評價

▶ VLOOKUP 函數
→ P.221

這次要利用 VLOOKUP 函數求出三個評價。將評價表一分為二的理由是因為在數值裡搜尋時，搜尋的資料必須先由小至大的順序排序。來店次數與購買金額太低會得到較低的評價，所以評價的順序為 E → A。經過日數越少代表最近才剛來過店裡，所以評價的順序為 A → E。

### 求出三種評價

● 在儲存格「G4」、「H4」、「I4」輸入的公式

| G4 | =VLOOKUP(D4,$K$4:$M$8,3) | H4 | =VLOOKUP(F4,$K$12:$L$16,2) |
|---|---|---|---|
| I4 | =VLOOKUP(E4,$L$4:$M$8,2) | | |

▶ 使用 VLOOKUP 函數搜尋時，要搜尋搜尋值的資料必須位於範圍的最左欄。

▶ 來店次數是搜尋儲存格範圍「K4:M8」的第三個欄位，購買金額則是搜尋儲存格範圍「L4:M8」的第二個欄位。

❶ 在儲存格「G4」、「H4」、「I4」分別輸入VLOOKUP函數

❷ 拖曳選取儲存格範圍「G4:I4」，再雙點自動填滿控制點複製公式，算出每位顧客的三種評價。

| | C | D | E | F | G | H | I | J | K | L |
|---|---|---|---|---|---|---|---|---|---|---|
| 1 | | | 統計期間：2015年4月~2016年3月 | | | | | | 2016/4/1 | |
| 2 | | | | | | | | | ▽評價表1 | |
| 3 | 最終來店日 | 來店次數 | 購買金額 | 經過日數 | 來店評價 | 日數評價 | 金額評價 | | 來店次數 | 購買金額 |
| 4 | 2016/2/13 | 11 | 147,020 | 48 | B | B | C | | 0 | 0 |
| 5 | 2016/3/6 | 6 | 68,300 | 26 | C | A | D | | 3 | 50000 |
| 6 | 2016/2/13 | 11 | 55,500 | 48 | B | B | D | | 6 | 100000 |
| 7 | 2015/9/11 | 5 | 53,570 | 203 | D | E | D | | 9 | 150000 |
| 8 | 2016/2/13 | 11 | 134,280 | 48 | B | B | C | | 12 | 200000 |
| 9 | 2016/2/13 | 11 | 115,390 | 48 | B | B | C | | | |
| 10 | 2016/3/6 | 6 | 134,270 | 26 | C | A | C | | ▽評價表2 | |
| 11 | 2015/11/7 | 3 | 17,500 | 146 | D | E | E | | 經過日數 | 評價 |
| 12 | 2016/2/13 | 11 | 63,020 | 48 | B | B | D | | 0 | A |
| 13 | 2016/3/6 | 6 | 112,040 | 26 | C | A | C | | 30 | B |
| 14 | 2016/2/13 | 11 | 222,240 | 48 | B | B | A | | 60 | C |
| 15 | 2016/3/4 | 9 | 98,450 | 28 | B | A | D | | 90 | D |
| 16 | 2016/2/13 | 11 | 61,220 | 48 | B | B | D | | 120 | E |

▶ Excel 的操作② ：以樞紐分析表統計

接著要將帶有三種評價的顧客資料製作成樞紐分析表。建立樞紐分析表的時候，為了能正確辨識資料範圍，請不要在鄰接資料的儲存格輸入多餘的值。範例檔案也在表格的標題與資料之間插入 1 列的儲存格，也在資料與評價表之間插入 1 欄的空間。統計表雖是二次的，但只要使用「篩選」功能，就能同時統計三種評價。

### 插入樞紐分析表

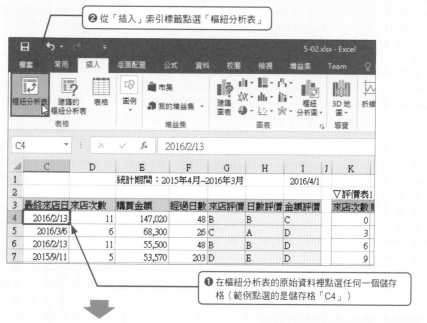

❷ 從「插入」索引標籤點選「樞紐分析表」

❶ 在樞紐分析表的原始資料裡點選任何一個儲存格（範例點選的是儲存格「C4」）

❸ 確認儲存格範圍為「A3:I10003」再按下「確定」，就會在新的工作表插入空白的樞紐分析表。

▶點選的儲存格會被視為樞紐分析表的目標資料，而空白的列與欄會被辨識為資料範圍的邊界。除了不要在表格周圍輸入多餘的值，也不要在表格內插入多餘的空白。

## 配置欄位

●欄位的配置

| 篩選（報表篩選） | 金額評價 |
|---|---|
| 列（列標籤） | 來店評價 |
| 欄（欄標籤） | 日數評價 |
| 值 | 顧客ID |

❶ 配置欄位時，可將資料的欄標題拖曳到欄位清單

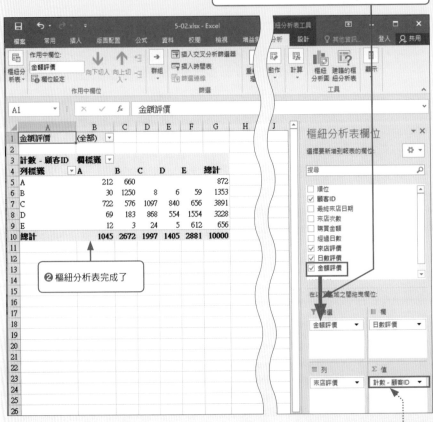

❷ 樞紐分析表完成了

顧客ID這類文字資料配置在「值」之後，就能算出資料筆數

▶樞紐分析表的欄位追加方法
→ P.3

▶來店評價、日數評價都是A~E，所以統計表的標題都是「列標籤」與「欄標籤」，看起來不太容易理解。建議變更樞紐分析表的設計，做成更方便閱讀的統計表。

### 變更樞紐分析表的設計

▶「設計」索引標籤只會在點選樞紐分析表的儲存格時才會顯示。

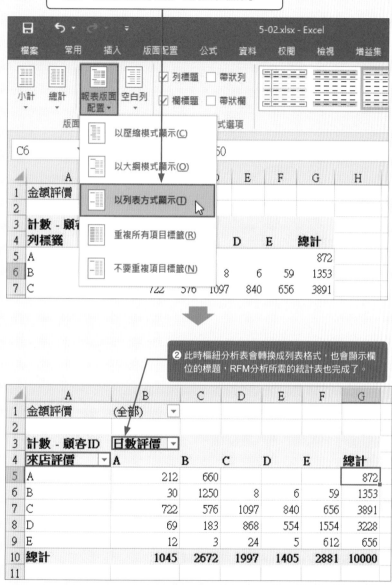

❶ 點選樞紐分析表的任一儲存格，再從「設計」索引標籤的「報表版面配置」點選「以列表方式顯示」

❷ 此時樞紐分析表會轉換成列表格式，也會顯示欄位的標題，RFM分析所需的統計表也完成了。

| 來店評價 | A | B | C | D | E | 總計 |
|---|---|---|---|---|---|---|
| A | 212 | 660 | | | | 872 |
| B | 30 | 1250 | 8 | 6 | 59 | 1353 |
| C | 722 | 576 | 1097 | 840 | 656 | 3891 |
| D | 69 | 183 | 868 | 554 | 1554 | 3228 |
| E | 12 | 3 | 24 | 5 | 612 | 656 |
| 總計 | 1045 | 2672 | 1997 | 1405 | 2881 | 10000 |

▶ Excel 的操作③ ：篩選出優良顧客

Excel2007/2010
▶「篩選」可改讀為「報表篩選」。

「篩選」是在整張樞紐分析表套用條件的區域。「篩選」的「金額評價」若是設定為「A」，統計表的資料就會更新成與「金額評價」為「A」一致的「來店評價」與「日數評價」。

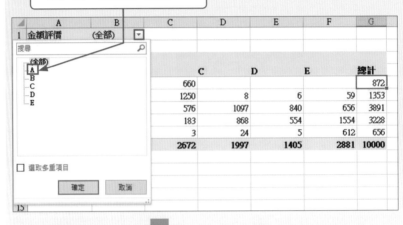

建立「金額評價」為「A」的樞紐分析表

❶ 點選「金額評價」的▼，再從列表裡
點選「A」，然後點選「確定」

▶若想同時選取多個
「篩選」的項目，可勾
選「選取多重項目」選
項。

可以發現「AAA」的顧客有50位

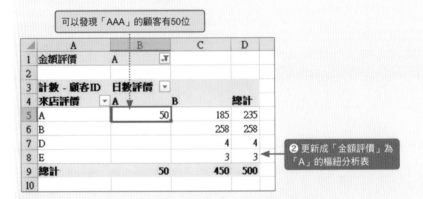

❷ 更新成「金額評價」為
「A」的樞紐分析表

篩選出全評價為 A 的顧客

❶ 雙點想篩選的儲存格（範例點選的是
儲存格「B5」）

| | A | B | C | D | E | F | G |
|---|---|---|---|---|---|---|---|
| 1 | 順位 ▾ | 顧客ID ▾ | 最終來店日期 ▾ | 來店次數 ▾ | 購買金額 ▾ | 經過日數 ▾ | 來店評價 ▾ |
| 2 | 95 | P09789 | 2016/3/19 | 14 | 290400 | 13 | A |
| 3 | 458 | P09630 | 2016/3/19 | 14 | 209150 | 13 | A |
| 4 | 318 | P09410 | 2016/3/18 | 14 | 217130 | 14 | A |
| 5 | 201 | P09306 | 2016/3/18 | 14 | 224590 | 14 | A |
| 6 | 146 | P09288 | 2016/3/18 | 14 | 287750 | 14 | A |
| 14 | 476 | P07122 | 2016/3/24 | 13 | 207640 | 8 | A |
| 15 | 75 | P06898 | 2016/3/25 | 14 | 291680 | 7 | A |
| 16 | 437 | P06881 | 2016/3/24 | 13 | 210320 | 8 | A |
| 17 | 143 | P06949 | 2016/3/24 | 13 | 209910 | 8 | A |

工作表2　工作表1　操作　⊕

❷ 新增了工作表，全評價為A的資料也以表格格式篩選

▶ 判讀結果

根據評價基準評估經過日數、來店次數、購買金額之後，發現全評價為 A 的顧客共有 50 位。

使用樞紐分析表也可篩選出優良顧客之外的顧客。

● 篩選完全背離的顧客

完全背離的顧客就是全評價為 E 的顧客。將「金額評價」的項目切換成「E」，就會發現全評價為 E 的顧客共有「593」位。

● 全評價為 E 的顧客人數

| | A | B | C | D | E | F | G |
|---|---|---|---|---|---|---|---|
| 1 | 金額評價 | E | ▾ | | | | |
| 2 | | | | | | | |
| 3 | 計數 - 顧客ID | 日數評價 ▾ | | | | | |
| 4 | 來店評價 ▾ | A | B | C | D | E | 總計 |
| 5 | A | 22 | 80 | | | | 102 |
| 6 | B | 8 | 190 | 2 | | 22 | 222 |
| 7 | C | 286 | 238 | 416 | 310 | 256 | 1506 |
| 8 | D | 32 | 74 | 494 | 414 | 1179 | 2193 |
| 9 | E | 12 | | 24 | | 593 | 629 |
| 10 | 總計 | 360 | 582 | 936 | 724 | 2050 | 4652 |
| 11 | | | | | | | |

「EEE」的顧客有593位

雙點儲存格「F9」篩選的資料屬於表格格式，所以還可進一步篩選。下圖是從全評價為 E 的顧客之中，篩選出「來店次數」為 0 的資料。這種資料代表的是註冊了資料，這一年卻完全沒來過店裡的顧客，人數共有 151 位。

● 近一年未來過店裡的顧客

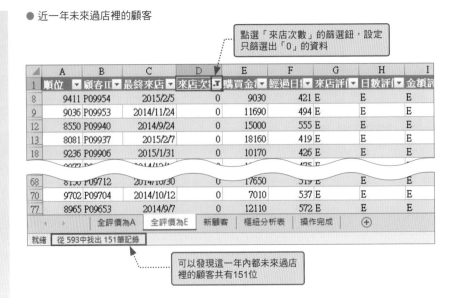

點選「來店次數」的篩選鈕，設定只篩選出「0」的資料

| | A | B | C | D | E | F | G | H | I |
|---|---|---|---|---|---|---|---|---|---|
| 1 | 順位 | 顧客ID | 最終來店 | 來店次數 | 購買金額 | 經過日數 | 來店評價 | 日數評價 | 金額評 |
| 8 | 9411 | P09954 | 2015/2/5 | 0 | 9030 | 421 | E | E | E |
| 9 | 9036 | P09953 | 2014/11/24 | 0 | 11690 | 494 | E | E | E |
| 12 | 8550 | P09940 | 2014/9/24 | 0 | 15000 | 555 | E | E | E |
| 13 | 8081 | P09937 | 2015/2/7 | 0 | 18160 | 419 | E | E | E |
| 18 | 9236 | P09906 | 2015/1/31 | 0 | 10170 | 426 | E | E | E |
| | 9077 | P09... | 2014/12/... | | | 475 | E | | |
| 68 | 8150 | P09712 | 2014/10/30 | 0 | 17650 | 519 | E | E | E |
| 70 | 9702 | P09704 | 2014/10/12 | 0 | 7010 | 537 | E | E | E |
| 77 | 8965 | P09653 | 2014/9/7 | 0 | 12110 | 572 | E | E | E |

全評價為A　全評價為E　新顧客　樞紐分析表　操作完成　⊕

就緒　從 593 中找出 151 筆記錄

可以發現這一年內都未來過店裡的顧客共有151位

● 篩選出新顧客

儘管購買金額與來店次數很低，但最近來過店裡的顧客都是新顧客。下列篩選的是金額評價為 E、來店評價為 E、日數評價為 A 的顧客，進一步篩選出才剛來過店裡的顧客。

● 可能是新顧客的人數

| | A | B | C | D | E | F | G |
|---|---|---|---|---|---|---|---|
| 1 | 金額評價 | E | | | | | |
| 2 | | | | | | | |
| 3 | 計數 - 顧客ID | 日數評價 | | | | | |
| 4 | 來店評價 | A | B | C | D | E | 總計 |
| 5 | A | 22 | 80 | | | | 102 |
| 6 | B | 8 | 190 | 2 | | 22 | 222 |
| 7 | C | 286 | 238 | 416 | 310 | 256 | 1506 |
| 8 | D | 32 | 74 | 494 | 414 | 1179 | 2193 |
| 9 | E | 12 | | 24 | | 593 | 629 |
| 10 | 總計 | 360 | 582 | 936 | 724 | 2050 | 4652 |

可能是新顧客的人數

● 來店次數只有一次的資料

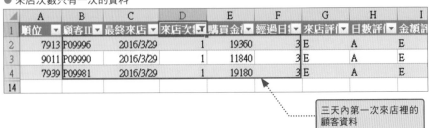

| | A | B | C | D | E | F | G | H | I |
|---|---|---|---|---|---|---|---|---|---|
| 1 | 順位 | 顧客ID | 最終來店 | 來店次數 | 購買金額 | 經過日數 | 來店評價 | 日數評價 | 金額評 |
| 2 | 7913 | P09996 | 2016/3/29 | 1 | 19360 | 3 | E | A | E |
| 3 | 9011 | P09990 | 2016/3/29 | 1 | 11840 | 3 | E | A | E |
| 4 | 7939 | P09981 | 2016/3/29 | 1 | 19180 | 3 | E | A | E |
| 14 | | | | | | | | | |

三天內第一次來店裡的顧客資料

## 發展 ▶▶▶

### ▶ 追加顧客資訊再統計

範例用於 RFM 分析的資料只有顧客 ID 而已。所以這次要讓輸入了顧客 ID、姓名、性別的「顧客資料」工作表與範例的「RFM 分析」工作表的「顧客 ID」建立關聯性，顯示 50 位優良顧客的姓名。利用特定的資訊讓多張工作表建立關聯就是所謂的關聯圖。

範例
5-02- 發展

● 「RFM分析」工作表與「顧客資料」工作表的關聯性

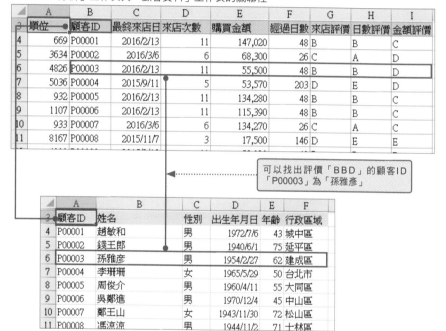

要以特定資料讓多張工作表建立關聯，並於單張樞紐分析表統計時，可執行下列的步驟：

①將各工作表轉換成表格
②在兩張表格之間建立關聯性
③將兩張表格轉換為樞紐分析表
④配置欄位，完成樞紐分析表

## 將各工作表轉換成表格

❶ 點選「RFM分析」工作表的資料的儲存格，再從「插入」
索引標籤點選「表格」

▶轉換成表格後，表格
會自動套用條紋樣式，
但儲存格還是會保留轉
換成表格之前的顏色或
其他格式，所以可將
G～I 的評價欄的填色
設定為「無色彩」。

❷ 確認資料範圍為「=$A$3:$I$10003」，
也勾選了「有標題的表格」選項再按下
「確定」。

❸ 輸入表格名稱（範例輸入的是「RFM分析」）

▶在步驟❸輸入表格名
稱後，請按下 [Enter]
鍵。確認滑鼠游標沒有
在表格名稱的欄位顯
示。

❹ 轉換為表格了

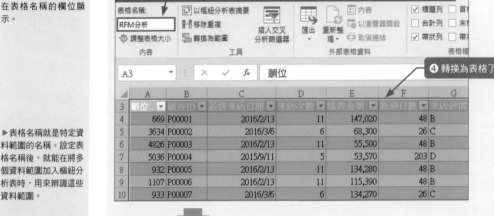

▶表格名稱就是特定資
料範圍的名稱。設定表
格名稱後，就能在將多
個資料範圍加入樞紐分
析表時，用來辨識這些
資料範圍。

⑤ 切換成「顧客資料」工作表，再執行步驟❶～❸，
將資料轉換成表格。

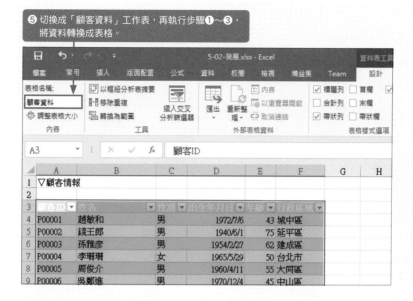

**在兩張表格之間建立關聯**

▶ 步驟❶ 可 啟 用
「RFM 分析」工作表
或是「顧客資料」工作
表。

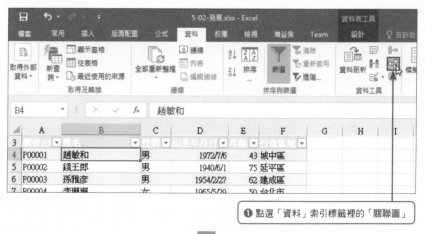

❶ 點選「資料」索引標籤裡的「關聯圖」

❷ 點選「新增」

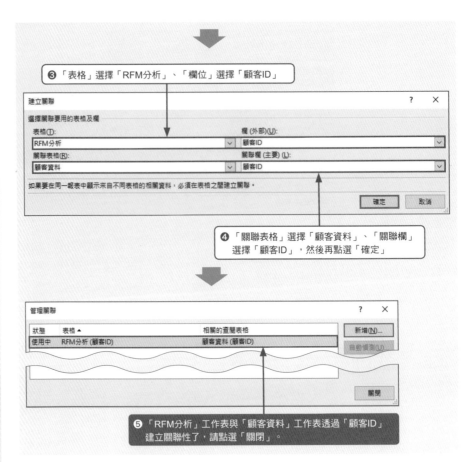

❸「表格」選擇「RFM分析」、「欄位」選擇「顧客ID」

▶「關聯表格」可指定為帳本或主要資料的表格。

❹「關聯表格」選擇「顧客資料」、「關聯欄」選擇「顧客ID」，然後再點選「確定」

❺「RFM分析」工作表與「顧客資料」工作表透過「顧客ID」建立關聯性了，請點選「關閉」。

### 將兩張表格轉換成樞紐分析表

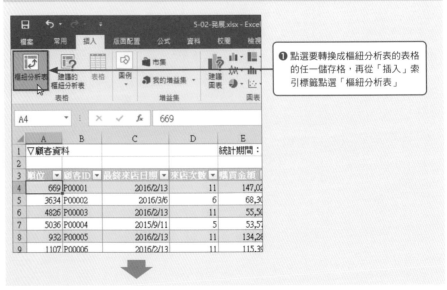

❶ 點選要轉換成樞紐分析表的表格的任一儲存格，再從「插入」索引標籤點選「樞紐分析表」

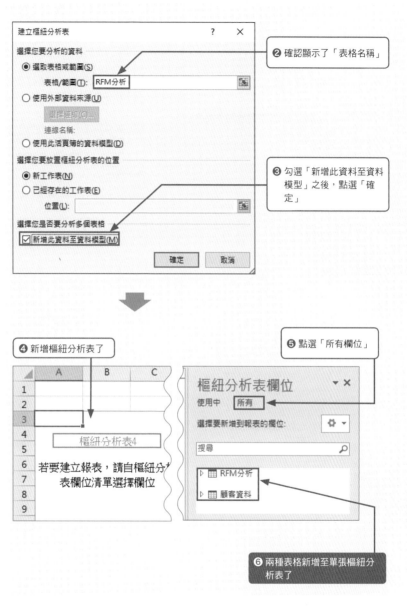

配置欄位，完成樞紐分析表

●欄位的配置

| 篩選 | 「RFM分析」的金額評價、日數評價、來店評價 |
| --- | --- |
| 值 | 「RFM分析」的顧客ID |

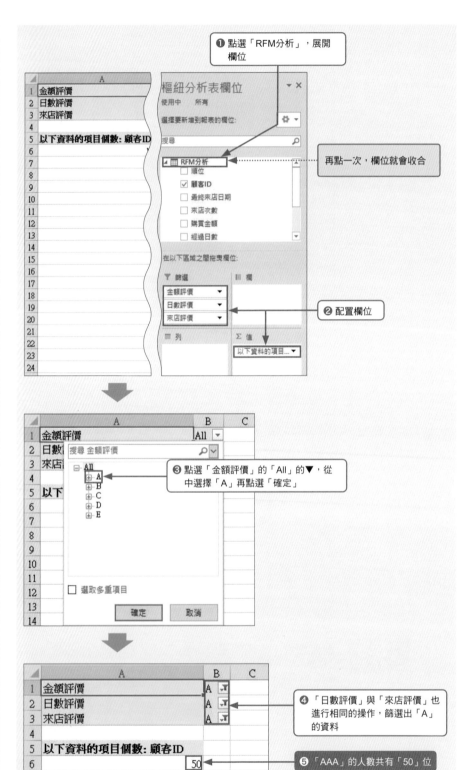

❶ 點選「RFM分析」，展開欄位

再點一次，欄位就會收合

▶「篩選」可配置多個欄位。

❷ 配置欄位

▶ 在步驟 ❸ 點選「All」的「+」，可顯示 A～E 的選項。

❸ 點選「金額評價」的「All」的▼，從中選擇「A」再點選「確定」

❹「日數評價」與「來店評價」也進行相同的操作，篩選出「A」的資料

▶「AAA」有「50」位的結果與 P.228 的結果一致。

❺「AAA」的人數共有「50」位

## 顯示與顧客 ID 對應的姓名

● 欄位的配置與樞紐分析表的編排

| 列 | 「RFM分析」的顧客ID |
| --- | --- |
| | 「顧客資料」的姓名 |
| 版面 | 列表格式參考P.227 |

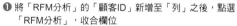

❶ 將「RFM分析」的「顧客ID」新增至「列」之後，點選「RFM分析」，收合欄位

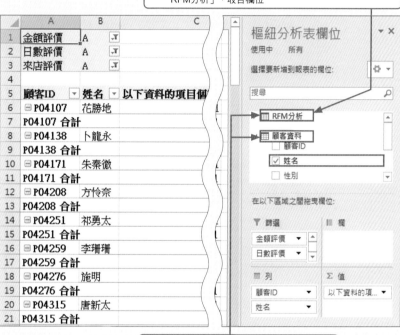

❷ 點選「顧客資料」展開欄位，再將「姓名」拖曳至「列」

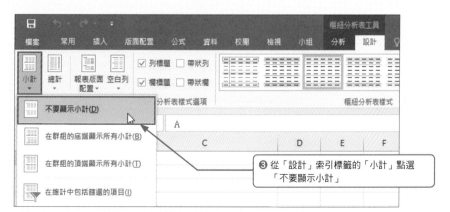

❸ 從「設計」索引標籤的「小計」點選「不要顯示小計」

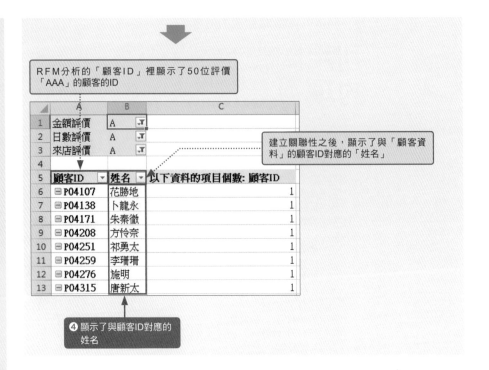

RFM分析的「顧客ID」裡顯示了50位評價「AAA」的顧客的ID

建立關聯性之後，顯示了與「顧客資料」的顧客ID對應的「姓名」

| | A | B | C |
|---|---|---|---|
| 1 | 金額評價 | A | |
| 2 | 日數評價 | A | |
| 3 | 來店評價 | A | |
| 4 | | | |
| 5 | 顧客ID | 姓名 | 以下資料的項目個數: 顧客ID |
| 6 | P04107 | 花勝地 | 1 |
| 7 | P04138 | 卜龍永 | 1 |
| 8 | P04171 | 朱秦徽 | 1 |
| 9 | P04208 | 方怜奈 | 1 |
| 10 | P04251 | 祁勇太 | 1 |
| 11 | P04259 | 李珊珊 | 1 |
| 12 | P04276 | 施明 | 1 |
| 13 | P04315 | 唐新太 | 1 |

❹ 顯示了與顧客ID對應的姓名

## Column　LTV（顧客終身價值）

LTV 是由 Life Time Value 這三個單字的首字所組成的詞彙，中文譯為顧客終身價值。終身一詞聽起來有點誇張，不過就企業來看，指的是一位顧客「在還是顧客期間」，到底能花多少錢的意思。

舉例來說，假設一次購買金額的平均是 1000 元，而每年平均可購買四次，而且至少會購買三年的話，LTV 就可利用下列的公式算出。

LTV = 1000 元／人 · 次數 ×4 次／年 ×3 年 = 12,000 元／人

就實務而言，招攬與維持顧客都需要耗費成本，所以店家都必須努力讓上述的公式減去成本之後的結果為正值。以上述的範例而言，只要每人平均消費金額到 12000 元，就不會產生赤字。

為了增加從 LTV 減去成本之後的利益，就要增加「常來店裡，而且願意花大錢的人」，也就是增加與維持本範例所說的 AAA 顧客，同時也要減少增加與維持顧客的成本。定期實施 RFM 分析可掌握常客與背離顧客的狀況，也有助於提升 LTV 的值。

# 利用問卷具體呈現需要改善的項目

即便是一開始受青睞的商品或服務，也會隨著時間變得普通，一旦顧客覺得普通，就有可能對商品或服務產生不滿。若能在一些重點讓顧客覺得超乎期待，當然可提升整體的評價，可是供應端所努力的部分也未必能得到顧客的好評。所以要透過問卷查出顧客重視的部分，藉此讓需要改善的項目浮出檯面。

## 導入 ▶ ▶ ▶

**實 例** 「想利用問卷改善商品」

從事製造與銷售健康用品的 Q 公司實施了改善肩膀痠痛商品 X 的問卷調查，也得到了五百位顧客的回答。問卷全部是五段式評價，可仿照「很棒」、「滿足」為「5」、「失望」、「不滿」這類分級的方式量化資料。

● 問卷內容

| | | 5 | 4 | 3 | 2 |
|---|---|---|---|---|---|
| 1 | 非常感謝您購買商品X | | | | |
| 2 | 希望您能幫忙填寫下列的問卷 | | | | |
| 3 | | | | | |
| 4 | | 5 | 4 | 3 | 2 |
| 5 | Q1 | 想請問您對商品X的綜合評價 | | | |
| 6 | | 很棒 | 超乎期待 | 一如期待 | 不如期待 |
| 7 | Q2 | 商品X的操作性如何？ | | | |
| 8 | | 很棒 | 超乎期待 | 一如期待 | 不如期待 |
| 9 | Q3 | 商品X的重量如何？ | | | |
| 10 | | 很棒 | 超乎期待 | 一如期待 | 不如期待 |
| 11 | Q4 | 商品X的性能如何？ | | | |
| 12 | | 滿足 | 稍微滿足 | 無所謂 | 有點不滿 |
| 13 | Q5 | 商品X的觸感如何？ | | | |
| 14 | | 滿足 | 稍微滿足 | 無所謂 | 有點不滿 |
| 15 | Q6 | 商品X的說明書易讀嗎？ | | | |
| 16 | | 很棒 | 超乎期待 | 一如期待 | 不如期待 |
| 17 | Q7 | 商品X的價格如何？ | | | |
| 18 | | 滿足 | 稍微滿足 | 無所謂 | 有點不滿 |

負責問卷的 R 先生將回答內容輸入 Excel，並且算出評價的平均值（參考下一頁的「問卷資料」）。
R 先生根據平均值做出下列的結論。

· 操作說明書的評價雖然相對較低，但是只有在不知道該如何操作的時候才會閱讀，而且也常常被丟在一旁。明明不太重要，為什麼會出現這類問題呢？
· 性能與操作性的評價是良好的。按摩球的移動範圍已經擴張，顧客也喜歡商品 X 的性能有所提升，所以商品 X 沒有特別需要改善的部分。

即便做出上述的結論，但 R 先生還是無法完全相信基於 500 份問卷算出的平均值，該如何才能從問卷得到更有用的資訊呢？

● 問卷資料

| | A | B | C | D | E | F | G | H | I | J | K |
|---|---|---|---|---|---|---|---|---|---|---|---|
| 1 | ▽問卷整理 | | | | | | | | | ▽評價平均值 | |
| 2 | No | 綜合評價 | 操作性 | 重量 | 性能 | 觸感 | 說明書評價 | 價格 | | 評價項目 | 平均值 |
| 3 | 1 | 3 | 3 | 4 | 3 | 2 | 2 | 3 | | 綜合評價 | 3.236 |
| 4 | 2 | 5 | 5 | 5 | 5 | 1 | 3 | 4 | | 操作性 | 3.644 |
| 5 | 3 | 5 | 5 | 1 | 4 | 5 | 3 | 2 | | 重量 | 3.03 |
| 6 | 4 | 3 | 3 | 1 | 4 | 5 | 3 | 3 | | 性能 | 3.972 |
| 7 | 5 | 5 | 4 | 3 | 5 | 2 | 4 | 4 | | 觸感 | 2.884 |
| 8 | 6 | 3 | 3 | 1 | 4 | 5 | 2 | 3 | | 說明書評 | 2.75 |
| 9 | 7 | 3 | 3 | 4 | 3 | 5 | 3 | 2 | | 價格 | 3.04 |
| 10 | 8 | 3 | 3 | 1 | 4 | 5 | 2 | 3 | | | |
| 500 | 498 | 3 | 4 | 2 | 3 | 2 | 2 | 4 | | | |
| 501 | 499 | 3 | 3 | 3 | 3 | 2 | 2 | 1 | | | |
| 502 | 500 | 3 | 4 | 5 | 5 | 2 | 2 | 2 | | | |

▶ 針對綜合評價與各評價項目的滿足度進行相關係數分析

顧客在哪些重點感到「很棒」、「滿足」時，即便讓他們感到滿足的只有一個重點，整體的評價也有可能提升。顧客感到「滿足」的部分未必是企業努力的部分。舉例來說，對顧客來說，努力提升性能有可能只不過是「理所當然」的事情。因此，我們要計算綜合評價與各評價的相關係數。與綜合評價強烈相關的評價項目就是顧客重視的部分，相關性不足的評價項目就是對綜合評價影響不大，顧客沒那麼重視的部分。

▶ 繪製 CS Portfolio 圖表

CS（顧客滿意度）Portfolio 是能說明顧客的滿意／不滿意或重視／不重視的圖表。具體來說，會以相關係數或決定係數這類影響綜合評價的數值作為橫軸，評價平均值這類滿意等級的項目作為直軸，然後繪製成散佈圖，再依照評價項目所屬的區塊替要處理的內容排出優先順序。用來間隔區塊的分界線就是平均值。

● CS Portfolio 圖表

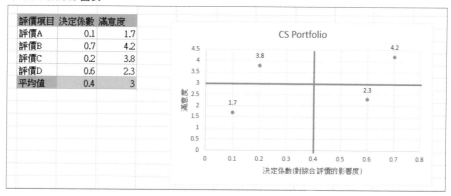

| 評價項目 | 決定係數 | 滿意度 |
|---|---|---|
| 評價A | 0.1 | 1.7 |
| 評價B | 0.7 | 4.2 |
| 評價C | 0.2 | 3.8 |
| 評價D | 0.6 | 2.3 |
| 平均值 | 0.4 | 3 |

● CS Protfolio 圖表的判讀方法

| 區塊 | | 解釋 |
|---|---|---|
| 區塊① | 影響度：高<br>滿足度：低 | 最重要的改善項目<br>最需先改善的項目。不改善區塊①的項目就無法提升綜合評價。 |
| 區塊② | 影響度：高<br>滿足度：高 | 重要維持項目<br>顧客重視的項目。目前的滿意度雖高，但是滿意度一下滑，綜合評價就會跟著下滑。有必要維持與強化滿意度。 |
| 區塊③ | 影響度：低<br>滿足度：高 | 維持現況項目<br>顧客雖然不太重視，卻是應該維持滿意度的項目。 |
| 區塊④ | 影響度：低<br>滿足度：低 | 改善項目<br>屬於應該改善的項目，但也是顧客不太重視的項目，所以優先順序不如區塊①的項目高。不過，總有一天必須提升滿意度。 |

若光從滿意度來看，最低的評價 A 應該要最先處理，但是繪製成 CS Portfolio 圖表後，就會發現顧客其實不太重視評價 A，相對的優先順序也較低。CS Protfolio 最該先重視的區塊為區塊①。區塊①的評價應該最優先處理。

實踐 ▶ ▶ ▶

▶ 準備的業務資料

範例
5-03

這次準備了調查顧客滿意度的問卷資料。問卷一定要列出調查綜合評價的項目。為了下一季的商品或服務的擴展，最好加入有關回頭客以及是否會推薦他人使用的問題。

問卷可設定為 5～7 段式評價，各段之間可設定為等距。這點特別需要在以滿足／不滿足這類質化問卷調查時多留意。假設詞彙不夠精準，產生模糊的差異，顧客就會不知道該如何作答，因此，若對該用什麼詞彙沒有信心，建議改由數字做為答案。

● 五段式評價範例

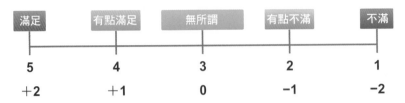

| 滿足 | 有點滿足 | 無所謂 | 有點不滿 | 不滿 |
|---|---|---|---|---|
| 5 | 4 | 3 | 2 | 1 |
| +2 | +1 | 0 | −1 | −2 |

量化答案時，可如上例以 1～5 對應，也可將中間的評價設定為 0，然後以正負符號量化。

> **MEMO  答案不可以是二選一**
>
> 是否是在電視上看到的？列出這種答案只有「是／否」的題目時，雖然可得到非黑即白的答案，但人的心情可沒這麼單純。在只能選擇「是」或「否」的時候，不想回答「是」的人只能選擇「否」，而不想選「否」的人只能選「是」。雖然應答者有「不回答」的選項，但是這個答案無法充份反映在結果裡。
>
> 即便「是」或「否」都包含了「兩者皆非」的答案，但是通常「否」的答案會比較多。
>
> 調查人的想法與心情的問卷最好別出現這種二選一的題目。

▶ 「今天早上在 7:00 之前起床的嗎？」這種與事實有關的「是／否」題目則不包含在剛剛不可出現的題目範圍裡。

### ▶ Excel 的操作①：進行相關係數分析

接著要使用分析工具的「相關係數」，計算各評價項目之間的相關性。重點在於綜合評價與各評價之間的相關係數。

**動手做做看！**

**計算各評價之間的相關係數**

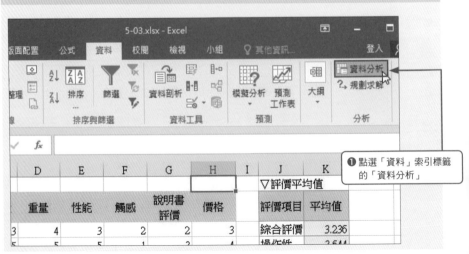

❶ 點選「資料」索引標籤的「資料分析」

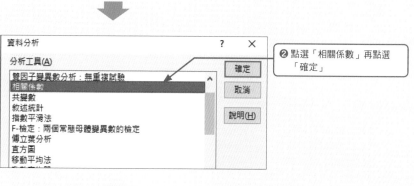

❷ 點選「相關係數」再點選「確定」

▶步驟❸可點選儲存格「B2」，按下 [Shift] + [Ctrl] + [→]，再按下 [Ctrl] + [↓]，選取表格範圍。

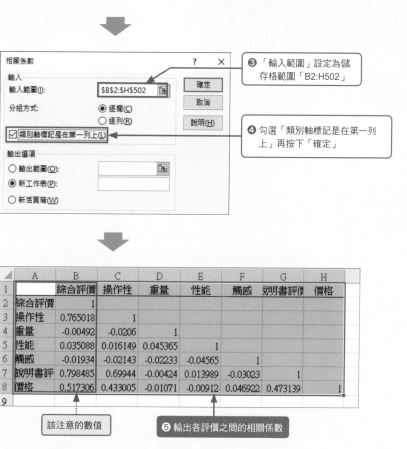

❸「輸入範圍」設定為儲存格範圍「B2:H502」

❹ 勾選「類別軸標記是在第一列上」再按下「確定」

該注意的數值

❺ 輸出各評價之間的相關係數

▶ Excel的操作② ： 準備繪製 CS Portfolio 圖表

相關係數的範圍是 ±1，但在 CS Portfolio 裡，強度比相關係的方向還重要，所以把橫軸轉換成正值才比較容易解讀。因此，讓我們轉換成相關係數的平方值，也就是決定係數，讓數值介於 0～1 之間。此外，若相關係數全部為正值，則可直接將相關係數當成橫軸使用。

### 利用相關係數算出決定係數

❶ 在輸出相關係數的工作表裡拖曳選取儲存格範圍
「A1:H8」，再按下[Ctrl]+[C]鍵複製。

| | A | B | C | D | E | F | G | H |
|---|---|---|---|---|---|---|---|---|
| 1 | | 綜合評價 | 操作性 | 重量 | 性能 | 觸感 | 說明書評價 | 價格 |
| 2 | 綜合評價 | 1 | | | | | | |
| 3 | 操作性 | 0.765018 | 1 | | | | | |
| 4 | 重量 | -0.00492 | -0.0206 | 1 | | | | |
| 5 | 性能 | 0.035088 | 0.016149 | 0.045365 | 1 | | | |
| 6 | 觸感 | -0.01934 | -0.02143 | -0.02233 | -0.04565 | 1 | | |
| 7 | 說明書評 | 0.798485 | 0.69944 | -0.00424 | 0.013989 | -0.03023 | 1 | |
| 8 | 價格 | 0.517306 | 0.433005 | -0.01071 | -0.00912 | 0.046922 | 0.473139 | 1 |
| 9 | | | | | | | | |
| 10 | ▽決定係數 | | | | | | | |
| 11 | | 綜合評價 | 操作性 | 重量 | 性能 | 觸感 | 說明書評價 | 價格 |
| 12 | 綜合評價 | 1 | | | | | | |
| 13 | 操作性 | 0.765018 | 1 | | | | | |
| 14 | 重量 | -0.00492 | -0.0206 | 1 | | | | |
| 15 | 性能 | 0.035088 | 0.016149 | 0.045365 | 1 | | | |
| 16 | 觸感 | -0.01934 | -0.02143 | -0.02233 | -0.04565 | 1 | | |
| 17 | 說明書評 | 0.798485 | 0.69944 | -0.00424 | 0.013989 | -0.03023 | 1 | |
| 18 | 價格 | 0.517306 | 0.433005 | -0.01071 | -0.00912 | 0.046922 | 0.473139 | 1 |
| 19 | | | | | | | | |

▶為了標記，請在儲存格「A10」輸入「決定係數」。

❷ 點選要貼上的儲存格（範例選擇的是儲存格「A11」），再按下[Ctrl]+[V]貼上。

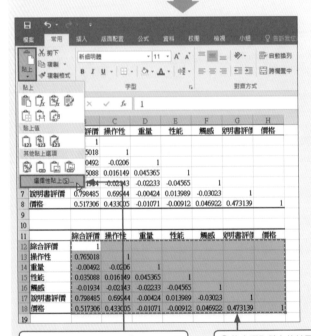

▶為了與複製的範圍以相同的格式貼上，請在複製之後，立刻執行步驟❹。

❹ 從「常用」索引標籤的「貼上」選擇「選擇性貼上」

❸ 拖曳選取儲存格範圍「B12:H18」，再按下[Ctrl]+[C]複製

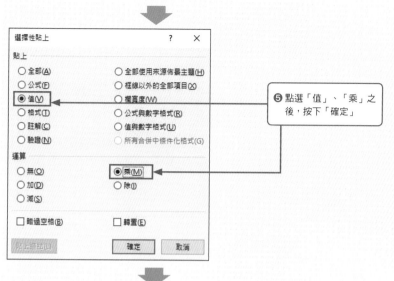

▶「乘」可將複製的值乘以被貼上的值，由於複製的範圍與貼上的範圍相同，所以等於是相同的值乘在一起，換言之，就是乘以平方的意思。

**⑤** 點選「值」、「乘」之後，按下「確定」

| 7 | 說明書評 | 0.798485 | 0.69944 | -0.00424 | 0.013989 | -0.03023 | 1 |
|---|---|---|---|---|---|---|---|
| 8 | 價格 | 0.517306 | 0.433005 | -0.01071 | -0.00912 | 0.046922 | 0.473139 |
| 9 | | | | | | | |
| 10 | ▽決定係數 | | | | | | |
| 11 | | 綜合評價 | 操作性 | 重量 | 性能 | 觸感 | 說明書評價 |
| 12 | 綜合評價 | 1 | | | | | |
| 13 | 操作性 | 0.585252 | 1 | | | | |
| 14 | 重量 | 2.42E-05 | 0.000424 | 1 | | | |
| 15 | 性能 | 0.001231 | 0.000261 | 0.002058 | 1 | | |
| 16 | 觸感 | 0.000374 | 0.000459 | 0.000499 | 0.002084 | 1 | |
| 17 | 說明書評 | 0.637578 | 0.489216 | 1.8E-05 | 0.000196 | 0.000914 | 1 |
| 18 | 價格 | 0.267605 | 0.187493 | 0.000115 | 8.33E-05 | 0.002202 | 0.22386 |
| 19 | | | | | | | |

於CS Portfolio使用的值

**⑥** 相關係數乘以平方後，就能算出決定係數

### 建立圖表原始資料的表格

▶「操作」工作表的平均滿意度輸入了 AVERAGE 函數。一般而言，直接複製或移動輸入了公式或函數的儲存格，儲存格的參照就會改變，所以這次才複製決定係數的值。

**❶** 拖曳選取儲存格範圍「B11:B18」，再按下「Ctrl」+[C] 鍵。

245

▶ CS Portfolio 就是橫軸為決定係數，直軸為滿足度的散佈圖。因此才會將決定係數配置在滿足度的左側。

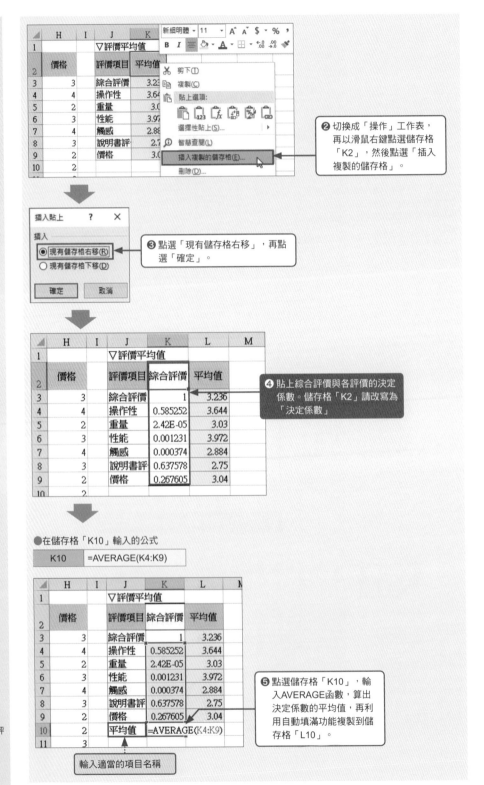

❷切換成「操作」工作表，再以滑鼠右鍵點選儲存格「K2」，然後點選「插入複製的儲存格」。

❸點選「現有儲存格右移」，再點選「確定」。

❹貼上綜合評價與各評價的決定係數。儲存格「K2」請改寫為「決定係數」

●在儲存格「K10」輸入的公式

| K10 | =AVERAGE(K4:K9) |
| --- | --- |

❺點選儲存格「K10」，輸入AVERAGE函數，算出決定係數的平均值，再利用自動填滿功能複製到儲存格「L10」。

▶平均值不包含綜合評價。

輸入適當的項目名稱

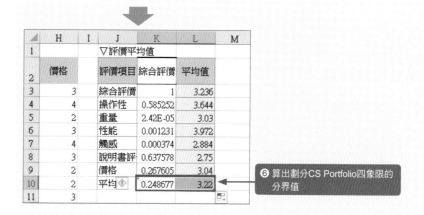

| ▲ | H | I | J | K | L | M |
|---|---|---|---|---|---|---|
| 1 | | | ▽評價平均值 | | | |
| 2 | | 價格 | 評價項目 | 綜合評價 | 平均值 | |
| 3 | 3 | | 綜合評價 | 1 | 3.236 | |
| 4 | 4 | | 操作性 | 0.585252 | 3.644 | |
| 5 | 2 | | 重量 | 2.42E-05 | 3.03 | |
| 6 | 3 | | 性能 | 0.001231 | 3.972 | |
| 7 | 4 | | 觸感 | 0.000374 | 2.884 | |
| 8 | 3 | | 說明書評 | 0.637578 | 2.75 | |
| 9 | 2 | | 價格 | 0.267605 | 3.04 | |
| 10 | 2 | | 平均 | 0.248677 | 3.22 | |
| 11 | 3 | | | | | |

▶儲存格「K10」、「L10」的綠色指示器是 Excel 提醒錯誤的符號，這是因為參數未包含鄰接的儲存格。由於儲存格「K3」不需包含在參數裡，因此可以忽略這個錯誤。

❻算出劃分CS Portfolio四象限的分界值

▶ Excel 的操作② ：繪製 CS Portfolio

完成上述的操作後，繪製 CS Portfolio 的事前準備就告一段落，接下來要插入決定係數與滿意度的散佈圖。四象限的劃分請利用圖形的直線繪製。在圖表繪製圖形時，記得先點選圖表，接著從「插入」索引標籤點選「格式」→「插入圖案」→「直線」。若是未點選圖表就繪圖，一開始看不出哪裡不同，但只要一移動圖表，就會發現直線留在原地，也就得重新決定直線的位置。

此外，在散佈圖裡顯示資料點的資料標籤的方法，請參考 P.101～的操作。

**插入決定係數與滿意度的散佈圖**

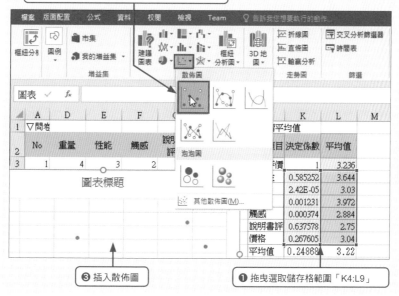

❷從「插入」索引標籤點選「插入XY散佈圖或泡泡圖」→「散佈圖」

❸插入散佈圖

❶拖曳選取儲存格範圍「K4:L9」

Excel2007/2010
▶點選圖例再按下
[Delete] 隱藏。

▶這次操作的資料標籤
較少，所以新增資料標
籤之後，可慢慢地點選
資料標籤兩次，然後逐
一輸入對應的評價項
目。

●圖表的編輯

| 圖表標題 | 商品 X 的 CS Portfolio |
|---|---|
| 追加的圖表元素① | 座標軸標題、格線的「第一主要水平」、「第一主要垂直」Excel2007／2010 的垂直與水平都是「主要與次要格線」 |
| 座標軸標題 | 橫軸「決定係數」<br>直軸「滿意度」 |
| 刻度 | 橫軸刻度「0～0.7」，單位「0.1」<br>直軸刻度「2～4.5」，單位「0.5」 |
| 追加的圖表元素② | 在散佈圖的資料點按下滑鼠右鍵，選擇「新增資料標籤」，再參考 P.101，將標籤名稱變更為評價項目 |

| J | K | L | M N O P Q R |
|---|---|---|---|
| ▽評價平均值 | | | |
| 評價項目 | 決定係數 | 平均值 | |
| 綜合評價 | 1 | 3.236 | |
| 操作性 | 0.585252 | 3.644 | |
| 重量 | 2.42E-05 | 3.03 | |
| 性能 | 0.001231 | 3.972 | |
| 觸感 | 0.000374 | 2.884 | |
| 說明書評 | 0.637578 | 2.75 | |
| 價格 | 0.267605 | 3.04 | |
| 平均值 | 0.248677 | 3.22 | |

商品X的CS Portfolio

（散佈圖，橫軸「決定係數」0～0.7，直軸「滿意度」2～4.5，標示性能、操作性、重量、觸感、價格、說明書評價等評價項目）

❹ CS Portfolio繪製完成

▶ 判讀結果

根據 CS Portfolio 的結果，在區塊①的「說明書評價」與「價格」是最重要的改善項目。其中的「說明書評價」與「綜合評價」的相關性也很強，屬於必須盡早改善的項目。此外，Q 公司致力改善的「性能」則屬於區塊③的項目，是滿意度高，但顧客不太重視的項目。

從 P.240 的 R 先生的想法與 Q 公司的考量來看，顧客與企業之間產生了認知上的落差。

「操作性」屬於區塊②的項目。雖然可盡量維持現在的滿意度，但還是讓我們回顧一下相關係數。

一開始相關分析的重點是在綜合評價與各評價的相關係數，但這不代表其他的相關係數就不重要。如下圖所示，「操作性」與「說明書評價」的相關係數約為「0.7」，這也是很值得注意的部分。

● 相關係數

| | A | B | C | D | E | F | G | H |
|---|---|---|---|---|---|---|---|---|
| 1 | | 綜合評價 | 操作性 | 重量 | 性能 | 觸感 | 說明書評價 | 價格 |
| 2 | 綜合評價 | 1 | | | | | | |
| 3 | 操作性 | 0.765018 | 1 | | | | | |
| 4 | 重量 | -0.00492 | -0.0206 | 1 | | | | |
| 5 | 性能 | 0.035088 | 0.016149 | 0.045365 | 1 | | | |
| 6 | 觸感 | -0.01934 | -0.02143 | -0.02233 | -0.04565 | 1 | | |
| 7 | 說明書評 | 0.798485 | 0.69944 | -0.00424 | 0.013989 | -0.03023 | 1 | |
| 8 | 價格 | 0.517306 | 0.433005 | -0.01071 | -0.00912 | 0.046922 | 0.473139 | 1 |
| 9 | | | | | | | | |

> 區塊②的「操作性」與區塊①的「說明書評價」的相關性很強

區塊②的「操作性」雖是維持現狀的重點項目，但就算是維持與強化「操作性」，卻忽略了「說明書評價」，一樣無法提升「操作性」的滿意度，甚至難以維持現狀。要維持與強化「操作性」的滿意度，當務之急是先改善說明書的滿意度。

**發展 ▶▶▶**

▶ 針對綜合評價與各評價進行多元迴歸分析

接下來要將綜合評價當成目標變數，並將各評價項目當成說明變數進行多元迴歸分析。根據 P.243 的相關係數來看，「性能」、「重量」、「觸感」可能無法當成說明綜合評價的要因，不過還是先輸入所有評價項目再進行多元迴歸分析。

**實施綜合評價與各評價的迴歸分析**

點選「資料」索引標籤，點選「迴歸」。

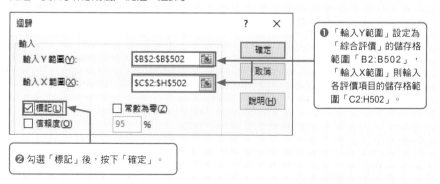

❶「輸入Y範圍」設定為「綜合評價」的儲存格範圍「B2:B502」，「輸入X範圍」則輸入各評價項目的儲存格範圍「C2:H502」。

❷ 勾選「標記」後，按下「確定」。

● 迴歸分析的結果

| | A | B | C | D | E | F | G | H | I |
|---|---|---|---|---|---|---|---|---|---|
| 1 | 摘要輸出 | | | | | | | | |
| 2 | | | | | | | | | |
| 3 | 迴歸統計 | | | | | | | | |
| 4 | R 的倍數 | 0.856994 | | | | | | | |
| 5 | R 平方 | 0.734439 | | | | | | | |
| 6 | 調整的 R 平方 | 0.731207 | | 良好的結果 | | | | | |
| 7 | 標準誤 | 0.549302 | | | | | | | |
| 8 | 觀察值個數 | 500 | | | | | | | |
| 9 | | | | | | | | | |
| 10 | ANOVA | | | | | | | | |
| 11 | | 自由度 | SS | MS | F | 顯著值 | | | |
| 12 | 迴歸 | 6 | 411.3977 | 68.56628 | 227.2417 | 1.9E-138 | 良好的結果 | | |
| 13 | 殘差 | 493 | 148.7543 | 0.301733 | | | | | |
| 14 | 總和 | 499 | 560.152 | | | | | | |
| 15 | | | | | | | | | |
| 16 | | 係數 | 標準誤 | t 統計 | P-值 | 下限 95% | 上限 95% | 下限 95.0% | 上限 95 |
| 17 | 截距 | -0.07712 | 0.179018 | -0.4308 | 0.666799 | -0.42885 | 0.274611 | -0.42885 | 0.274 |
| 18 | 操作性 | 0.442681 | 0.038547 | 11.48407 | 3.25E-27 | 0.366944 | 0.518419 | 0.366944 | 0.518 |
| 19 | 重量 | 0.004025 | 0.018094 | 0.22244 | 0.824064 | -0.03153 | 0.039575 | -0.03153 | 0.039 |
| 20 | 性能 | 0.029862 | 0.029876 | 0.999547 | 0.31802 | -0.02884 | 0.088562 | -0.02884 | 0.088 |
| 21 | 觸感 | -0.0017 | 0.020509 | -0.083 | 0.933887 | -0.042 | 0.038594 | -0.042 | 0.038 |
| 22 | 說明書評價 | 0.442883 | 0.031635 | 13.99986 | 9.83E-38 | 0.380728 | 0.505039 | 0.380728 | 0.505 |
| 23 | 價格 | 0.117159 | 0.023993 | 4.882977 | 1.41E-06 | 0.070017 | 0.164301 | 0.070017 | 0.164 |

「重量」、「性能」、「觸感」的P值都超過5%，當成說明目的的要因使用時風險很高。

### ▶ 將影響綜合評價的程度繪製成圖表

多元迴歸分析的結果果然一如預期，「性能」、「重量」、「觸感」的 P 值都超過 5%，很不適合用來說明綜合評價，但相較於其他要因，係數又小到可以忽略，所以不需要再進行任何的迴歸分析。將影響綜合評價的程度繪製成圖表之後，就會得出下列的圖。這次是利用係數繪製圖表，可以看出對綜合評價有影響的是操作性與說明書評價。

● 對綜合評價的影響度

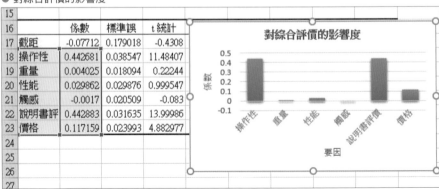

| | 係數 | 標準誤 | t 統計 |
|---|---|---|---|
| 15 | | | |
| 16 | | | |
| 17 截距 | -0.07712 | 0.179018 | -0.4308 |
| 18 操作性 | 0.442681 | 0.038547 | 11.48407 |
| 19 重量 | 0.004025 | 0.018094 | 0.22244 |
| 20 性能 | 0.029862 | 0.029876 | 0.999547 |
| 21 觸感 | -0.0017 | 0.020509 | -0.083 |
| 22 說明書評 | 0.442883 | 0.031635 | 13.99986 |
| 23 價格 | 0.117159 | 0.023993 | 4.882977 |

● 係數與t統計值

若說要了解對目的的影響度就要看 t 統計值，所以我們將 t 統計值繪製成圖表。這次之所以刻意將係數繪製成圖表，是為了要重視係數的單位。在第 4 章介紹迴歸分析時，用於預測需要量的要因都是不同的單位，有的要因的單位是公尺，有的則是人數，所以要將不同單位算出來的值放在同一張圖表裡，也就是要在同樣的戰場上比較是不可能的。

Excel 當然不可能知道這些值的單位不相同，雖然仍然可以將係數繪製成圖表，卻會對影響度的高低產生誤解，所以才需要以標準誤除以係數的「t 統計值」，也就是摒除單位之後的指標來比較影響度。

本範例的要因都是 1～5 的五階段評價。由於單位是統一的，所以利用係數比較影響度的高低也沒問題。係數與迴歸方程式對應，所以是更直覺、更便於解讀的指標。在要因的單位全部一致時，直接以係數比較對目的的影響力也無妨。

▶ 類似的分析範例

除了商品之外，這種分析方法也適合應用在服務上。此外，不一定只能分析 CS（顧客滿意度），也可用來調查公司內部員工滿意度（ES 調查）。影響員工滿意度的要因如下：

· 是否覺得在公司服務是一件足以自豪的事（相當於綜合評價）
· 對工作的滿意度
· 對人事考核的滿意度
· 對研修教育課程的滿意度
· 對所屬部門的滿意度
· 對薪水的滿意度
· 對福利的滿意度

除了對所有員工的回答進行分析之外，還可依照部門、性別、年齡層進行不同層次的分析。

● 將圖表劃分成四象限的定位圖

資料分析還有很多類似 CS Portfolio 這種能以不同觀點將圖表劃分成四象限的分析，例如將圖表劃分成四象限，藉此標示目前處境「Positioning」的圖表就稱為定位圖。本書 P93 介紹的「交叉比率」也是定位圖的一種。

其他還有根據商品成長率、市佔率了解商品市場定位的「PPM（產品組合管理）」。

商品在誕生之後，雖然有一陣子會是知名度低、需要耗費宣傳費用的「敗家子」，但隨著知名度漸漸提升，銷售額與市佔率也會成長，慢慢地成為「當家大哥」。為了讓「當家大哥」贏過對手，會有一段需要積極投資宣傳費用的時間，若能就此從市場的競爭脫穎而出，就會成長為「搖錢樹」。此時的成長已開始鈍化，所以是不需另外投資，準備回收的時期。不過，之後有可能會出現新商品，導致「搖錢樹」變成「喪家犬」。若是定期繪製 PPM，再將 PPM 以時間軸的順序排列，就能看出「商品的一生」，而這種定位圖也能於計算投資金額比重的時候使用，找出該花心思培養或是該及早退出市場的商品。

● 利用 PPM 找出商品的市場定位

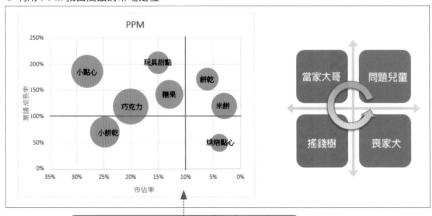

PPM從敗家子移轉到喪家犬逆時針方向，所以橫軸也是反轉的。

# 04 抓住消費者的心理

想要的功能、服務，喜歡的材質與顏色，有關這些商品要因的問卷結果常會是「便宜大碗的商品或服務」。因此，提出多個商品方案，再請顧客評價，得到高評價的商品方案的共通因素就是消費者的心聲。這次要根據提出商品方案的方法與商品問卷，分析商品元素的影響度。

## 導入 ▶ ▶ ▶

**實 例** 「想知道消費者重視的是什麼」

在企劃部服務的 S 先生正著手撰寫萬用手冊的商品企劃，而他為了找出讓商品熱賣的因素而實施消費者意識的問卷調查。

● S先生實施的消費者意識問卷

| 與萬用手冊有關的問卷 | | | | |
| --- | --- | --- | --- | --- |
| Q1 請問您對書封的滿意度。 | | | | |
| 真皮( )分 | 合成皮( )分 | 布( )分 | 塑膠布( )分 | |
| Q2 請問您對書封顏色的滿意度 | | | | |
| 黑色( )分 | 咖啡色( )分 | 橘色( )分 | 紅色( )分 | 其他顏色( )分 |
| Q3 請問您對附錄的滿意度 | | | | |
| 附錄( )分 | | | | |
| Q4 請問您希望有哪些附加功能。 | | | | |
| 名片夾、筆夾 | 固定夾、多功能夾 | | | |
| 便條紙、替換用紙、其他 | | | | |
| Q5 請問您對價格的滿意度。 | | | | |
| 1000元以下( )分 | 2000元以下( )分 | 3000元以下( )分 | | |

S 先生整理根據問卷結果之後取得各問題的高評價回答如下：

> 「真皮、有附錄，以及包含名片夾以及其他附加功能，然後要在一千元以下」

這是不可能實現的商品，完全不符合預算。S 先生不知該如何是好。

問的不是已經購買的商品的評價，而是針對未來的新商品詢問的話，當然會得到「希望又便宜又好的商品」這種答案。要如何從這種答案了解消費者重視的重點呢？

▶ 進行讓消費者意識具體浮現的聯合分析法

消費者並非如 S 先生的問卷般,逐一評比商品的性能再購買。的確,消費者總是想要便宜又划算的商品,但是品質越是優良的商品與服務,價格就越是居高不下。因此,消費者會綜合地選擇相對優良的商品或服務。

請大家想像一下走進店裡,看到一堆想要的商品排在眼前的景象。每件商品的價格牌都寫著大致的功能與品質。消費者看著陳列的商品與下方的價錢與功能進行比較後,最後做出下列的決定:

**消費者 A**:雖然超過預算,但是買了附加自動清洗功能的商品。

**消費者 B**:雖然少了一個想要的功能,但卻能以較低的預算買到。

**消費者 C**:不知道該買 P 公司或 T 公司,但是因為喜歡 T 公司,所以買了 T 公司的。

**消費者 D**:雖然有商品,但沒有喜歡的顏色,其他的顏色又不符合要求,只好暫且不買。

透過商品與服務看到的是,消費者**間接地**重視「性能」、「價格」、「忠誠度」、「顏色」的樣子。聯合分析法可透過上述的感覺提出多種商品方案再進行評價。聯合分析法的步驟如下。步驟③④使用的是分析工具的「迴歸」功能。

①建立多個商品方案／服務方案。
②提出商品方案／服務方案,再以問卷調查滿意度。
③根據問卷結果計算商品元素的影響度。
④求出滿意度的評價與影響度的關係方程式,找出最適當的商品結構。

▶ 建立「不偏頗、 無相關」的商品方案

要提出商品方案時,要先確認組成商品的元素。以萬用手冊而言,元素包含書封的材質、顏色、設計、每月／每週的行程表種類。即便不是構成商品的元素,作為商品特徵的「價格」、「用途」、「品牌」也是元素之一。而且,每種元素還有不同的版本,例如書封就分成「真皮」與「布」或其他材質。

聯合分析法將構成商品的元素稱為「屬性」,將元素的版本稱為「水準」。

● 乾電池的屬性與水準

| | | 水準(版本) | | |
|---|---|---|---|---|
| **屬性** | 大小 | 1號 | 2號 | 3號 |
| | 種類 | 錳 | 鹼性 | 鋰 |
| | 價格／顆 | 100元 | 200元 | 300元 |
| | 製造商 | T公司 | P公司 | H公司 |

要得到公平的評價，就必須提出各種可能的商品方案。以上述表格的乾電池為例，商品方案所有的組合數為尺寸有三種、各尺寸的種類也有三種，所以是「3×3×3×3」等於 81 種。一般來說，提出 81 種商品方案再進行評價是不太可能的事，但因為 81 種很多，所以只針對「推薦的商品」提出商品方案也不行，因為若在提出方案時就已經先預設立場，之後消費者就算針對商品進行評價，也無法了解消費者真正重視的部分。

● 利用直交表篩選出最低程度的組合數

直交表就是為了找出「不偏頗、不相關」的最低程度組合數的表格。直交表已根據屬性與水準的數量內建了多種格式。直交表的威力可是很強大的喔！以乾電池而言，使用「L9」直交表就能將原本 81 種組合減少至 9 種，若是再使用「L18」直交表，就能讓 4374 種組合減至區區的 18 種。所謂的「減少」指的是不需要取得 4374 種的評價（就實務也不可能），也能透過 18 種組合得到 4374 種的效果。

由於直交表已建立完成，剩下要做的就是決定要使用哪個直交表。直交表都已命名，請大家務必熟悉表格的解讀方法，這對要選擇哪種直交表是非常有幫助的。

● 直交表的名稱

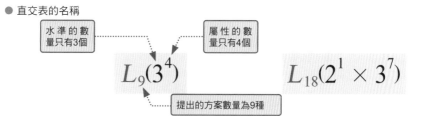

▶還有 L4、L8、L16、L27 這類直交表。

「L18」直交表與「L9」直交表一樣，2 水準的屬性有 1 個，3 水準的屬性有 7 個時，可選擇使用「L18」直交表，需要提出的方案數量就減少至 18 種。此外，使用「L18」直交表的時候，2 水準的屬性一定要設定成只有 1 個。

▶ 實施問卷的方法

實施問卷的方法大致如下，沒有非得使用哪一種不可。

・提出商品方案，請應答者排出順位的方法
・以 10 分為滿分，請應答者替商品方案打分數的方法
・列出想買／沒意見／不想買這三種答案的方法
・五段式評價的方法

當商品方案越多，就應該越避免使用排出順位的方法，因為應答者很難分出第 9 名與第 10 名的差異，而且也會造成應答者的負擔。透過問卷取得資料後，可計算每種商品方案的合計或平均。

實踐 ▶ ▶ ▶

▶ 準備的業務資料

這次要根據新商品或新服務的概念取得屬性與水準的資料,也依照屬性的數量與
水準的數量選擇直交表,製作商品方案。接著對商品方案實施問卷與統計結果。
實施問卷時,若能收集應答者的屬性,就能針對年齡層這類屬性進行分析。

範例
5-04
內文使用的表格可於
「屬性與水準」、
「L18 直交表」、「分
配」工作表確認。
這次開啟的是「問卷結
果」工作表。

▶萬用手冊的商品方案
總數為 2×3 的 7 次
方,也就是 4374 種。

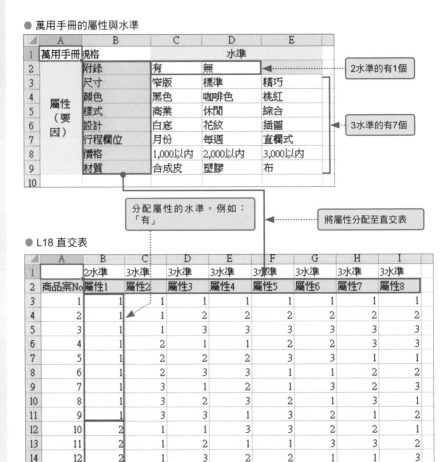

● 萬用手冊的屬性與水準

| | A | B | C | D | E |
|---|---|---|---|---|---|
| 1 | 萬用手冊 | 規格 | | 水準 | |
| 2 | | 附錄 | 有 | 無 | |
| 3 | | 尺寸 | 窄版 | 標準 | 精巧 |
| 4 | 屬性 | 顏色 | 黑色 | 咖啡色 | 桃紅 |
| 5 | (要 | 樣式 | 商業 | 休閒 | 綜合 |
| 6 | 因) | 設計 | 白底 | 花紋 | 插圖 |
| 7 | | 行程欄位 | 月份 | 每週 | 直欄式 |
| 8 | | 價格 | 1,000以內 | 2,000以內 | 3,000以內 |
| 9 | | 材質 | 合成皮 | 塑膠 | 布 |
| 10 | | | | | |

2水準的有1個

3水準的有7個

分配屬性的水準。例如:
「有」

將屬性分配至直交表

● L18 直交表

| | A | B | C | D | E | F | G | H | I |
|---|---|---|---|---|---|---|---|---|---|
| 1 | | 2水準 | 3水準 | 3水準 | 3水準 | 3水準 | 3水準 | 3水準 | 3水準 |
| 2 | 商品案No | 屬性1 | 屬性2 | 屬性3 | 屬性4 | 屬性5 | 屬性6 | 屬性7 | 屬性8 |
| 3 | 1 | 1 | 1 | 1 | 1 | 1 | 1 | 1 | 1 |
| 4 | 2 | 1 | 1 | 2 | 2 | 2 | 2 | 2 | 2 |
| 5 | 3 | 1 | 1 | 3 | 3 | 3 | 3 | 3 | 3 |
| 6 | 4 | 1 | 2 | 1 | 1 | 2 | 2 | 3 | 3 |
| 7 | 5 | 1 | 2 | 2 | 2 | 3 | 3 | 1 | 1 |
| 8 | 6 | 1 | 2 | 3 | 3 | 1 | 1 | 2 | 2 |
| 9 | 7 | 1 | 3 | 1 | 2 | 1 | 3 | 2 | 3 |
| 10 | 8 | 1 | 3 | 2 | 3 | 2 | 1 | 3 | 1 |
| 11 | 9 | 1 | 3 | 3 | 1 | 3 | 2 | 1 | 2 |
| 12 | 10 | 2 | 1 | 1 | 3 | 3 | 2 | 2 | 1 |
| 13 | 11 | 2 | 1 | 2 | 1 | 1 | 3 | 3 | 2 |
| 14 | 12 | 2 | 1 | 3 | 2 | 2 | 1 | 1 | 3 |
| 15 | 13 | 2 | 2 | 1 | 2 | 3 | 1 | 3 | 2 |
| 16 | 14 | 2 | 2 | 2 | 3 | 1 | 2 | 1 | 3 |
| 17 | 15 | 2 | 2 | 3 | 1 | 2 | 3 | 2 | 1 |
| 18 | 16 | 2 | 3 | 1 | 3 | 2 | 3 | 1 | 2 |
| 19 | 17 | 2 | 3 | 2 | 1 | 3 | 1 | 2 | 3 |
| 20 | 18 | 2 | 3 | 3 | 2 | 1 | 2 | 3 | 1 |
| 21 | | | | | | | | | |

▶直交表可於統計學的
書籍或網路搜尋。

分配屬性的水準。例如:「無」

● 以「L18」直交表製作的商品方案

▶進行問卷調查時，以右圖的資料是不容易讓問卷對象了解的，所以要花點工夫讓他們更容易理解，例如：替每個商品方案製作卡片同時展示完成圖。

| | A | B | C | D | E | F | G | H | I |
|---|---|---|---|---|---|---|---|---|---|
| 1 | | 2水準 | 3水準 | 3水準 | 3水準 | 3水準 | 3水準 | 3水準 | 3水準 |
| 2 | 商品案No | 附錄 | 尺寸 | 顏色 | 樣式 | 設計 | 行程欄位 | 價格 | 材質 |
| 3 | 1 | 有 | 窄版 | 黑色 | 商業 | 白底 | 月份 | 1,000以內 | 合成皮 |
| 4 | 2 | 有 | 窄版 | 咖啡色 | 休閒 | 花紋 | 每週 | 2,000以內 | 塑膠 |
| 5 | 3 | 有 | 窄版 | 桃紅 | 綜合 | 插圖 | 直欄式 | 3,000以內 | 布 |
| 6 | 4 | 有 | 標準 | 黑色 | 商業 | 花紋 | 每週 | 3,000以內 | 布 |
| 7 | 5 | 有 | 標準 | 咖啡色 | 休閒 | 插圖 | 直欄式 | 1,000以內 | 合成皮 |
| 8 | 6 | 有 | 標準 | 桃紅 | 綜合 | 白底 | 月份 | 2,000以內 | 塑膠 |
| 9 | 7 | 有 | 精巧 | 黑色 | 休閒 | 白底 | 直欄式 | 2,000以內 | 布 |
| 10 | 8 | 有 | 精巧 | 咖啡色 | 綜合 | 花紋 | 月份 | 3,000以內 | 合成皮 |
| 11 | 9 | 有 | 精巧 | 桃紅 | 商業 | 插圖 | 每週 | 1,000以內 | 塑膠 |
| 12 | 10 | 無 | 窄版 | 黑色 | 綜合 | 插圖 | 每週 | 2,000以內 | 合成皮 |
| 13 | 11 | 無 | 窄版 | 咖啡色 | 商業 | 白底 | 直欄式 | 3,000以內 | 塑膠 |
| 14 | 12 | 無 | 窄版 | 桃紅 | 休閒 | 花紋 | 月份 | 1,000以內 | 布 |
| 15 | 13 | 無 | 標準 | 黑色 | 休閒 | 插圖 | 月份 | 3,000以內 | 塑膠 |
| 16 | 14 | 無 | 標準 | 咖啡色 | 綜合 | 白底 | 每週 | 1,000以內 | 布 |
| 17 | 15 | 無 | 標準 | 桃紅 | 商業 | 花紋 | 直欄式 | 2,000以內 | 合成皮 |
| 18 | 16 | 無 | 精巧 | 黑色 | 綜合 | 花紋 | 直欄式 | 1,000以內 | 塑膠 |
| 19 | 17 | 無 | 精巧 | 咖啡色 | 商業 | 插圖 | 月份 | 2,000以內 | 布 |
| 20 | 18 | 無 | 精巧 | 桃紅 | 休閒 | 白底 | 每週 | 3,000以內 | 合成皮 |

直交表可於水平方向配置屬性以及在垂直方向配置商品方案製作，直交表裡的數字 1、2、3 與水準對應。根據新商品／新服務的屬性與水準的表格套在直交表的數字之後，就能建立商品方案。將屬性與水準套在直交表的作業稱為「分配」。分配作業將於 P268 說明。這次預設是在取得了商品方案的屬性與水準，選擇了直交表與完成分配，也對商品方案實施問卷之後的情況下進行分析。

● 問卷的概要

· 應答者有 A01～A100，共一百位

· 收集了應答者的性別與所屬年齡層

· 問卷裡的每個商品方案都採用五段式評價

這次的假設情況是分別向應答者提出商品方案的示意圖與記載屬性、水準的 18 張卡片，然後請應答者針對每項商品方案，以「5：想買」、「4：有點想買」、「3：買不買都可以」、「2：不太想買」、「1：不想買」的五段式評價評估購買欲望。

▶ Excel 的操作① ： 統計問卷

範例檔案的「問卷結果」工作表記載了應答者 A01～A100 的性別、年齡層與各商品方案 1～5 的評價。問卷的統計是各商品方案的平均評價。一說到平均，大家或許就想到 AVERAGE 函數，不過為了後續要針對性別與年齡層進行分析這點，這次改用 SUBTOTAL 函數計算平均值。

▶從統計對象排除的是隱藏的列儲存格，隱藏的欄不在排除對象之列。

## SUBTOTAL 函數 ➡ 統計看得見的儲存格

格 式　= SUBTOTAL（統計方法，參照）

解 說　依照需求以 1～11 或 101～111 的編號指定統計方法，計算參照的統計值。計算平均值的編號為「1」，合計值為「9」。

補充1　統計方法 1～11 可在利用篩選功能篩選參照所指定的儲存格範圍時，將隱藏的列儲存格排除在統計對象之外。統計方法 101～111 則除了可排除因為篩選而隱藏的列，還會連同以滑鼠右鍵點選「隱藏」而隱藏的列編號一併排除。

補充2　統計方法的編號與可替代的函數名稱如下：

| 編號 | 1／101 | 2／102<br>3／103 | 4／104<br>5／105 | 6／106 |
|---|---|---|---|---|
| 函數名稱 | AVERAGE | COUNT<br>COUNTA | MAX<br>MIN | PRODUCT |
| 編號 | 7／107<br>8／108 | 9／109 | 10／110<br>11／111 | |
| 函數名稱 | STDEV.S<br>STDEV.P | SUM | VAR.S<br>VAR.P | |

## 利用篩選功能計算重新計算的平均值

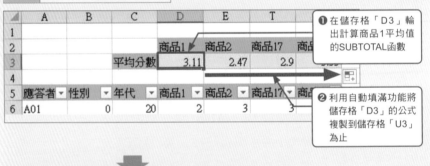

●在「問卷結果」工作表的儲存格「D3」輸入的公式

| D3 | =SUBTOTAL(1,D6:D105) |
|---|---|

❶ 在儲存格「D3」輸出計算商品1平均值的SUBTOTAL函數

❷ 利用自動填滿功能將儲存格「D3」的公式複製到儲存格「U3」為止

❸ 點選性別的篩選鈕

▶步驟❸的篩選鈕是已顯示的意思。顯示方法可先點選要設定篩選的表格的任何一個儲存格，再從「資料」索引標籤點選「篩選」。

❹ 設定成只勾選「1」再點選「確定」

❺ 設定篩選功能後，就會篩選出需要的列，平均值也
會更新。確認更新結果後，可按下 [Ctrl]+[Z] 還原。

| | A | B | C | D | E | F | G | H | I | J |
|---|---|---|---|---|---|---|---|---|---|---|
| 1 | | | | | | | | | | |
| 2 | | | | 商品1 | 商品2 | 商品3 | 商品4 | 商品5 | 商品6 | 商品7 |
| 3 | | | 平均分數 | 4.148148 | 2.5 | 2.888889 | 1.462963 | 1.814815 | 2.111111 | 3.37037 |
| 4 | | | | | | | | | | |
| 5 | 應答者 ▼ | 性別 ▼ | 年代 ▼ | 商品1 ▼ | 商品2 ▼ | 商品3 ▼ | 商品4 ▼ | 商品5 ▼ | 商品6 ▼ | 商品7 ▼ |
| 7 | A02 | 1 | 60 | 4 | 2 | 4 | 2 | 1 | 1 | 3 |

▶ Excel的操作② ： 準備進行迴歸分析

要計算組成商品的元素的影響度可實施迴歸分析。迴歸分析的目的是要計算這些元
素對問卷平均分數的影響度，也就是調查解釋平均分數的元素的影響度。因此，迴
歸分析的目標變數為問卷的平均分數，說明變數為各屬性的水準。進行迴歸分析需
要三種準備，第一種是由各屬性與水準組成的商品方案的量化資料，第二種是排除
冗長的資料，第三種是將問卷的平均分數以垂直方向轉存至說明變數的工作表。

▶定性資料定量化
→ P.14、15

▶排除冗長資料
→ P.17

商品方案的量化方法將於 P.272 說明。這裡就從已經量化的階段開始分析。

● 商品方案的量化（排除冗長資料之前）

| | A | B | C | D | E | F | S | T | U | V | W | X | Y |
|---|---|---|---|---|---|---|---|---|---|---|---|---|---|
| 1 | | 附錄 | | 尺寸 | | | 價格 | | | 材質 | | | |
| 2 | 商品No. | 有 | 無 | 窄版 | 標準 | 寬巧 | 1,000以內 | 2,000以內 | 3,000以內 | 合成皮 | 塑膠 | 布 | 平均分數 |
| 3 | 1 | 1 | 0 | 1 | 0 | 0 | 1 | 0 | 0 | 1 | 0 | 0 | |
| 4 | 2 | 1 | 0 | 1 | 0 | 0 | 0 | 1 | 0 | 0 | 1 | 0 | |
| 5 | 3 | 1 | 0 | 1 | 0 | 0 | 0 | 0 | 1 | 0 | 0 | 1 | |
| 6 | 4 | 1 | 0 | 0 | 1 | 0 | 0 | 0 | 1 | 1 | 0 | 0 | |
| 7 | 5 | 1 | 0 | 0 | 1 | 0 | 1 | 0 | 0 | 0 | 1 | 0 | |
| 8 | 6 | 1 | 0 | 0 | 1 | 0 | 0 | 1 | 0 | 0 | 0 | 1 | |
| 9 | 7 | 1 | 0 | 0 | 0 | 1 | 0 | 1 | 0 | 1 | 0 | 0 | |
| 10 | 8 | 1 | 0 | 0 | 0 | 1 | 0 | 0 | 1 | 1 | 1 | 0 | |

開啟範例檔案的「迴歸分析」工作表，再從各屬性分別排除一個水準，排除冗長
的資料。雖說是排除，其實也只是先移到其他的位置。進行迴歸分析時，不管排
除的是屬性裡的哪個水準，都會得出相同的結論，但是該在意的是，替換不同的
水準時，會有什麼結果。為了能讓排除的欄位還原至原本的位置，藉此替換水
準，請不要刪除排除的水準。

接著將「問卷結果」工作表的儲存格範圍「D3:U3」的水平方向平均值在「迴歸分
析」工作表的垂直方向儲存格裡顯示。要讓水平的值垂直顯示，或讓垂直的值水
平顯示可使用 INDEX 函數。利用函數參照平均值，再於「問卷結果」工作表的性

別與年齡層套用篩選功能，就能建立平均值更新時，結果也反映至「迴歸分析」工作表的機制。

▶ INDEX 函數的說明
→ P.89

## 排除冗長資料

▶點選「迴歸分析」工作表操作。

▶排除冗長資料的欄位較多，所以這八欄複製到其他位置後，再一口氣刪除了八欄。

❶ 點選欄編號「C」，再按住[Ctrl]，點選「E」、「H」、「K」、「O」、「R」、「U」「X」。

❷ 點選這8欄資料後，按下[Ctrl]+[C]複製。

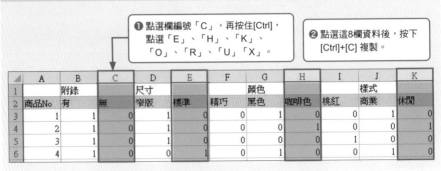

| | A | B | C | D | E | F | G | H | I | J | K |
|---|---|---|---|---|---|---|---|---|---|---|---|
| 1 | | 附錄 | | 尺寸 | | 顏色 | | | 樣式 | | |
| 2 | 商品No | 有 | 無 | 窄版 | 標準 | 精巧 | 黑色 | 咖啡色 | 桃紅 | 商業 | 休閒 |
| 3 | 1 | 1 | 0 | 1 | 0 | 0 | 1 | 0 | 0 | 1 | 0 |
| 4 | 2 | 1 | 0 | 1 | 0 | 0 | 0 | 1 | 0 | 0 | 1 |
| 5 | 3 | 1 | 0 | 1 | 0 | 0 | 0 | 0 | 1 | 0 | 0 |
| 6 | 4 | 1 | 0 | 0 | 1 | 0 | 1 | 0 | 0 | 1 | 0 |

| N | O | P | Q | R | S | T | U | V | W | X |
|---|---|---|---|---|---|---|---|---|---|---|
| | | 行程欄位 | | | 價格 | | | 材質 | | |
| 花紋 | 插圖 | 月份 | 每週 | 直欄式 | 1,000以內 | 2,000以內 | 3,000以內 | 合成皮 | 塑膠 | 布 |
| 0 | 0 | 1 | 0 | 0 | 1 | 0 | 0 | 1 | 0 | 0 |
| 1 | 0 | 0 | 1 | 0 | 0 | 1 | 0 | 0 | 1 | 0 |
| 0 | 1 | 0 | 0 | 1 | 0 | 0 | 1 | 0 | 0 | 1 |
| 1 | 0 | 0 | 1 | 0 | 0 | 0 | 1 | 0 | 0 | 1 |

從各屬性各選一個水準

❸ 點選要貼上的欄編號（範例選擇的是「AA」欄），再按下[Ctrl]+[V]貼上

| W | X | Y | Z | AA | AB | AC | AD | AE | AF | AG |
|---|---|---|---|---|---|---|---|---|---|---|
| 塑膠 | 布 | 平均分數 | | 無 | 標準 | 咖啡色 | 休閒 | 插圖 | 直欄式 | 3,000以內布 |
| 0 | 0 | | | 0 | 0 | 0 | 0 | 0 | 0 | 0 |
| 1 | 0 | | | 0 | 0 | 1 | 1 | 0 | 0 | 0 |
| 0 | 1 | | | 0 | 0 | 0 | 1 | 1 | 1 | 1 |
| 0 | 1 | | | 0 | 1 | 0 | 0 | 0 | 0 | 1 |
| 0 | 1 | | | 0 | 1 | 1 | 1 | 1 | 1 | 0 |
| 1 | 0 | | | 0 | 1 | 0 | 0 | 0 | 0 | 0 |
| 0 | 1 | | | 0 | 0 | 0 | 1 | 0 | 1 | 0 |

❹ 再次選取顯示著虛線的八個欄位。點選「X」欄位後，按住[Ctrl]再點選「U」、「R」、「O」、「K」、「H」、「E」、「C」欄。

❺ 在欄編號「C」按下滑鼠右鍵，點選「刪除」。將各屬性
各刪除一個水準，排除冗長的資料

## 轉記平均分數

● 在「迴歸分析」工作表的儲存格「Q3」輸入的公式

| Q3 | =INDEX('問卷結果'!$D$3:$U$3,1,迴歸分析!A3) |

❶ 點選儲存格「Q3」再輸入「=INDEX(」

▶ INDEX 函數會將指定儲存格的開頭視為第一列、第一欄，再搜尋列編號與欄編號交錯位置的值。

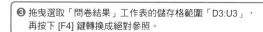

❷ 點選「問卷結果」工作表

❸ 拖曳選取「問卷結果」工作表的儲存格範圍「D3:U3」，再按下 [F4] 鍵轉換成絕對參照。

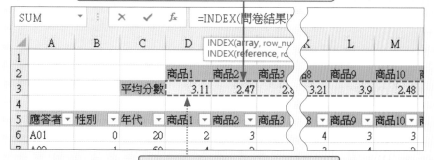

INDEX函數會將儲存格「D3」辨識為1列18欄的陣列的第1列第1欄。

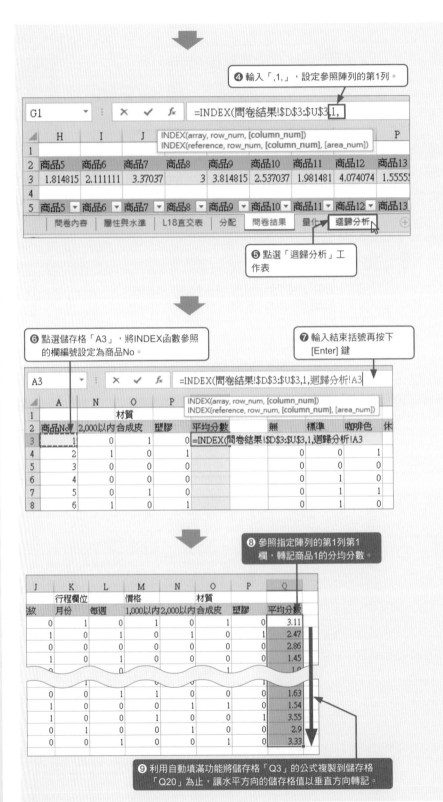

❹ 輸入「,1,」,設定參照陣列的第1列。

| G1 | | × | ✓ | fx | =INDEX(問卷結果!$D$3:$U$3,1, |
|---|---|---|---|---|---|

INDEX(array, row_num, [column_num])
INDEX(reference, row_num, [column_num], [area_num])

| | H | I | J | | | | | | P |
|---|---|---|---|---|---|---|---|---|---|
| 1 | | | | | | | | | |
| 2 | 商品5 | 商品6 | 商品7 | 商品8 | 商品9 | 商品10 | 商品11 | 商品12 | 商品13 |
| 3 | 1.814815 | 2.111111 | 3.37037 | 3 | 3.814815 | 2.537037 | 1.981481 | 4.074074 | 1.5555! |
| 4 | | | | | | | | | |
| 5 | 商品5 ▼ | 商品6 ▼ | 商品7 ▼ | 商品8 ▼ | 商品9 ▼ | 商品10 ▼ | 商品11 ▼ | 商品12 ▼ | 商品13 |

問卷內容 | 屬性與水準 | L18直交表 | 分配 | 問卷結果 | 量化 | 迴歸分析

❺ 點選「迴歸分析」工作表

❻ 點選儲存格「A3」,將INDEX函數參照的欄編號設定為商品No。

❼ 輸入結束括號再按下 [Enter] 鍵

| A3 | | × | ✓ | fx | =INDEX(問卷結果!$D$3:$U$3,1,迴歸分析!A3 |
|---|---|---|---|---|---|

INDEX(array, row_num, [column_num])
INDEX(reference, row_num, [column_num], [area_num])

| | A | N | O | P | | | | |
|---|---|---|---|---|---|---|---|---|
| 1 | | | 材質 | | | | | |
| 2 | 商品No | 2,000以內 | 合成皮 | 塑膠 | 平均分數 | 無 | 標準 | 咖啡色 | 休 |
| 3 | 1 | 0 | 1 | 0 | =INDEX(問卷結果!$D$3:$U$3,1,迴歸分析!A3 |
| 4 | 2 | 1 | 0 | 1 | | 0 | 0 | 1 |
| 5 | 3 | 0 | 0 | 0 | | 0 | 0 | 0 |
| 6 | 4 | 0 | 0 | 0 | | 0 | 1 | 0 |
| 7 | 5 | 0 | 1 | 0 | | 0 | 1 | 1 |
| 8 | 6 | 1 | 0 | 1 | | 0 | 1 | 0 |

❽ 參照指定陣列的第1列第1欄,轉記商品1的分均分數。

| J | K | L | M | N | O | P | Q |
|---|---|---|---|---|---|---|---|
| | 行程欄位 | | 價格 | | 材質 | | |
| 激 | 月份 | 每週 | 1,000以內 | 2,000以內 | 合成皮 | 塑膠 | 平均分數 |
| 0 | 1 | 0 | 1 | 0 | 1 | 0 | 3.11 |
| 1 | 0 | 1 | 0 | 1 | 0 | 1 | 2.47 |
| 0 | 0 | 0 | 0 | 0 | 0 | 0 | 2.86 |
| 1 | 0 | 1 | 0 | 1 | 0 | 0 | 1.45 |
| 0 | | 0 | | | 0 | | 1.6 |
| | | 1 | | | | | |
| 0 | 0 | 0 | 1 | 1 | 0 | 0 | 1.63 |
| 1 | 0 | 0 | 0 | 1 | 1 | 0 | 1.54 |
| 1 | 0 | 0 | 1 | 0 | 0 | 1 | 3.55 |
| 0 | 1 | 0 | 0 | 0 | 0 | 0 | 2.9 |
| 0 | 0 | 1 | 0 | 0 | 0 | 0 | 3.33 |

❾ 利用自動填滿功能將儲存格「Q3」的公式複製到儲存格「Q20」為止,讓水平方向的儲存格值以垂直方向轉記。

### ▶ Excel 的操作③：利用迴歸分析計算屬性的影響度

接下來要將問卷的平均分數當作目標變數，在「輸入 Y 範圍」的欄位輸入，再將量化的商品方案數值當成說明變數，在「輸入 X 範圍」的欄位輸入，進行迴歸分析。確認輸出的調整的 R 平方、顯著值之後，再觀察各屬性的係數。以聯合分析法分析的屬性影響度就是範圍。所謂範圍就是從最大值減去最小值的資料擺盪幅度。這次係數的範圍就是影響度。之前已先排除了冗長的資料，所以被排除的水準則以係數為 0 加入範圍的計算。

### 實施迴歸分析

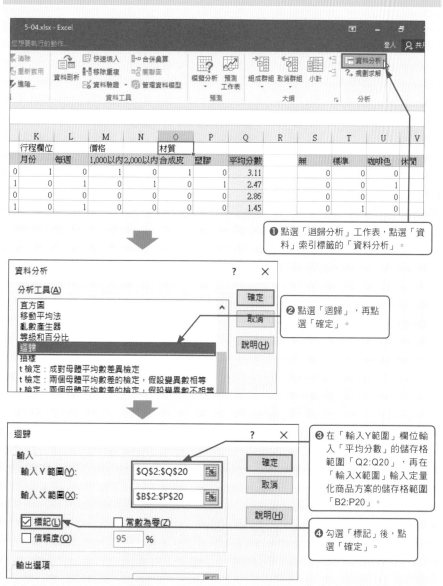

❶ 點選「迴歸分析」工作表，點選「資料」索引標籤的「資料分析」。

❷ 點選「迴歸」，再點選「確定」。

❸ 在「輸入 Y 範圍」欄位輸入「平均分數」的儲存格範圍「Q2:Q20」，再在「輸入 X 範圍」輸入定量化商品方案的儲存格範圍「B2:P20」。

❹ 勾選「標記」後，點選「確定」。

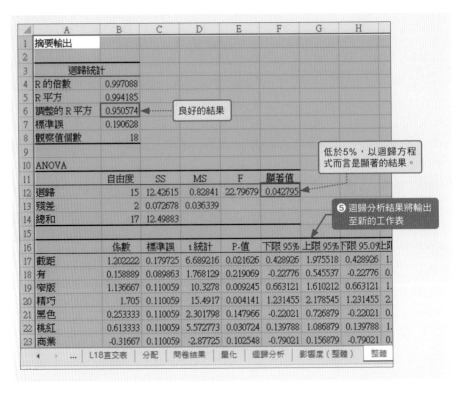

| | A | B | C | D | E | F | G | H |
|---|---|---|---|---|---|---|---|---|
| 1 | 摘要輸出 | | | | | | | |
| 2 | | | | | | | | |
| 3 | | 迴歸統計 | | | | | | |
| 4 | R 的倍數 | 0.997088 | | | | | | |
| 5 | R 平方 | 0.994185 | | | | | | |
| 6 | 調整的 R 平方 | 0.950574 | ◄┄┄ | 良好的結果 | | | | |
| 7 | 標準誤 | 0.190628 | | | | | | |
| 8 | 觀察值個數 | 18 | | | | | | |
| 9 | | | | | | | | |
| 10 | ANOVA | | | | | 低於5%，以迴歸方程式而言是顯著的結果。 | | |
| 11 | | 自由度 | SS | MS | F | 顯著值 | | |
| 12 | 迴歸 | 15 | 12.42615 | 0.82841 | 22.79679 | 0.042795 | ◄┄ | |
| 13 | 殘差 | 2 | 0.072678 | 0.036339 | | | | |
| 14 | 總和 | 17 | 12.49883 | | | ❺ 迴歸分析結果將輸出至新的工作表 | | |
| 15 | | | | | | | | |
| 16 | | 係數 | 標準誤 | t 統計 | P-值 | 下限 95% | 上限 95% | 下限 95.0% 上限 |
| 17 | 截距 | 1.202222 | 0.179725 | 6.689216 | 0.021626 | 0.428926 | 1.975518 | 0.428926 | 1. |
| 18 | 有 | 0.158889 | 0.089863 | 1.768129 | 0.219069 | -0.22776 | 0.545537 | -0.22776 | 0. |
| 19 | 窄版 | 1.136667 | 0.110059 | 10.3278 | 0.009245 | 0.663121 | 1.610212 | 0.663121 | 1. |
| 20 | 精巧 | 1.705 | 0.110059 | 15.4917 | 0.004141 | 1.231455 | 2.178545 | 1.231455 | 2. |
| 21 | 黑色 | 0.253333 | 0.110059 | 2.301798 | 0.147966 | -0.22021 | 0.726879 | -0.22021 | 0. |
| 22 | 桃紅 | 0.613333 | 0.110059 | 5.572773 | 0.030724 | 0.139788 | 1.086879 | 0.139788 | 1. |
| 23 | 商業 | -0.31667 | 0.110059 | -2.87725 | 0.102548 | -0.79021 | 0.156879 | -0.79021 | 0. |

◀ ▶ ... L18直交表 │ 分配 │ 問卷結果 │ 量化 │ 迴歸分析 │ 影響度（整體） │ 整體

### 將排除冗長資料時的水準加入係數裡

接著要在輸出的結果適當插入列，再將剛剛排除冗長資料時排除的水準當成係數「0」追加。在 A 欄前面插入 1 欄，作為屬性欄使用，此外，在儲存格「K16」輸入「影響度」。

▶右圖為了標示出在何處追加，特地替水準與係數標記了顏色。標記顏色的操作可省略。

| | A | B | C | D | J | K | L |
|---|---|---|---|---|---|---|---|
| 16 | 屬性 | | 係數 | 標準誤 | 上限 95.0% | 影響度 | |
| 17 | | 截距 | 1.202222 | 0.179725442 | 1.975518387 | | |
| 18 | 附錄 | 有 | 0.158889 | 0.089862721 | 0.545536971 | | |
| 19 | | 無 | 0 | | | | |
| 20 | 尺寸 | 窄版 | 1.136667 | 0.110058907 | 1.610211922 | | |
| 21 | | 標準 | 0 | | | | |
| 22 | | 精巧 | 1.705 | 0.110058907 | 2.178545256 | | |
| 23 | 顏色 | 黑色 | 0.253333 | 0.110058907 | 0.726878589 | | |
| 24 | | 咖啡色 | 0 | | | | |
| 25 | | 桃紅 | 0.613333 | 0.110058907 | 1.086878589 | | |
| 26 | 樣式 | 商業 | -0.31667 | 0.110058907 | 0.156878589 | | |
| 27 | | 休閒 | 0 | | | | |
| 28 | | 綜合 | -0.16167 | 0.110058907 | 0.311878589 | | |
| 29 | 設計 | 白底 | -0.005 | 0.110058907 | 0.468545256 | | |
| 30 | | 花紋 | 0.116667 | 0.110058907 | 0.590211922 | | |
| 31 | | 插圖 | 0 | | | | |
| 32 | 行程欄位 | 月份 | 0.268333 | 0.110058907 | 0.741878589 | | |
| 33 | | 每週 | -0.00167 | 0.110058907 | 0.471878589 | | |
| 34 | | 直欄式 | 0 | | | | |
| 35 | 價格 | 1,000以內 | 0.633333 | 0.110058907 | 1.106878589 | | |
| 36 | | 2,000以內 | 0.093333 | 0.110058907 | 0.566878589 | | |
| 37 | | 3,000以內 | 0 | | | | |
| 38 | 材質 | 合成皮 | -0.13167 | 0.110058907 | 0.341878589 | | |
| 39 | | 布 | 0 | | | | |
| 40 | | 塑膠 | -0.14667 | 0.110058907 | 0.326878589 | | |

◀ ▶ 屬性與水準 │ L18直交表 │ 分配 │ 問卷結果 │ 量化 │ 迴歸分析

就緒

## 計算屬性的影響度

● 在儲存格「K18」、「K20」輸入的公式

| K18 | =MAX(C18:C19)-MIN(C18:C19) | K20 | =MAX(C20:C22)-MIN(C20:C22) |

▶屬性「附錄」是 2 水準，所以不適合複製公式。屬性「尺寸」之後的屬性都是 3 水準，所以計算範圍的儲存格都各有 3 個，所以可利用複製／貼上計算影響度。

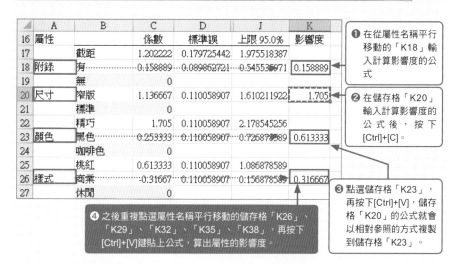

| | A | B | C | D | J | K |
|---|---|---|---|---|---|---|
| 16 | 屬性 | | 係數 | 標準誤 | 上限 95.0% | 影響度 |
| 17 | | 截距 | 1.202222 | 0.179725442 | 1.975518387 | |
| 18 | 附錄 | 有 | 0.158889 | 0.089862721 | 0.545535971 | 0.158889 |
| 19 | | 無 | 0 | | | |
| 20 | 尺寸 | 窄版 | 1.136667 | 0.110058907 | 1.610211922 | 1.705 |
| 21 | | 標準 | 0 | | | |
| 22 | | 精巧 | 1.705 | 0.110058907 | 2.178545256 | |
| 23 | 顏色 | 黑色 | 0.253333 | 0.110058907 | 0.726878589 | 0.613333 |
| 24 | | 咖啡色 | 0 | | | |
| 25 | | 桃紅 | 0.613333 | 0.110058907 | 1.086878589 | |
| 26 | 樣式 | 商業 | -0.31667 | 0.110058907 | 0.156878589 | 0.316667 |
| 27 | | 休閒 | 0 | | | |

❶ 在從屬性名稱平行移動的「K18」輸入計算影響度的公式

❷ 在儲存格「K20」輸入計算影響度的公式後，按下 [Ctrl]+[C]。

❸ 點選儲存格「K23」，再按下[Ctrl]+[V]，儲存格「K20」的公式就會以相對參照的方式複製到儲存格「K23」。

❹ 之後重複點選屬性名稱平行移動的儲存格「K26」、「K29」、「K32」、「K35」、「K38」，再按下 [Ctrl]+[V]鍵貼上公式，算出屬性的影響度。

## 繪製影響度的圖表

▶步驟❷的按鈕名稱會因 Excel 的版本而有所不同，但按鈕的設計都是相同的。

▶插入的圖表會將指定範圍裡的空白儲存格當成空白的項目名稱顯示，所以長條才會太細。

❶ 拖曳選取儲存格範圍「A18:A38」，再按住[Ctrl] 拖曳選取儲存格範圍「K18:K38」。

❷ 從「插入」索引標籤的「插入直條圖或橫條圖」，再點選「群組直條圖」。

❸ 插入屬性與影響度的圖表

CHAPTER 01 CHAPTER 02 CHAPTER 03 CHAPTER 04 CHAPTER 05

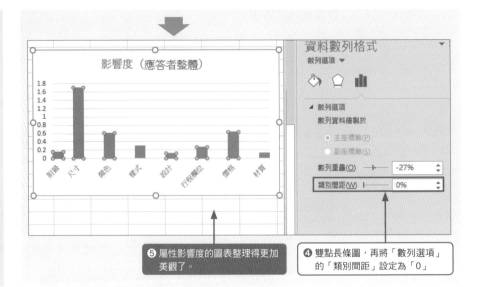

Excel2007/2010
▶ Excel 2007 的步驟
❹是於長條圖上面按下
滑鼠右鍵，點選「資料
數列格式」，並在對話
框裡進行相同的格式設
定。

❺ 屬性影響度的圖表整理得更加美觀了。

❹ 雙點長條圖，再將「數列選項」的「類別間距」設定為「0」

▶ 判讀結果

根據影響度的圖表可以得知，消費者重視的萬用手冊的屬性依序為「尺寸」、「價格」、「顏色」，下列是迴歸分析的部分結果。將注意力放在影響度較高的「尺寸」與「價格」之後，會發現「精巧」與「1,000 之內」的係數特別高。

由此可知，消費者想要的是方便攜帶，價格合理的萬用手冊。影響度最低的屬性是「設計」，換言之，就算在「設計」多下工夫，效果也可能不大。「設計」是非常耗費成本的屬性，所以可根據本次的結果試著將花在「設計」的成本分配到「尺寸」這類有關攜帶方便性的屬性。

● 迴歸分析的輸出結果

| 16 | | 係數 | 標準誤 | t統計 | P-值 | 下限 95% | 上限 95% | 下限 95.0% | 上限 95.0% |
|---|---|---|---|---|---|---|---|---|---|
| 17 | 截距 | 1.202222 | 0.179725 | 6.689216 | 0.021626 | 0.428926 | 1.975518 | 0.428926 | 1.975518 |
| 18 | 有 | 0.158889 | 0.089863 | 1.768129 | 0.219069 | -0.22776 | 0.545537 | -0.22776 | 0.545537 |
| 19 | 窄版 | 1.136667 | 0.110059 | 10.3278 | 0.009245 | 0.663121 | 1.610212 | 0.663121 | 1.610212 |
| 20 | 精巧 | 1.705 | 0.110059 | 15.4917 | 0.004141 | 1.231455 | 2.178545 | 1.231455 | 2.178545 |
| 21 | 黑色 | 0.253333 | 0.110059 | 2.301798 | 0.147966 | -0.22021 | 0.726879 | -0.22021 | 0.726879 |
| 22 | 桃紅 | 0.613333 | 0.110059 | 5.572773 | 0.030724 | 0.139788 | 1.086879 | 0.139788 | 1.086879 |
| 23 | 商業 | -0.31667 | 0.110059 | -2.87725 | 0.102548 | -0.79021 | 0.156879 | -0.79021 | 0.156879 |
| 24 | 綜合 | -0.16167 | 0.110059 | -1.46891 | 0.279608 | -0.63521 | 0.311879 | -0.63521 | 0.311879 |
| 25 | 白底 | -0.005 | 0.110059 | -0.04543 | 0.967893 | -0.47855 | 0.468545 | -0.47855 | 0.468545 |
| 26 | 花紋 | 0.116667 | 0.110059 | 1.060038 | 0.400225 | -0.35688 | 0.590212 | -0.35688 | 0.590212 |
| 27 | 月份 | 0.268333 | 0.110059 | 2.438088 | 0.134988 | -0.20521 | 0.741879 | -0.20521 | 0.741879 |
| 28 | 每週 | -0.00167 | 0.110059 | -0.01514 | 0.989293 | -0.47521 | 0.471879 | -0.47521 | 0.471879 |
| 29 | 1,000以內 | 0.633333 | 0.110059 | 5.754494 | 0.028896 | 0.159788 | 1.106879 | 0.159788 | 1.106879 |
| 30 | 2,000以內 | 0.093333 | 0.110059 | 0.848031 | 0.485726 | -0.38021 | 0.566879 | -0.38021 | 0.566879 |
| 31 | 合成皮 | -0.13167 | 0.110059 | -1.19633 | 0.354156 | -0.60521 | 0.341879 | -0.60521 | 0.341879 |
| 32 | 塑膠 | -0.14667 | 0.110059 | -1.33262 | 0.3142 | -0.62021 | 0.326879 | -0.62021 | 0.326879 |

影響較大的水準

有超過5%的P值

● 聯合分析法與迴歸分析的差異

聯合分析法的分析方式最終會回到迴歸分析，但仍然與迴歸分析不同。迴歸分析
將 P 值超過 5% 的要因視為不利分析的要因，所以會先排除這類要因，然後再進
行迴歸分析，但是聯合分析法卻無法排除屬性的水準（要因），或許大家覺得不
能排除很奇怪，但是 P 值高的係數其實不會對結論造成明顯的影響。聯合分析法
的規則就是「不排除」，所以 P 值保持原本的值即可。

● 購買意願的迴歸公式

以「想買」到「不買」的五段式評價平均值對各商品方案進行迴歸分析後，就可
以得到購買意願的迴歸方程式，這個方程式的內容如下。

● 購買意願的迴歸方程式

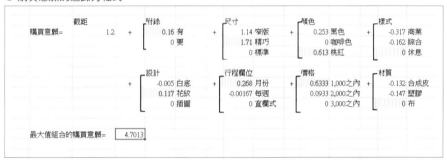

在上述的迴歸方程式之中，本書將係數最大的屬性分別標上顏色。將標上顏色的
儲存格加總後，得到評價 4.7 的結果（評價的最高值為 5）。

消費者最想購買的萬用手冊為能以 1000 元以內這種合理價格買到的精巧類型。封
面的材質為布，顏色則為黑色、咖啡色之外的亮色系，但設計不需太花俏，最多
就是花紋的設計。行程欄位則以可綜觀整個月行程的月份格式最受歡迎。

檢視萬用手冊規格的迴歸方程式可視情況解釋。以「顏色」而言，由於水準有三
種，所以只能提出三種顏色，與其說是想要「桃紅」，不如說消費者想要「黑
色、咖啡色」以外的顏色，而這種解釋也比較自然。

發展 ▶ ▶ ▶

▶ 類似的分析範例

在問卷應答者的屬性套用篩選功能，就能進行不同層次的聯合分析。下圖是將
「問卷結果」工作表的「性別」以「1」、「0」（本書將 1 視為男性，將 0 視為

女性）篩選的迴歸分析結果。男性整體幾乎呈相同的傾向，但是「黑色」的影響度卻逐漸增加。若是將分析範圍限縮至女性，迴歸方程式的顯著性就消失，這代表女性的喜好較為多元，無法就這次的屬性與水準看出購買意願。因此，應答者整體的影響度也只能說是反應了男性的購買意願而已。

● 將「性別」篩選至「1」的聯合分析

| 10 | ANOVA | | | | | |
|---|---|---|---|---|---|---|
| 11 | | 自由度 | SS | MS | F | 顯著值 |
| 12 | 迴歸 | 15 | 14.06773 | 0.937849 | 47.93165 | 0.020619 |
| 13 | 殘差 | 2 | 0.039133 | 0.019566 | | |
| 14 | 總和 | 17 | 14.10686 | | | |
| 15 | | | | | | |
| 16 | | 係數 | 標準誤 | t統計 | P-值 | 下限 95% | 上限 95% | 下限 95.0% | 上限 95.0% |
| 17 | 截距 | 0.776749 | 0.13188 | 5.889816 | 0.027637 | 0.209315 | 1.344183 | 0.209315 | 1.344183 |
| 18 | 有 | 0.199588 | 0.06594 | 3.026819 | 0.094012 | -0.08413 | 0.483305 | -0.08413 | 0.483305 |
| 19 | 窄版 | 1.324074 | 0.08076 | 16.39524 | 0.0037 | 0.976593 | 1.671555 | 0.976593 | 1.671555 |
| 20 | 精巧 | 1.654321 | 0.08076 | 20.48449 | 0.002375 | 1.30684 | 2.001802 | 1.30684 | 2.001802 |
| 21 | 黑色 | 0.484568 | 0.08076 | 6.000122 | 0.02667 | 0.137087 | 0.832049 | 0.137087 | 0.832049 |
| 22 | 桃紅 | 0.669753 | 0.08076 | 8.293162 | 0.01423 | 0.322272 | 1.017234 | 0.322272 | 1.017234 |
| 23 | 商業 | -0.13272 | 0.08076 | -1.64335 | 0.242028 | -0.4802 | 0.214765 | -0.4802 | 0.214765 |
| 24 | 綜合 | -0.13889 | 0.08076 | -1.71978 | 0.227612 | -0.48637 | 0.208592 | -0.48637 | 0.208592 |
| 25 | 白底 | 0.188272 | 0.08076 | 2.331257 | 0.145018 | -0.15921 | 0.535752 | -0.15921 | 0.535752 |
| 26 | 花紋 | 0.132716 | 0.08076 | 1.643345 | 0.242028 | -0.21476 | 0.480197 | -0.21476 | 0.480197 |

> 比起整體分析而言，「黑色」最受人喜歡。

● 將「性別」篩選至「0」的聯合分析

| | A | B | C | D | E | F | G | H | I |
|---|---|---|---|---|---|---|---|---|---|
| 1 | 摘要輸出 | | | | | | | | |
| 2 | | | | | | | | | |
| 3 | | 迴歸統計 | | | | | | | |
| 4 | R 的倍數 | 0.975665 | | | | | | | |
| 5 | R 平方 | 0.951922 | | | | | | | |
| 6 | 調整的 R 平方 | 0.591335 | | | | | | | |
| 7 | 標準誤 | 0.568714 | | | | | | | |
| 8 | 觀察值個數 | 18 | | | | | | | |
| 9 | | | | | | | | | |
| 10 | ANOVA | | | | | | | | |
| 11 | | | 自由度 | SS | MS | F | 顯著值 | | |
| 12 | 迴歸 | | 15 | 12.80766 | 0.853844 | 2.639922 | 0.30895 | | |
| 13 | 殘差 | | 2 | 0.64687 | 0.323435 | | | | |
| 14 | 總和 | | 17 | 13.45453 | | | | | |
| 15 | | | | | | | | | |
| 16 | | | 係數 | 標準誤 | t統計 | P-值 | 下限 95% | 上限 95% | 下限 95.0% | 上限 95.0% |
| 17 | 截距 | | 1.701691 | 0.536188 | 3.173681 | 0.086583 | -0.60534 | 4.008723 | -0.60534 | 4.008723 |

> 迴歸方程式的顯著性消失

### ▶ 使用直交表建立商品方案

屬性與水準都固定之後，接著要將屬性與水準分配至直交表，藉此建立商品方案。手動逐一輸入當然也可以，但為了避免輸入錯誤，還是建議利用 Excel 的功能，有效率地輸入資料。INDEX 函數可搜尋水準的位置，但為了更有效率地使用 INDEX 函數，我們要另外搭配 INDIRECT 函數。

▶ 右圖可於範例「5-04- 完成」的「男性」工作表與「女性 - 無法分析」工作表確認。

範例
5-04- 發展

INDIRECT 函數 ➡ 將字串變更為公式可使用的名稱

| | |
|---|---|
| 格　式 | = INDIRECT（參照字串） |
| 解　說 | 參照字串可指定為可辨為儲存格參照的字串，舉例來說，將儲存格「A1:B1」命名為「商品 A」的時候，將公式指定為「=INDIRECT( 商品 A)」就能參照儲存格範圍「A1:B1」。 |
| 補　充 | 使用 INDEX 函數之前，可先替儲存格範圍命名。 |

### 將各水準的儲存格範圍命名為屬性名稱

▶點選「屬性與水準」工作表進行操作。

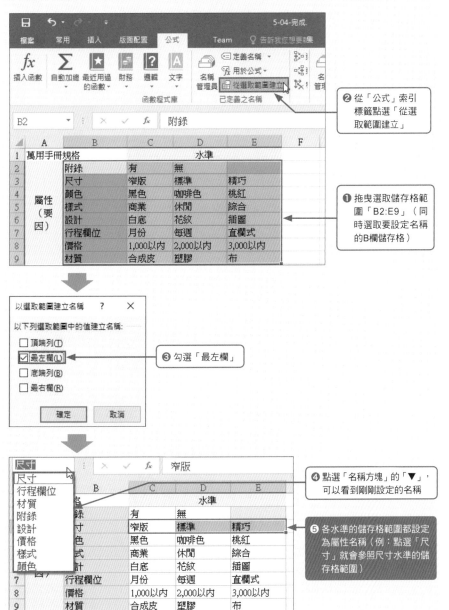

❷ 從「公式」索引標籤點選「從選取範圍建立」

❶ 拖曳選取儲存格範圍「B2:E9」（同時選取要設定名稱的B欄儲存格）

❸ 勾選「最左欄」

❹ 點選「名稱方塊」的「▼」，可以看到剛剛設定的名稱

❺ 各水準的儲存格範圍都設定為屬性名稱（例：點選「尺寸」就會參照尺寸水準的儲存格範圍）

將屬性分配至直交表

▶雖然可利用 INDEX
函數參照，但不需要再
更新值，所以這次才介
紹「選擇性貼上」的方
法。

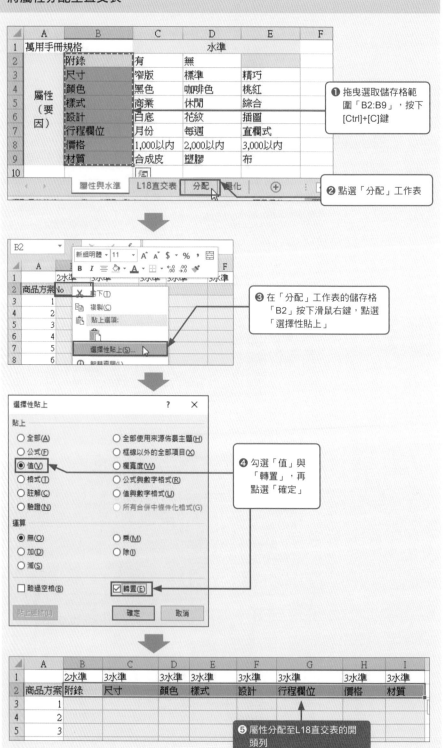

**將水準分配至直交表**

● 在「分配」工作表的儲存格「B3」輸入的公式

| B3 | =INDEX(INDIRECT(B$2),1,L18 直交表 !B3) |
|---|---|

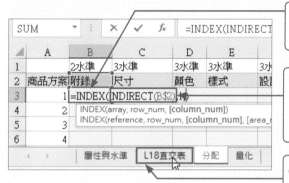

❶ 在儲存格「B3」輸入INDEX 函數，再於「陣列」參數指定INDIRECT函數。

❷ 「INDIRECT(B$2)」辨識的是「附錄」這個名稱，會自動轉換成「屬性與水準」工作表的儲存格範圍「C2:E2」。

❸ 點選「L18直交表」

❹ 利用INDEX函數搜尋的列編號為只有第1列，所以指定為「,1,」

❺ 指定要搜尋的欄編號為「L18直交表」工作表的儲存格「B3」，再輸入結束括號，然後按下 [Enter] 鍵確定。

❻ 搜尋「附錄」的儲存格範圍「C2:E2」的第1欄第1列。利用自動填滿功能將公式複製到儲存格「I18」為止。

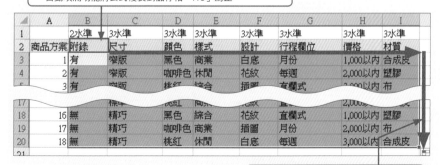

❼ 各屬性的水準分配至「分配」工作表了

▶ 量化商品方案

商品方案的量化可與 P.16 一樣替每個屬性（要因）建立判斷是否為元素名稱的 IF 函數，但是建立 8 種 IF 函數實在有點麻煩，所以這次要使用 MATCH 函數，統一判斷商品方案的組成，如果符合 MATCH 函數的搜尋就量化為「1」，如果不符合就量化為「0」。

具體而言，MATCH 函數會在指定範圍內找不到要搜尋的內容時顯示為「#N/A」錯誤。所以，要在 IF 函數的邏輯式指定 MATCH 函數的結果為錯誤時顯示為「0」，不是錯誤時顯示為「1」的判斷式。

▶ MATCH 函數
→ P.89

### ISERROR 函數 ➡ 判斷公式是否錯誤

| 格 式 | = ISERROR（測試對象） |
|---|---|
| 解 說 | 測試對象可指定為要測試是否為錯誤的公式。錯誤時，將顯示「TRUE」，非錯誤時將顯示為「FALSE」。 |
| 補 充 | IF 函數的邏輯式若輸入 ISERROR 函數，就會在公式錯誤時執行條件成立的內容，並在公式正確時執行條件不成立的內容。 |

### 將各商品方案量化為 1 與 0

●在「量化」工作表的儲存格「B3」輸入的公式

| B3 | =IF(ISERROR(MATCH(B$2, 分配 !$B3:$I3,0)),0,1) |
|---|---|

假設儲存格「B2」的「有」存在於「分配」工作表的儲存格範圍「B3:I3」，就會顯示存在的位置

▶為了避免搜尋範圍的欄位在利用自動填滿功能複製 MATCH 函數的時候位移，所以只有欄位是以絕對參照的方式指定。

| ▲ | A | B | C | D | E | F | G | H |
|---|---|---|---|---|---|---|---|---|
| 1 | | 附錄 | | 尺寸 | | | | 顏色 |
| 2 | 商品No | 有 | 無 | 窄版 | 標準 | 精巧 | 黑色 | 咖啡色 |
| 3 | 1 | 1 | #N/A | | 2 | #N/A | #N/A | |
| 4 | 2 | | | | | | | |
| 5 | 3 | | | | | | | |
| 6 | 4 | | | | | | | |

不存在的水準就會顯示為「#N/A」錯誤

| ▲ | A | B | C | D | E | F | G | H | I |
|---|---|---|---|---|---|---|---|---|---|
| 1 | | 附錄 | | 尺寸 | | | 顏色 | | |
| 2 | 商品No | 有 | 無 | 窄版 | 標準 | 精巧 | 黑色 | 咖啡色 | 桃紅 |
| 3 | 1 | 1 | 0 | 1 | 0 | 0 | 1 | 0 | 0 |
| 4 | 2 | 1 | 0 | 1 | 0 | 0 | 0 | 1 | 0 |
| 5 | 3 | 1 | 0 | 1 | 0 | 0 | 0 | 0 | 1 |
| 6 | 4 | 1 | 0 | 0 | 1 | 0 | 1 | 0 | 0 |
| 7 | 5 | 1 | 0 | 0 | 1 | 0 | 0 | 1 | 0 |

## Column 水準名稱的轉記

「量化」工作表的第 2 列水準名稱若設定為 P.269 設定的名稱,就能利用 INDEX 函數參照。為了一次參照所有指定的範圍,讓我們試著以陣列公式輸入。這次先在「量化」工作表的第 1 列輸入屬性名稱,再於 INDEX 函數裡使用該屬性名稱。3 水準的屬性只有「尺寸」,所以要手動輸入公式,其餘的屬性都可利用 [Ctrl]+[V] 的方式貼上,才能快速完成公式的輸入。

不過,輸入陣列公式時,無法於個別的儲存格裡編輯公式,所以若是在排除冗長的資料時移動了部分的欄位就會出現錯誤。舉例來說,「有」與「無」已設定為一組的資料,所以無法只移動「無」,因此,在量化資料之後,請先複製所有輸入函數的儲存格範圍,再以「值」的方式貼上。

拖曳選取儲存格範圍「B2:C2」,輸入「=INDIRECT(B1)」,再按下[Ctrl]+[Shift]+[Enter]鍵

一樣在儲存格範圍「D2:F2」輸入INDEX函數,再按下[Ctrl]+[C]複製,然後貼在其他的屬性裡。

## Column 公式的易讀性與效率性

分配與量化商品方案的公式雖然變得很複雜,但是大家讀起來覺得如何?若想利用一個公式完成上述的工作與重視輸入的效率性,公式就有可能複雜得難以閱讀,但是若只重視易讀性而將公式分成好幾段,又得輸入好幾次公式,步驟也變得繁複,這等於很容易出現輸入錯誤的問題。本書的主旨之一是希望提醒讀者們的 Excel 技巧,所以介紹的是重視效率的公式,但是易讀性與效率性之間存在著兩相權衡的關係,所以無法斷言哪邊才是正確的。假設檔案會傳給其他人使用就該重視易讀性,如果只是自己使用則可重視效率性,還請大家視情況決定囉!

# 05 得到目標客群青睞的是哪邊？

刑事連續劇的劇情常出現預測犯人的側寫手法，也就是「○○人有○○傾向」的手法，而這種預測的手法也能用於商場。可選擇內容「A」、「B」的問卷同時收集應答者的性別、年齡、地址這些側寫資料（屬性），就能掌握「○○人有選擇「A」的傾向」這種特徵。這次要解說的是，利用迴歸分析判斷目標客群會選擇「A」／「B」的方法。

## 導入 ▶ ▶ ▶

**實　例**　「想了解覺得自己運動不足的三十歲職業婦女喜歡的包裝」

飲料製造商 T 公司針對新商品的包裝進行各種調查與研究後，最終得到「鋁箔包」與「寶特瓶」這兩種候選選項。這次的新商品是以覺得自己運動不足的三十歲職業婦女為目標客群。

到底該怎麼做才能知道目標客群會喜歡「鋁箔包」還是「寶特瓶」呢？

‧鋁箔包：以洗練流線的外型為概念，方便手掌小的人單手握取的包裝。
‧寶特瓶：環保輕薄短小類型的寶特瓶。手掌小的人也能單手握取的苗條包裝。

### ▶ 以應答者的側寫資料進行迴歸分析

所謂側寫資料就是資訊與屬性。這次在進行包裝問卷時，也收集了應答者的資訊，希望透過迴歸分析預測目標客群選擇包裝的傾向。

迴歸分析的目標變數為「鋁箔包」或「寶特瓶」的選擇，而說明包裝選擇的要因為應答者的側寫資料。

這次的分析與第 4 章的迴歸分析或前一節的聯合分析的不同之處在於「目標變數」為「鋁箔包」或「寶特瓶」，也就是所謂的定性資訊。目標變數與說明變數都是定性資料的迴歸分析正式名稱為「數量化理論二類」，若是對於這方面有興趣的人，

一看到這個名詞一定會立刻撤退，但是剝開艱澀詞彙的外皮後，其實就是迴歸分析，Excel 的操作也完全一樣。

### ● 定性資料的判別方法

目標變數為定性資料時，可將資料量化為 0 與 1，這次的範例則將「鋁箔包」設定為「1」，「寶特瓶」設定為 0，而就預測的迴歸分析結果而言，迴歸方程式算出的目標變數值可能是為 0.882 或 0.168 這種瑣碎的值，而我們將 0 與 1 的中間值 0.5 作為選擇的臨界值。

判別時，很像是在拔河，不過，從中選其一是主要的目的，所以沒有平手的結果。臨界值的 0.5 必定歸屬於其中一邊。

#### ● 定性資料的判別方法

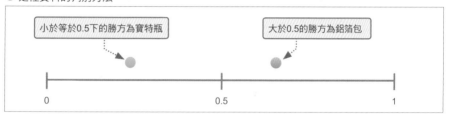

### ● 判別的命中率

數量化理論二類是計算判別的命中率，代表的是判別的準確率，換言之就是先透過迴歸方程式預測，再拿問卷的結果與預測結果對照，藉此算出預測的準確率。只要在使用資料分析工具的「迴歸」功能時勾選「殘差」，就會連同預測值一併輸出，假設命中率達 80% 以上，就代表該迴歸方程式可用於判別，但「80%」充其量只是參考值。

此外，數量化理論二類將迴歸方程式預測的值稱為樣本分數。

### ● 要因的影響度

迴歸分析輸出的係數範圍稱為影響度，在排除冗長資料時被排除的元素將以係數「0」納入範圍的計算。

> ▶ 問卷除了「鋁箔包」、「寶特瓶」這兩種選項，還加入「不知道」、「無所謂」這類中性的選項，故意設計成不是只有二擇一的題目。

> 範圍
> ▶ 資料的最大值減去最小值的值。就是資料的擺幅。

---

## 實踐 ▶ ▶ ▶

### ▶ 準備的業務資料

這次進行了包裝問卷，而這份問卷也收集了應答者的側寫資料，例如「性別」、「年紀」、「職業」、「是否覺得自己運動不足」的資料。主要的包裝相關選項不僅兩種，還加入「不知道」這類的選項。只不過，「不知道」的選項會排除在

**範例**

**5-05**
內文介紹的表格可於「概要」、「問卷結果」工作表確認。
這裡請點選「量化」工作表。

▶應答者側寫資料就是應答者的「屬性」，「屬性」的選項為「水準」。用語雖然會隨著迴歸分析的種類而改變，但本質卻是相同的。

分析對象之外。明明要排除在分析之外，卻還是故意加入「不知道」選項的理由，是希望避免應答者不得已選擇一邊的情況。

此外，這次收到了 505 份問卷，其中五位回答了「不知道」，為了方便統計，先將「不知道」的資料整理在問卷最後。

● 問卷概要

| | A | B | C | D | E | F |
|---|---|---|---|---|---|---|
| 1 | 問卷概要 | | | | | |
| 2 | 目標 | 包裝 | 鋁箔包 | 寶特瓶 | 不知道 | |
| 3 | | | | | | |
| 4 | 應答者側寫資料 | 性別 | 男性 | 女性 | 其他 | |
| 5 | | 年紀 | 20幾歲 | 30幾歲 | 40幾歲 | 50幾歲 |
| 6 | | 職業 | 上班族 | 公務員 | 自營業 | 個人營業 |
| 7 | | 運動不足 | 常常覺得 | 偶爾覺得 | 不太覺得 | 不覺得 |

● 問卷結果

| | A | B | C | D | E | F | G |
|---|---|---|---|---|---|---|---|
| 1 | 回答No | 性別 | 年紀 | 職業 | 運動不足 | 新飲料 | |
| 2 | 1 | 女性 | 50代 | 個人營業 | 偶爾覺得 | 鋁箔包 | |
| 3 | 2 | 男性 | 20代 | 自營業 | 常常覺得 | 鋁箔包 | |
| 501 | 500 | 女性 | 50代 | 公務員 | 不太覺得 | 寶特瓶 | |
| 502 | 501 | 男性 | 30代 | 上班族 | 常常覺得 | 不知道 | |
| 503 | 502 | 女性 | 40代 | 個人營業 | 偶爾覺得 | 不知道 | |
| 504 | 503 | 其他 | 20代 | 上班族 | 不覺得 | 不知道 | |
| 505 | 504 | 女性 | 20代 | 公務員 | 偶爾覺得 | 不知道 | |
| 506 | 505 | 男性 | 50代 | 公務員 | 常常覺得 | 不知道 | |
| 507 | | | | | | | |

▶ Excel 的操作①：量化定性資料

接著要將定性資料量化為「1」與「0」。目標變數只有一個，應答者側寫資料有 4 項，總計要量化 5 項定性資料。與 P.16 一樣利用 IF 函數量化也可以，但這麼做就得輸入五種 IF 函數，所以這次改用 IF 函數、ISERROR 函數、MATCH 函數，以一種 IF 函數量化資料。

利用 MATCH 函數搜尋應答者的側寫資料與回答，若搜尋到符合的資料就顯示「1」，若搜尋不到就顯示「0」。具體的方法請參考 P.272。

此外，為了避免「不知道」這個答案不小心摻入迴歸分析指定的資料範圍內，會在量化之前，在第 503 列空出一列。

**量化問卷結果**

●在儲存格「B3」輸入的公式

| B3 | =IF(ISERROR(MATCH(B$2, 問卷結果 !$B2:$F2,0)),0,1) |
|---|---|

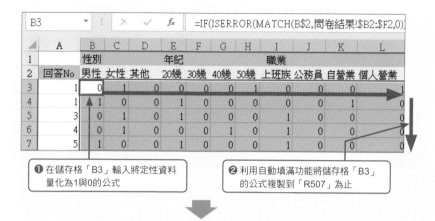

❶ 在儲存格「B3」輸入將定性資料量化為1與0的公式

❷ 利用自動填滿功能將儲存格「B3」的公式複製到「R507」為止

| | A | B | C | D | E | F | G | H | I | J | K | L |
|---|---|---|---|---|---|---|---|---|---|---|---|---|
| 499 | 497 | 0 | 1 | 0 | 0 | 1 | 0 | 0 | 1 | 0 | 0 | 0 |
| 500 | 498 | 0 | 1 | 0 | 1 | 0 | 0 | 0 | 1 | 0 | 0 | 0 |
| 501 | 499 | 1 | 0 | 0 | 0 | 0 | 1 | 0 | 0 | 1 | 0 | 0 |
| 502 | 500 | 0 | 1 | 0 | 0 | 0 | 1 | 0 | 1 | 0 | 0 | 0 |
| 503 | | | | | | | | | | | | |
| 504 | 501 | 1 | 0 | 0 | 0 | 0 | 0 | 1 | 0 | 0 | 0 | 0 |
| 505 | 502 | 0 | 1 | 0 | 0 | 0 | 1 | 0 | 0 | 0 | 0 | 1 |
| 506 | 503 | 0 | 0 | 1 | 1 | 0 | 0 | 0 | 1 | 0 | 0 | 0 |

❸ 在第「503」列按下滑鼠右鍵，點選「插入」，讓不需分析的資料分離，完成所有定性資料的量化。

▶ Excel的操作② ：實施迴歸分析

在實施迴歸分析之前，要先排除冗長的資料，所以將每個項目的一個選項剔除。總共有五個欄位的資料，所以請先將這五欄的資料複製到其他位置再刪除。迴歸分析的「輸入 Y 範圍」設定的是包裝，「輸入 X 範圍」設定的是應答者的側寫資料。請勾選「殘差」再輸出。

### 排除冗長資料

❶ 點選欄號「D」，再按住[Ctrl]，點選「H」、「L」、「P」、「R」。

❷ 選取5欄資料後，按下[Ctrl]+[C]複製。

| | C | D | E | F | G | H | I | J | K | L | | P | Q | R |
|---|---|---|---|---|---|---|---|---|---|---|---|---|---|---|
| 1 | | | 年紀 | | | | 職業 | | | | 運動 | | 包裝 | |
| 2 | 女性 | 其他 | 20幾 | 30幾 | 40幾 | 50幾 | 上班族 | 公務員 | 自營業 | 個人營業 | 常喝 | 不覺得 | 鋁箔包 | 寶特瓶 |
| 3 | 1 | 0 | 0 | 0 | 0 | 0 | 1 | 0 | 0 | 0 | | 0 | 1 | 0 |
| 4 | 0 | 0 | 0 | 1 | 0 | 0 | 0 | 0 | 1 | 0 | | 0 | 1 | 0 |
| 5 | 1 | 0 | 0 | 0 | 1 | 0 | 1 | 0 | 0 | 0 | | 0 | 1 | 0 |
| 6 | 1 | 0 | 0 | 0 | 1 | 0 | 1 | 0 | 0 | 0 | | 0 | 1 | 0 |
| 7 | 0 | 0 | 1 | 0 | 0 | 0 | 1 | 0 | 0 | 0 | | 0 | 0 | 1 |

❸ 點選要貼上資料的欄編號（範例點選的是「T」欄）再按下[Ctrl]+[V]鍵貼上。

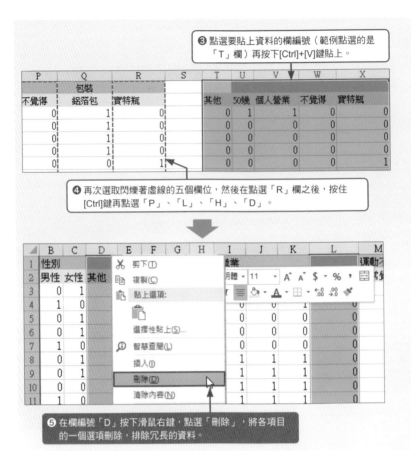

❹ 再次選取閃爍著虛線的五個欄位，然後在點選「R」欄之後，按住[Ctrl]鍵再點選「P」、「L」、「H」、「D」。

❺ 在欄編號「D」按下滑鼠右鍵，點選「刪除」，將各項目的一個選項刪除，排除冗長的資料。

## 實施迴歸分析

❶ 點選「量化」工作表，再從「資料」索引標籤點選「資料分析」。

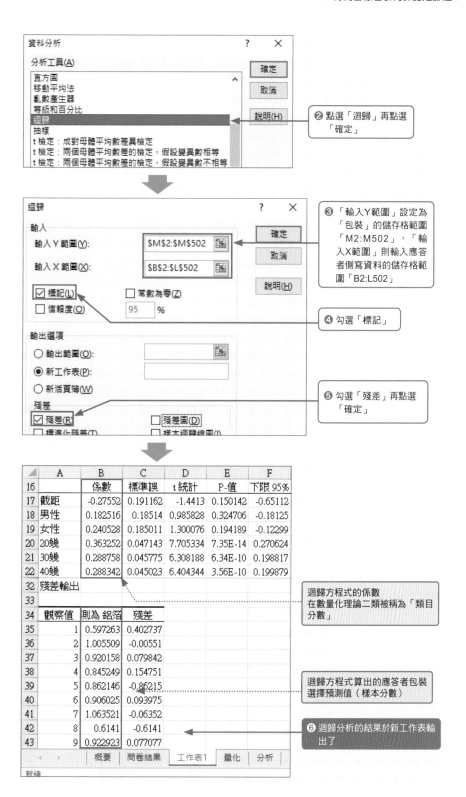

**資料分析**

分析工具(A)

直方圖
移動平均法
亂數產生器
等級和百分比
迴歸
抽樣
t檢定：成對母體平均數差異檢定
t檢定：兩個母體平均數差的檢定，假設變異數相等
t檢定：兩個母體平均數差的檢定，假設變異數不相等

確定
取消
說明(H)

❷ 點選「迴歸」再點選「確定」

**迴歸**

輸入

輸入Y範圍(Y)：　$M$2:$M$502
輸入X範圍(X)：　$B$2:$L$502

☑ 標記(L)　　□ 常數為零(Z)
□ 信賴度(O)　　95 ％

確定
取消
說明(H)

❸ 「輸入Y範圍」設定為「包裝」的儲存格範圍「M2:M502」，「輸入X範圍」則輸入應答者側寫資料的儲存格範圍「B2:L502」

❹ 勾選「標記」

輸出選項

○ 輸出範圍(O)：
● 新工作表(P)：
○ 新活頁簿(W)

殘差

☑ 殘差(R)　　□ 殘差圖(D)
□ 標準化殘差(T)　　□ 樣本迴歸線圖(I)

❺ 勾選「殘差」再點選「確定」

| | A | B | C | D | E | F |
|---|---|---|---|---|---|---|
| 16 | | 係數 | 標準誤 | t統計 | P-值 | 下限 95% |
| 17 | 截距 | -0.27552 | 0.191162 | -1.4413 | 0.150142 | -0.65112 |
| 18 | 男性 | 0.182516 | 0.18514 | 0.985828 | 0.324706 | -0.18125 |
| 19 | 女性 | 0.240528 | 0.185011 | 1.300076 | 0.194189 | -0.12299 |
| 20 | 20幾 | 0.363252 | 0.047143 | 7.705334 | 7.35E-14 | 0.270624 |
| 21 | 30幾 | 0.288758 | 0.045775 | 6.308188 | 6.34E-10 | 0.198817 |
| 22 | 40幾 | 0.288342 | 0.045023 | 6.404344 | 3.56E-10 | 0.199879 |
| 32 | 殘差輸出 | | | | | |
| 33 | | | | | | |
| 34 | 觀察值 | 測為 鋁箔 | 殘差 | | | |
| 35 | 1 | 0.597263 | 0.402737 | | | |
| 36 | 2 | 1.005509 | -0.00551 | | | |
| 37 | 3 | 0.920158 | 0.079842 | | | |
| 38 | 4 | 0.845249 | 0.154751 | | | |
| 39 | 5 | 0.862146 | -0.86215 | | | |
| 40 | 6 | 0.906025 | 0.093975 | | | |
| 41 | 7 | 1.063521 | -0.06352 | | | |
| 42 | 8 | 0.6141 | -0.6141 | | | |
| 43 | 9 | 0.922923 | 0.077077 | | | |

概要　問卷結果　工作表1　量化　分析

就緒

迴歸方程式的係數
在數量化理論二類被稱為「類目分數」

迴歸方程式算出的應答者包裝選擇預測值（樣本分數）

❻ 迴歸分析的結果於新工作表輸出了

▶欄寬可適度調整。

▶調整的 R 超過 0.5，顯著值也低於 5%，代表迴歸方程式成立。不過，精確度是否能高到能用於預測，則需要進一步調查命中率。

▶ Excel 的操作③：建立判別式，算出樣本分數

判別式就是迴歸方程式。就這次包裝的選擇而言，可用來判別迴歸方程式算出的樣本分數大於 0.5 還是小於 0.5。

● 迴歸方程式 ( 判別式 )

| | 截距 | | 性別 | | 年紀 | | 職業 | | 運動不足 | |
|---|---|---|---|---|---|---|---|---|---|---|
| 樣本分數 | -0.276 | + | 0.183 男性 | + | 0.363 20幾歲 | + | -0.0404 上班族 | + | 0.693 常常覺得 | |
| | | | 0.241 女性 | | 0.289 30幾歲 | | -0.0918 公務員 | | 0.632 偶爾覺得 | |
| | | | 0 其他 | | 0.288 40幾歲 | | 0.0422 自營業 | | -0.0245 不太覺得 | |
| | | | | | 0 50幾歲 | | 0 個人營業 | | 0 不覺得 | |

要有效率地算出樣本分數可在輸出迴歸分析結果的工作表的「係數」追加在排除冗長資料時排除的選項，並將該選項的數值設定為「0」，然後再利用 DSUM 函數加總。DSUM 函數可在指定範圍設定條件，再加總所有符合條件的資料。

DSUM 函數 ➡ 加總符合條件的資料

格　式　= DSUM ( 資料庫，欄位，條件 )

解　說　資料庫參數可指定為包含條件值與計算值的儲存格範圍，而且可連同項目名稱一併指定。欄位參數可指定要加總的項目名稱的儲存格。條件參數可指定工作表裡任何一處輸入了條件的儲存格範圍。之後將從資料庫篩選出與條件一致的列，然後再加總欄位參數指定的欄資料。

補　充　條件表的項目名稱需與資料庫的項目名稱一致。

**將排除冗長資料時排除的選項追加至係數裡**

接著請在輸出結果插入列，再插入排除冗長資料時排除的選項，並將該選項設定為係數「0」。範例在儲存格範圍「N16:N20」建立了條件表，儲存格「A16」與儲存格「N16」都輸入了「類目名稱」，樣本分數則於儲存格「N22」計算。

▶右圖為了標示插入的列，特別標示了顏色，各位讀者可跳過標示顏色的步驟。範例建立的「分析」工作表已完成右圖裡的步驟，各位讀者可視情況使用。

| | A | B | C | I | J | K | L | M | N |
|---|---|---|---|---|---|---|---|---|---|
| 16 | 類目名稱 | 係數 | 標準誤 | 上限 95.0% | | | | 條件表 | 類目名稱 |
| 17 | 截距 | -0.275521162 | 0.191162 | 0.100081 | | | | 性別 | |
| 18 | 男性 | 0.18251586 | 0.18514 | 0.546285 | | | | 年紀 | |
| 19 | 女性 | 0.240527807 | 0.185011 | 0.604043 | | | | 職業 | |
| 20 | 其他 | 0 | | | | | | 運動不足 | |
| 21 | 20幾歲 | 0.363251779 | 0.047143 | 0.45588 | | | | | |
| 22 | 30幾歲 | 0.288757961 | 0.045775 | 0.378699 | | | | 樣本分數 | |
| 23 | 40幾歲 | 0.288342083 | 0.045023 | 0.376805 | | | | | |
| 24 | 50幾歲 | 0 | | | | | | | |
| 25 | 上班族 | -0.040356382 | 0.04792 | 0.053799 | | | | | |
| 26 | 公務員 | -0.091754499 | 0.048142 | 0.002837 | | | | | |
| 27 | 自營業 | 0.04222946 | 0.046349 | 0.133298 | | | | | |
| 28 | 個人營業 | 0 | | | | | | | |
| 29 | 常常覺得 | 0.693033096 | 0.046608 | 0.784611 | | | | | |
| 30 | 偶爾覺得 | 0.632256352 | 0.046204 | 0.723039 | | | | | |
| 31 | 不太覺得 | -0.02448818 | 0.047102 | 0.068059 | | | | | |
| 32 | 不覺得 | | | | | | | | |

## 計算樣本分數

● 在儲存格「N22」輸入的公式

| N22 | =DSUM(A16:B32,B16,N16:N20)+B17 |
| --- | --- |

▶為了方便輸入公式，特別隱藏 C 欄～K 欄

▶應答者 No1 的樣本分數與儲存格「B38」一致。由於是迴歸方程式算出來的值，會一致是當然的，但為了以防萬一，還是確認一遍。

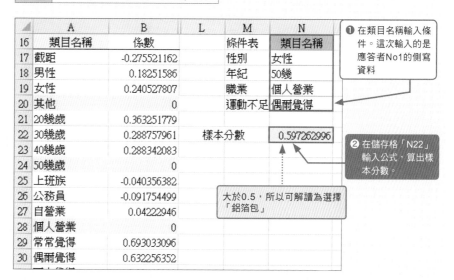

❶ 在類目名稱輸入條件。這次輸入的是應答者No1的側寫資料

| | A | B | L | M | N |
| --- | --- | --- | --- | --- | --- |
| 16 | 類目名稱 | 係數 | | 條件表 | 類目名稱 |
| 17 | 截距 | -0.275521162 | | 性別 | 女性 |
| 18 | 男性 | 0.18251586 | | 年紀 | 50幾 |
| 19 | 女性 | 0.240527807 | | 職業 | 個人營業 |
| 20 | 其他 | 0 | | 運動不足 | 偶爾覺得 |
| 21 | 20幾歲 | 0.363251779 | | | |
| 22 | 30幾歲 | 0.288757961 | | 樣本分數 | 0.597262996 |
| 23 | 40幾歲 | 0.288342083 | | | |
| 24 | 50幾歲 | 0 | | | |
| 25 | 上班族 | -0.040356382 | | | |
| 26 | 公務員 | -0.091754499 | | | |
| 27 | 自營業 | 0.04222946 | | | |
| 28 | 個人營業 | 0 | | | |
| 29 | 常常覺得 | 0.693033096 | | | |
| 30 | 偶爾覺得 | 0.632256352 | | | |

❷ 在儲存格「N22」輸入公式，算出樣本分數。

大於0.5，所以可解讀為選擇「鋁箔包」

▶ Excel 的操作④：計算樣本分數的命中率

計算應答者 No1 的側寫資料「偶爾覺得運動不足的 50 幾歲個人營業的女性」的樣本分數後，發現樣本分數超過 0.5，代表該應答者選擇的是「鋁箔包」。確定「問卷結果」工作表的結果也可以發現應答者 No1 的確選擇了「鋁箔包」。但是，就算是這個結果，「偶爾覺得運動不足的 50 幾歲個人營業的女性」是否一定會選擇「鋁箔包」就不一定，這個結論可能只能套用在 No1 的應答者身上。為了解決這個疑惑，必須進一步計算命中率。

迴歸方程式算出的樣本分數是否與實際的答案一致可利用 AND 函數或 OR 函數判斷，「而且」的部分相當於 AND 函數，「或是」的部分相當於 OR 函數。此外，命中率可於空白的儲存格計算。

● 命中率的思考邏輯

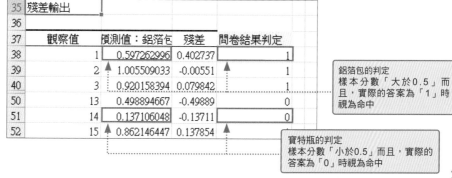

| 35 | 殘差輸出 | | | |
| --- | --- | --- | --- | --- |
| 36 | | | | |
| 37 | 觀察值 | 預測值：鋁箔包 | 殘差 | 問卷結果判定 |
| 38 | 1 | 0.597262996 | 0.402737 | 1 |
| 39 | 2 | 1.005509033 | -0.00551 | 1 |
| 40 | 3 | 0.920158394 | 0.079842 | 1 |
| 50 | 13 | 0.498894667 | -0.49889 | 0 |
| 51 | 14 | 0.137106048 | -0.13711 | 0 |
| 52 | 15 | 0.862146447 | 0.137854 | |

鋁箔包的判定
樣本分數「大於0.5」而且，實際的答案為「1」時視為命中

寶特瓶的判定
樣本分數「小於0.5」而且，實際的答案為「0」時視為命中

CHAPTER 01
CHAPTER 02
CHAPTER 03
CHAPTER 04
CHAPTER 05

AND 函數／OR 函數 ➡ 符合條件時顯示為 TRUE

| 格 式 | = AND（邏輯式 1，邏輯式 2，…） |
| | = OR（邏輯式 1，邏輯式 2，…） |
| 解 說 | 邏輯式指定的是用來判定的條件。AND 函數會在指定的邏輯式全部成立時顯示 TRUE， |
| | OR 函數則會在邏輯式其中一個成立時顯示 TRUE。AND／OR 函數都會在條件不成立時 |
| | 顯示 FALSE。 |
| 補 充 | 將公式全部乘上「1」，TRUE 就會量化為 1，FALSE 則會量化為 0。 |

### 判斷是否命中每位應答者的答案

● 在儲存格「D38」「E38」輸入的公式

| D38 | = 量化 !M3 |
| E38 | =OR(AND(B38>0.5,D38=1),AND(B38<=0.5,D38=0))*1 |

在儲存格範圍「D37」輸入「問卷結果」，並在
儲存格「E37」輸入「判定」這兩個項目名稱。

| 35 | 殘差輸出 | | | | |
| 36 | | | | | |
| 37 | 觀察值 | 預測值：鋁箔包 | 殘差 | 問卷結果判定 | 判定 |
| 38 | 1 | 0.597262996 | 0.402737 | 1 | |
| 39 | 2 | 1.005509033 | -0.00551 | | |
| 40 | 3 | 0.920158394 | 0.079842 | | |
| 41 | 4 | 0.845248697 | 0.154751 | | |
| 42 | 5 | 0.862146447 | -0.86215 | | |

❶ 點選儲存格「D38」，再輸入「=」，然後點選「量
化」工作表的儲存格「M3」，再按下[Enter] 鍵。

❷ 輸入判斷儲存格「E38」
是否命中的公式

| 35 | 殘差輸出 | | | | |
| 36 | | | | | |
| 37 | 觀察值 | 預測值：鋁箔包 | 殘差 | 問卷結果判定 | 判定 |
| 38 | 1 | 0.597262996 | 0.402737 | 1 | 1 |
| 39 | 2 | 1.005509033 | -0.00551 | 1 | 1 |
| 40 | 3 | 0.920158394 | 0.079842 | 1 | 1 |
| 41 | 4 | 0.845248697 | 0.154751 | 1 | 1 |
| 42 | 5 | 0.862146447 | -0.86215 | 0 | 0 |
| 43 | 6 | 0.906025442 | 0.093975 | 1 | 1 |

命中時顯示為「1」，未命中則顯示
為「0」。

❸ 拖曳選取儲存格範圍「D38:E38」，
再利用自動填滿功能複製到最後一筆
資料，完成每位應答者的判定。

### 動手做做看計算命中率

●在儲存格「E34」、「E35」輸入的公式

| E34 | =SUM(E38:E537) | E35 | =E34/500 |

先在儲存格「D34」輸入「命中數」，並在儲存格「D35」輸入「命中率」這兩個項目名稱

❶ 在儲存格「E34」與「E35」輸入計算命中數與命中率的公式

▶命中數是計算判定為1的儲存格的數量，若是以加法計算，可算出相同的結果。命中率則是以有效問卷數「500」除以命中數。

| 34 | | | 命中數 | 439 |
|----|----|----|----|----|
| 35 | 殘差輸出 | | 命中率 | 87.8% |
| 36 | | | | |
| 37 | 觀察值 | 預測值：鋁箔包 | 殘差 | 問卷結果判定 | 判定 |
| 38 | 1 | 0.597262996 | 0.402737 | 1 | 1 |
| 39 | 2 | 1.005509033 | -0.00551 | 1 | 1 |

超過參考值的80%，代表此迴歸方程式可用於判別。

▶ Excel 的操作⑤ ： 計算對判別的影響度

對判別的影響度可從迴歸分析的「係數」的範圍觀察。在數量化理論二類裡，「係數」又被稱為類目分數。由於加入了之前被排除的選項，所以要利用 MAX 函數與 MIN 函數計算範圍，再整理成圖表。

### 計算影響度，並且在圖表裡顯示影響度

●在儲存格「O17」～「O20」輸入的公式

| O17 | =MAX(B18:B20)-MIN(B18:B20) | O18 | =MAX(B21:B24)-MIN(B21:B24) |
| O19 | =MAX(B25:B28)-MIN(B25:B28) | O20 | =MAX(B29:B32)-MIN(B29:B32) |

在儲存格「O16」輸入「影響度」，再於儲存格範圍「M17:M20」輸入項目名稱。

| | A | B | K | L | M | N | O | P |
|----|----|----|----|----|----|----|----|----|
| 16 | 類目名稱 | 係數 | | | 條件表 | 類目名稱 | 影響度 | |
| 17 | 截距 | -0.275521162 | | | 性別 | 女性 | 0.240528 | |
| 18 | 男性 | 0.18251586 | | | 年紀 | 50幾 | 0.363252 | |
| 19 | 女性 | 0.240527807 | | | 職業 | 個人營業 | 0.133984 | |
| 20 | 其他 | 0 | | | 運動不足 | 偶爾覺得 | 0.717521 | |
| 21 | 20幾歲 | 0.363251779 | | | | | | |
| 22 | 30幾歲 | 0.288757961 | | | 樣本分數 | 0.597262996 | | |

❶ 在O欄輸入計算影響度的公式，算出影響度。

CHAPTER 01

CHAPTER 02

CHAPTER 03

CHAPTER 04

CHAPTER 05

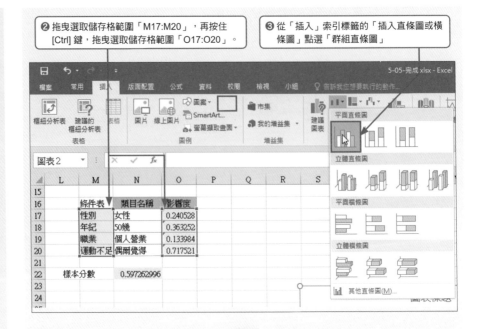

❷ 拖曳選取儲存格範圍「M17:M20」，再按住 [Ctrl] 鍵，拖曳選取儲存格範圍「O17:O20」。

❸ 從「插入」索引標籤的「插入直條圖或橫條圖」點選「群組直條圖」

▶步驟❷的按鈕名稱會因 Excel 的版本而有所不同，但按鈕的設計都是相同的。

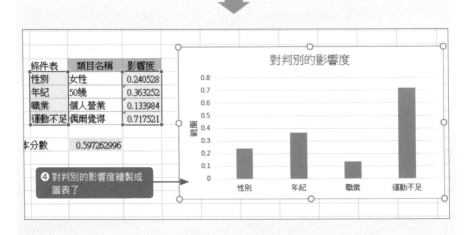

❹ 對判別的影響度繪製成圖表了

▶ 判讀結果

從樣本分數的命中率「87.8%」這點來看，樣本分數具有 87.8% 的機率可以正確判別。超過目標值的 80%，也代表迴歸方程式具有可信度，所以能用來計算目標客群的樣本分數。在迴歸分析結果工作表的條件表輸入下列內容，DSUM 函數就會算出新的結果。樣本分數約為「0.846」，可預測的是，會有 87.8 的機率選擇「鋁箔包」。此外，從影響度也可以判斷「年紀」與「運動不足」對判別造成影響。

● 目標客群的樣本分數

在問卷的各種職業之中，類目分數最低的是「公務員」。其他職業的類目分數都高於「公務員」

輸入目標客群的側寫資料

| 16 | 類目名稱 | 係數 | | K | L | M | N | O | P |
|---|---|---|---|---|---|---|---|---|---|
| | A | B | | | | | 類目名稱 | 影響度 | |
| 17 | 截距 | -0.275521162 | | | | 條件表 | | | |
| 18 | 男性 | 0.18251586 | | | | 性別 | 女性 | 0.240528 | |
| 19 | 女性 | 0.240527807 | | | | 年紀 | 50幾 | 0.363252 | |
| 20 | 其他 | 0 | | | | 職業 | 個人營業 | 0.133984 | |
| 21 | 20幾歲 | 0.363251779 | | | | 運動不足 | 偶爾覺得 | 0.717521 | |
| 22 | 30幾歲 | 0.288757961 | | | | | | | |
| 23 | 40幾歲 | 0.288342083 | | | | 樣本分數 | 0.597262996 | | |
| 24 | 50幾歲 | 0 | | | | | | | |
| 25 | 上班族 ▼ | -0.040356382 | | | | | | | |
| 26 | 公務員 | -0.091754499 | | | | | | | |
| 27 | 自營業 | 0.04222946 | | | | | | | |
| 28 | 個人營業 | 0 | | | | | | | |
| 29 | 常常覺得 | 0.693033096 | | | | | | | |
| 30 | 偶爾覺得 | 0.632256352 | | | | | | | |
| 31 | 不太覺得 ▲ | -0.02448818 | | | | | | | |
| 32 | 不覺得 | 0 | | | | | | | |

對判別的影響度

範圍 0.2 0.3 0.4 0.5 0.6 0.7 0.8

比起「偶爾覺得」，「常常覺得」的類目分數較高，所以「常常覺得」與「偶爾」覺得的判別相同。

## ● 低命中率的情況

假設命中率低於 80%，就必須從說明目標的要因之中排除不太能說明目標的要因（以這次的實例而言就是「職業」）再重新進行迴歸分析。或者是更換應答者的側寫資料。就這次的實例而言，雖然沒有可替換的應答者側寫資料，但可在實施問卷裡加入「運動不足」之外的「吃早餐頻率」這類可用來判別的題目，就能在低命中率的時候用來替換資料。

回答問卷時，有時會讓應答者覺得「為什麼要問得這麼仔細？」而理由之一是為了盡可能收集可用於判別的應答者側寫資料。回答問卷時，若想起判別的命中率，說不定您也會願意回答得更仔細一點吧！

## 發展 ▶ ▶ ▶

### ▶ 預測回答不知道的人的選擇

由於已經知道迴歸方程式是具有可信度的，所以就能用來預測回答「不知道」的人的選擇。這次試著輸入應答者 No501 的側寫資料，進行預測。

● 針對回答「不知道」的 No501 的預測

| | A | B | K | L | M | N | O | P |
|---|---|---|---|---|---|---|---|---|
| 16 | 類目名稱 | 係數 | | | 條件表 | 類目名稱 | 影響度 | |
| 17 | 截距 | -0.275521162 | | | 性別 | 男性 | 0.240528 | |
| 18 | 男性 | 0.18251586 | | | 年紀 | 30幾 | 0.363252 | |
| 19 | 女性 | 0.240527807 | | | 職業 | 上班族 | 0.133984 | |
| 20 | 其他 | 0 | | | 運動不足 | 常常覺得 | 0.717521 | |
| 21 | 20幾歲 | 0.363251779 | | | | | | |
| 22 | 30幾歲 | 0.288757961 | | | 樣本分數 | 0.848429373 | | |
| 23 | 40幾歲 | 0.288342083 | | | | | | |
| 24 | 50幾歲 | 0 | | | | | | |

應該會選擇「鋁箔包」

▶ 類似的分析範例

想判別的項目有兩個，目標變數與說明變數都為定性資料的情況，可使用數量化理論二類進行相同的分析。

· 目標客群是否會／不會來光顧
· 對服務是否滿意／不滿意
· 是否適合／不適合「○○業務」
· 考試是否會／不會及格

判別考試是否會及格／不及格的問卷大概可設計下列的項目。若是從樣本分數確定考試及格的人的側寫資料，說不定就能與自己的生活方式進行比較，並且改善自己的生活方式。

● 考試是否及格的判別

目的：及格／不及格考試合格與否可以只有兩個選項，也可以為不想回答的人另外預備選項。

要因：性別／學校名稱／睡眠時間／通學時間／吃早餐的頻率／社團活動（一週幾次以上之類的選項）／讀書時間

# 練習問題

**實例** 「希望透過顧客的意見改善賣場」

零售業 U 店在此之前都以獨佔市場的方式營業，但自從同一商圈出現競爭對手後，顧客就漸漸流失。U 店的店長希望檢視之前不可一世的營業方式，希望傾聽顧客的聲音而實施了問卷調查。問卷調查的結果如下。問卷以五段式評價的方式詢問了「商品種類」、「結帳人數」、「賣場人數」、「服務態度」、「營業時間」、「綜合評價」這些問題，也同時收集了應答者的年紀資料。

滿意度評院：「5：滿意」、「4：稍微滿意」、「3：無所謂」、「2：稍微不滿」、「1：不滿」

● 問卷調查

|  | A | B | C | D | E | F | G | H |
|---|---|---|---|---|---|---|---|---|
| 1 |  | ▽評價表 |  |  |  |  |  |  |
| 2 |  |  | 商品種類 | 結帳人數 | 賣場人數 | 服務態度 | 營業時間 | 綜合評價 | 臨界值 |
| 3 |  | 相關係數 |  |  |  |  |  |  |
| 4 |  | 平均分數 |  |  |  |  |  |  |
| 5 |  |  |  |  |  |  |  |  |
| 14 |  |  |  |  |  |  |  |  |
| 15 | No | 年紀 | 商品種類 | 結帳人數 | 賣場人數 | 服務態度 | 營業時間 | 綜合評價 |
| 16 | 1 | 10幾 | 5 | 4 | 5 | 3 | 2 | 5 |
| 17 | 2 | 40幾 | 2 | 2 | 2 | 3 | 1 | 2 |
| 18 | 3 | 20幾 | 3 | 3 | 4 | 3 | 4 | 3 |
| 19 | 4 | 50幾 | 3 | 3 | 3 | 2 | 2 | 3 |
| 20 | 5 | 50幾 | 3 | 1 | 2 | 2 | 3 | 2 |
| 21 | 6 | 10幾 | 4 | 4 | 1 | 4 | 1 | 3 |
| 22 | 7 | 60幾 | 4 | 3 | 3 | 4 | 3 | 4 |
| 23 | 8 | 40幾 | 4 | 3 | 3 | 4 | 5 | 4 |
| 24 | 9 | 10幾 | 4 | 2 | 5 | 1 | 4 | 1 |
| 25 | 10 | 10幾 | 4 | 4 | 5 | 1 | 2 | 3 |
| 26 | 11 | 40幾 | 4 | 4 | 3 | 4 | 2 | 4 |

範例
練習: 5-renshu
完成: 5-kansei

**問題** 繪製 CS Portfolio 圖表，並且從下列的年齡層找出早期改善項目與重點維持項目。繪製 CS Portfolio 圖表時，請根據下列的條件繪製。

① 整體應答者
② 10～20 幾歲
③ 30～50 幾歲
④ 60 歲以後

依照年齡分層後，臨界值的平均分數也會跟著改變，所以請在 CS Portfolio 圖表裡的適當位置繪製分界線。此外「5-kansei」檔案已繪製了分界線會隨著平均分數的更新而移動的圖表，僅供大家在練習時進行參考。

● 繪製條件

‧設定成平均分數隨著年齡層變更而自動更新。

‧綜合評價的相關係數若全部為正數時，請使用相關係數。

使用決定係數時，請將儲存格「B3」改成「決定係數」。

‧以年齡層篩選時，為了避免圖表隱藏，請將圖表配置在第 1 列～第 14 列。

‧圖表的相關內容如下：

| 標題／座標軸標題 | 標題：CS Portfolio<br>橫軸標題：相關係數或決定係數（請根據相關的結果選擇）<br>直軸標題：平均分數 |
|---|---|
| 刻度 | 直軸：2.6～3.5 刻度0.1<br>直軸：0～0.8 刻度0.1（相關係數的情況）<br>直軸：0～0.4 刻度0.1（決定係數的情況） |
| 格線 | 直軸／橫軸都是次要格線 |

# INDEX

## ■數值 · 英文字母

3C ......................................................... 6
4P ......................................................... 6
ABC 分析 ............................... 71、80、215
CS Portfolio ...................................... 240
Framework ............................................ 5
GMROI ............................................. 104
LTV ................................................. 238
PowerQuery ...................................... 199
PPDAC 循環 ................................. 5、19
PPM ................................................ 251
P 值 ................................................. 173
R2 值 ............................................... 141
RFM 分析 ......................................... 222
SWOT .................................................. 6
t 統計值 ........................... 173、193、251
t 分布 .............................................. 184
Z 圖表 ........................... 53、146、155

## ■函數

ABS 函數 .......................................... 204
ASC 函數 ............................................ 36
CORREL 函數 .................................... 166
COUNTIF 函數 ................................... 204
DSUM 函數 ....................................... 280
FORECAST 函數 ............................... 166
IFERROR 函數 ............................. 89、92
IF 函數 ...................................... 16、76
INDEX 函數 ................................. 89、92
INDIRECT 函數 ................................. 269
INT 函數 .......................................... 124
ISERROR 函數 .................................. 272
JIS 函數 ............................................. 36

LINEST 函數 ..................................... 211
LN 函數 ............................................ 116
LOWER 函數 ....................................... 38
MATCH 函數 ................................. 89、90
PROPER 函數 ..................................... 38
RSQ 函數 .......................................... 166
SLOPE 函數 ....................................... 116
SUBTOTAL 函數 ................................ 258
SUMIFS 函數 ..................................... 216
SUMIF 函數 ........................................ 27
SUMPRODUCT 函數 ........................... 207
TRIM 函數 .......................................... 37
UPPER 函數 ........................................ 38
VLOOKUP 函數 ........................... 221、224

## ■一劃

一次資料 ....................................... 10、18

## ■二劃

二次多項式趨勢 ........................ 141、145
二次資料 ....................................... 10、18
十分法分析 ....................................... 214

## ■三劃

大寫英文字母大文字 ........................... 38
小寫英文字母 ..................................... 38

## ■四劃

內部資料 .............................................. 10
內部環境 ............................................... 7
內插 ................................................. 210
冗長性 ........................... 17、260、277
冗長資料 .......................................... 189

分析工具 ....................................... 21、168

分配率 ......................................... 148、151

月份平均法 .........................................147

月次累計 ....................................... 52、63

水準 ........................................... 255、271

水準名稱 ...........................................273

■五劃

半形字元 ............................................36

外部資料 ............................................10

外部環境 .............................................7

外插 ...............................................210

平均分數 ...........................................261

■六劃

交叉 ABC 分析 ......................................83

交差比率 ...........................................104

全形字元 ............................................36

列表 ...............................................32

因果 ...............................................158

多元迴歸分析 ................... 171、177、186、249

自然對數 ...........................................116

■七劃

利益貢獻度 ........................................95

折線圖 .................... 47、57、64、77、142

決定係數 ................... 141、160、166、244

決策表 ........................................83、89

■八劃

函數 ...............................................21

制約條件 ...........................................128

刻度 ...............................................42

季節指數 ....................................... 148、151

定位圖 .............................................251

定性資料 .................... 14、186、189、275

泡泡圖 .........................................48、101

直交表 .................... 255、268、270、271

空白 ...............................................37

表格 .............................................232

金字塔圖表 .........................................11

長尾效應 ...........................................81

長條圖 .............................................47

長條圖 .............................................48

■九劃

係數 ....................... 173、207、211、251

指數模型 ...........................................115

指數趨勢 ...........................................141

柏拉圖 .................... 72、80、215

相關 .............................................158

相關係數 .................. 160、166、175、244

相關係數分析 .......................................174

■十劃

乘冪趨勢 ...........................................141

剖面資料 ............................................18

時間軸資料 ..........................................18

氣象廳 .............................................196

貢獻率 ....................................... 141、160

迴歸分析 .................... 259、263、277

迴歸方程式 ................................... 159、202

迴歸曲線 ...........................................160

■十一劃

假設 ...............................................6

偏差值 .............. 12、30、159、172、182、206

問題 ...............................................4

堆疊長條圖 .................... 40、48、76

常態分佈 ....................................... 168、183

常態機率圖 .........................................168

常數項 .............................................211

斜率 .............................................116

清理資料 ....................................... 25、36

產品組合管理 .......................................251

移動年計 ....................................... 52、63

組成比例累計 .......................................84

規劃求解 .................... 22、118、125

### ■十二劃

散布圖.................................. 28、48、109、158、247

殘差 ......................................................167、202

殘差圖表 ...........................................................168

絕對值 ...............................................................204

量化 .............................................................15、272

### ■十三劃

資料 ....................................................................2

資料標籤 .............................................................65

雷達圖.................................................................48

預測值 ...............................................................166

### ■十四劃

圖表 ............................................................20、39

對數趨勢 ......................................................141、145

管理基準 ...........................................................215

管理境界值 .......................................................215

綜合參照 .............................................................17

需要曲線 ........................... 107、109、115、119

需要所得彈性 ....................................................117

需要價格彈性 ............................... 106、114

### ■十五劃

數量化理論 I 類 ..............................................186

數量化理論 II 類 ............................................275

標記不一致 ...............................................13、26

標準化殘差 .......................................................205

標準法 ...............................................................141

標準誤 ...............................................................173

標題 ...................................................................41

標籤 ...................................................................41

樞紐分析表 ............................20、30、225、234

樣本分數 ....................................................275、280

線形趨勢 ....................................................141、145

線性 ...................................................................159

課題 ....................................................................4

調整的 R ...........................................................173

調整資料 ....................................................148、152

論點樹 ................................................................7

### ■十六劃

整數 ............................................................124、130

篩選 .............................................................25、189

錯誤 ...................................................................272

### ■十七劃

聯合分析法 ..................................................254、267

趨勢線 .......................................................121、154

### ■十八劃

簡單迴歸 ...........................................................160

### ■廿一劃

屬性 .......................................... 255、265、270

顧客終身價值 .....................................................238

### ■廿三劃

顯著值 ...............................................................173

# Excel 資料分析工作術｜提升業績、改善獲利，就靠這幾招

作　　　者：日花弘子
譯　　　者：許郁文
企劃編輯：莊吳行世
文字編輯：江雅鈴
設計裝幀：張寶莉
發 行 人：廖文良

發 行 所：碁峰資訊股份有限公司
地　　　址：台北市南港區三重路 66 號 7 樓之 6
電　　　話：(02)2788-2408
傳　　　真：(02)8192-4433
網　　　站：www.gotop.com.tw
書　　　號：ACI029300
版　　　次：2017 年 09 月初版
建議售價：NT$450

國家圖書館出版品預行編目資料

Excel 資料分析工作術：提升業績、改善獲利，就靠這幾招 / 日花
弘子原著；許郁文譯. -- 初版. -- 臺北市：碁峰資訊, 2017.07
　　面；　公分
　ISBN 978-986-476-470-9(平裝)
　1.EXCEL(電腦程式)
312.49E9　　　　　　　　　　　　　　　　　106010442

## 讀者服務

- 感謝您購買碁峰圖書，如果您對本書的內容或表達上有不清楚的地方或其他建議，請至碁峰網站：「聯絡我們」\「圖書問題」留下您所購買之書籍及問題。(請註明購買書籍之書號及書名，以及問題頁數，以便能儘快為您處理)
http://www.gotop.com.tw

- 售後服務僅限書籍本身內容，若是軟、硬體問題，請您直接與軟體廠商聯絡。

- 若於購買書籍後發現有破損、缺頁、裝訂錯誤之問題，請直接將書寄回更換，並註明您的姓名、連絡電話及地址，將有專人與您連絡補寄商品。

- 歡迎至碁峰購物網
http://shopping.gotop.com.tw
選購所需產品。